震災復興から地方創生へ、オリンピックからコロナへ――
2010年代以降の十数年は、都心部から地方まで「まちづくり」の実践や議論が大きく進んだ期間でもありました。この十数年のまちづくりはいかなる成果を挙げ、いかなる課題を残したのでしょうか？

リノベーション、コミュニティ、都市開発、広告・建築……さまざまな立場でまちづくりの現場を走り続けてきたプレイヤーを集めて現在地を総括し、2020年代のまちづくりにおいて向き合うべき課題を洗い出します。

構成＝藤田マリ子

宇野常寛 TSUNEHIRO UNO

1978年生まれ。評論家。批評誌「PLANETS」「モノノメ」編集長。主著に『ゼロ年代の想像力』『母性のディストピア』、『リトル・ピープルの時代』『遅いインターネット』『水曜日は働かない』『砂漠と異人たち』。

重松眞理子 MARIKO SHIGEMATSU

三菱地所株式会社 都市開発企画部 ユニットリーダー。近年、NPO法人大丸有エリアマネジメント協会（リガーレ）事務局として丸の内仲通り等における道路空間活用に携わったほか、エリア内のイノベーションエコシステムの形成促進に向けた取り組みの立ち上げ、スマートシティ・エリアマネジメントDXの推進などに取り組んでいる。一般社団法人大手町・丸の内・有楽町地区まちづくり協議会都市政策・ガイドライン部会長を兼任。

古田秘馬 HIMA FURUTA

プロジェクトデザイナー。株式会社umari代表。東京・丸の内「丸の内朝大学」などの数多くの地域プロデュース・企業ブランディングなどを手がける。農業実験レストラン「六本木農園」や讃岐うどん文化を伝える宿「UDON HOUSE」など都市と地域、日本と海外を繋ぐ仕組みづくりを行う。現在はレストランバスなどを手掛ける高速バスWILLER株式会社やクラウドファンディングサービスCAMPFIRE、再生エネルギーの自然電力株式会社・顧問、医療法人の理事などを兼任。2021年には、瀬戸内の香川で、地域の事業者で作る宿・URASHIMA VILLAGEを開業。地域の共助の社会システムデザインを専門とする。

齋藤精一 SEIICHI SAITO

パノラマティクス主宰。1975年神奈川県生まれ。建築デザインをコロンビア大学建築学科（MSAAD）で学び、2000年からニューヨークで活動を開始。2006年株式会社ライゾマティクス（現：株式会社アブストラクトエンジン）を設立。社内アーキテクチャー部門『パノラマティクス』を率い、現在では行政や企業などの企画、実装アドバイザーも数多く行う。2023年グッドデザイン賞審査委員長。

馬場正尊 MASATAKA BABA

1968年佐賀県生まれ／1994年早稲田大学大学院建築学修了後、博報堂入社／1998年早稲田大学博士課程、雑誌『A』編集長／2003年OpenA設立。建築設計、都市計画、執筆などを行う。同時期に「東京R不動産」を開始／2008年～東北芸術工科大学准教授／2015年公共空間のマッチング事業『公共R不動産』立ち上げ／2016年～東北芸術工科大学教授。

写真：村田啓

それぞれの視点から振り返る、まちづくりの二十年史

宇野　この本は前の10年、つまり2010年代以降のこの国のまちづくりや国土運営についての議論を総括して、次の10年、つまり2020年代のまちづくりをどうするか、ということがテーマです。具体的に言えばまず2011年に東日本大震災があって、これは東北地方の東岸部や福島に深刻なダメージを与えました。これらの地域の「復興」が国全体の急務として浮上する一方で、この巨大な災害は国民に、特にまちづくりや国土運営の当事者たちには、暮らしている土地やそこに存在する共同体との付き合い方を考えさせられるものになったと思います。秘馬さんや馬場さんはこうした問題意識のなかで、地方に活動の場を移していった側面があるのではないでしょうか。馬場さんがそれ以前から仕掛けていた「リノベーション」という発想から戦後的な都市とライフスタイルを見つめ直す運動も、この「復興から地方創生へ」の流れに合流していったように思えます。

そして、その一方で都市にはグローバル資本主義のネットワークを担うメガシティとしての環境整備が、特に東京を中心とした首都圏には求められました。そんな中で正直言って熟慮された戦略が存在したとは思えないオリンピックが名目的な「復興五輪」のスローガンを添えて誘致され、大きな混乱、そして1年の延期を経て、盛り上がりを欠いたままなし崩し的に実行されていった。その終盤には、コロナ禍と呼ばれるパンデミックが全世界を襲い、これは都市生活の情報化を大きく後押ししつつ、全世界に都市の果たすべき機能とは何か、それは情報技術の発展とともに大きく変貌せざるを得ない、いやすでにしているのではないかという巨大な問いを突きつけてきた。齋藤さん、重松さんは、立場は違えどこのような状況下で実際に都市の開発を担う

COREDO日本橋（2004）

日本橋コレドの裏庭、公開空き地のデザイン。ほとんど通路としか機能していなかったスペースを公園のように人が集える空間にリニューアル。

設計：OpenA　撮影：©_DAICI_ANO_FWDINC

プレイヤーとして、発想の転換を要求されながら活動されてきたと思います。

　そんな背景から出版されるこの本の巻頭に掲載される基調座談会として、2010年代以降進められたまちづくりの現在地を総括し、2020年代のまちづくりにおいて向き合うべき課題を洗い出していきたいです。まずは自己紹介も兼ねて、皆さんがこれまで都市やまちづくりに対してどんな問題意識を持ち、接してきたのか、お一人ずつ喋っていただければと思います。


馬場　僕が「東京R不動産」という、ちょっと変わった空き物件を紹介する不動産仲介Webサイトをはじめたのが、2003年のことです。そもそもなぜこのサイトが生まれたのかといえば、「2003年問題」というのがあって。2002年に小泉政権下で都市再生特別措置法という法律が施行され、都心部の容積率などが一気に緩和されて、丸ビル、六本木ヒルズ、ミッドタウンといった超高層ビルがぼんぼん建ちました。そこで「都心に中古の空きビルが増えていくぞ!」と大騒ぎになったのが「2003年問題」です。そういう時代の中で、東京R不動産を立ち上げて、都市のリノベーションというものを手がけていきました。当時は〝東京〟R不動産というだけあって、主に東京を見ていました。

　そして2011年に、東日本大震災が起きるわけです。まさに2010年代がはじまると同時に震災を目の当たりにして、日本中の人々が一気に地方都市に目を向けるようになった。僕は2008年から山形の東北芸術工科大学で教えはじめていたこともあって、被災地はもちろん東北の地方都市に接する機会が多くなりました。この動きとタイミングを合わせるように、「福岡R不動産」「鹿児島R不動産」「金沢R不動産」といった地方都市のR不動産が相次いでオープンしていきました。

　当時の問題は、主に空き家対策でした。どんどん増えていく地方都市の空き

佐賀市柳町歴史地区再生（2015）

佐賀市の柳町歴史地区において、歴史的価値のある空き物件を行政が買い取って、すなわち公共空間とし、あえて文化財指定せずにリノベーション。生きた空間として活用し続けるために賃貸し、公共空間としての役割を果たしつつ、その運営・維持管理は民間に委ねるプログラムを構築。

設計：OpenA　撮影：阿野太一

家の問題に、建築や不動産をやっている人間は、具体的にどう対峙していけるのか。そんなテーマに取り組んだのが、２０１０年代でしたね。その中で僕は、『エリアリノベーション：変化の構造とローカライズ』（学芸出版社、２０１６）という本を書きました。この本の帯には「まちづくりの次の概念」というコピーをつけたのですが、特に地方都市の問題に取り組むためには、これまでやってきたようなまちづくりとは、まったく異なる思想や方法論で向き合わないとダメだと思って模索した結果、たどり着いたのがエリアリノベーションだったんです。

それまで僕は、個別の建物のリノベーションをたくさん手がけてきていたのですが、地方都市においては、一個の建物をリノベーションしただけでは何の文脈も風景も変わらなくて。しかし、あるエリア内で点のリノベーションを集中的かつ連鎖的に起こせば、面的なリノベーションが展開する。たとえば、古い物件をリノベーションして、そこにカフェや古本屋、アトリエやギャラリーみたいなものが入っていくと、そこに集まる面白い人たち同士がつながり、人のネットワークと空間のネットワークがオーバーレイしていく。点の変化が集積して面になり、いつのまにかエリアに広がっていくこの現象を、エリアリノベーションと名付けて模索していったんです。

そうして地方と向き合っているうちに、２０２０年代がやってきた。オリンピックという出来事がスカーッと現象のように終わりかけたと同時にコロナがやってきて、都市ではないどこかに暮らしや仕事を求めて分散していくような人々が現れはじめた。僕らはいま、新たな変化の入り口のようなところにいるのではないかと思っています。都市、とりわけ地方都市の次の風景をどのようにイメージしていけばいいのか、ちょうどそんなことをぼんやり考えていたときに、この対談のお話をいただきました。

古田　僕も馬場さんに同感で、やはり

山形朝日町のゲストハウス（２０１６）

ゲストハウス「松本亭一農舎（いちのうしゃ）」。町に寄贈された空き家を改修し、町の暮らしや地域住民との交流体験ができる簡易宿泊施設として整備。

設計：OpenA

震災を機に、都市の価値、というより人々の社会に対する向き合い方が一気に変わってしまったと感じます。それまで、国や大企業がつくってきたプラットフォームの中でコンテンツを楽しんでいたところから、自分たちもプラットフォームそのものに関わるべきなのではないか、というマインドに変わってきた。同時に、SNSやクラウドファンディングのようなテクノロジーが発展して、自分で何かを見つけたり、お金を集めたり、Airbnb で部屋を貸したり、といったことができるようになってきた。つまりこの10年の間に、まちづくりにおいて、誰もがコンテンツを提供できる側になったのだと思っています。

　そうした変化も背景に、僕がこれまでやってきたのは「コミュニティをつくる」こと。その中で考えてきたのは、何かに特化することの重要性です。たとえば、2009年には「丸の内朝大学」という企画を立ち上げましたが、これは「朝」という時間に特化している。ある一点に特化することで、そこにグラビティが生まれ、コミュニティや経済圏が生まれてくる。そんなことを考えながら、地域のコミュニティづくりやまちづくりを手がけてきました。

　その後、コロナ禍になって何が起きたのかというと、都市と地域がイコールになってきたのだと思います。それまでは、地方創生が進められていたとはいっても都市が中心であり、地域はあくまでサブ的な位置付けだった。それがコロナ禍を通じて、都市と地域はどちらかが上や下などではなく、まったく異なるパラレルワールドであるということにみんなが気づきはじめた。これが、ここ数年のユーザー側がプラットフォームを持っていく流れと呼応して、よりクローズドなローカルマーケットが生まれはじめていると感じます。たとえば、僕たちはいま香川県の三豊市で、大学をつくったり、交通会社をつくったり、ホテルをつくったりと、全部で約70のプロジェクトに携わっていますが、これらはすべて地域の人々が費用を出し合いながらつくっているものです。つまり、自助、公助、共助の中で言う「共助」のレイヤーに相当する。行政やデベロッパーがインフラをつくって、「コンテンツはみんなで決めてね」と任せるやり方ではなく、インフラづくりの部分から民間のプレイヤーが担える時代になってきた。これはすごく面白いことで、街の捉え方がどんどん変わってきているのだと思います。

重松　私は地方の出身なのですが、2000年頃に三菱地所に入社してからはずっと東京で働いていまして、この10〜20年の変遷をまさに肌で感じながら過ごしてきました。まず20年前の話に遡ると、2000年代は馬場さんもおっしゃったように、丸ビルや六本木ヒルズのような建物が建って、街のランドマークになっていった時代。かつ、そうした箱物が重要な変化を与えてきた時代だったのかなと思います。この2000年代の10年間の変化はものすごく大きくて、これが一

つの変化の尺度になっているような感覚がありますね。

その後は、数が増えたことによって一つひとつのランドマークのインパクトは薄れていきつつ、ある程度ボリュームのある建物群のようなものが出てきて、街におけるエリアという観点が強くなってきたのかなと思います。特に2010年代に入ると、建物群をつなぐ面が構成する公共空間のような部分が注目されるようになり、より人を中心としたまちづくりが展開するようになってきました。加えて震災が起きると国内全体に危機感という文脈が付加され、防災やエネルギーの観点における強靭化・レジリエンスが重要なアジェンダになりました。

そして2010年代は震災が国内の危機感を統一した時代だとすれば、2020年代はコロナ禍が世界の危機感を統一した時代と位置付けられると思います。このことを踏まえて、これからのまちづくりはどうあるべきなのか。このタイミングで対談をさせていただけるのは大変嬉しく、楽しみにしています。

齋藤 僕は建築学科の出身ですが、10年前はあまり都市開発やまちづくりの仕事はしていなかったような気がします。もともと2000年代、というか2001年はニューヨークにいて9・11に遭遇したのですが、そのとき僕は建築に幻滅して、もうやめようと思ったんです。「グラウンド・ゼロに誰が何を建てるか」という議論になったときに、「建築家の思考は終わっているな」と感じたからです。そうして広告業界に足を踏み入れ、2003年には越後妻有アートトリエンナーレに出ました。このときに受けた影響が非常に大きくて、「アートと街」という組み合わせってあるのだなと気が付きました。あえて誤解を恐れずに言えば、田舎町でアートを表現するとそこに人が集まってくるという現象が、面白いなと思ったんです。ただ、そのときは都市開発や地方のまちづくりといったキーワードはまったく念頭になく、「こうい

丸の内朝大学（2009〜）

丸の内を中心とした大丸有エリアをキャンパスとして、ビジネスパーソンが朝の1時間を活用し、学びや体験を通じて、生き方、働き方、遊び方を自分なりにデザインすることを目的に開講する市民大学。古田秘馬さんが立ち上げに関わる。

う表現ができるなら日本もいいな」と思いはじめて、2006年に大学の仲間とライゾマティクスという会社をつくりました。

ライゾマティクスで考えていたのは、メディアアートをどれだけ道具化できるか、そしてそうしたアート表現が、街の中でどういう威力を発揮できるのかということ。また、プロジェクションマッピングみたいなものが出はじめ、屋外広告の規制緩和の話が出てきたのも2011〜2012年あたりで、そのときは屋外表現のキャンバスとして街を使うことができないかということも考えていました。メディアアートはとてもミクロな取り組みに思えるかもしれませんが、観光やシティブランディングのようなマクロに対しても影響を与えることができる。そうした表現と街の力のようなものに興味を持ちはじめたのが、2010年代初頭でした。当時は「都市×メディア」「都市×アート」などがテーマのカンファレンスが本当にいろいろなところで開催されていて、そこにけっこう関わっていたのですが、道具としての表現やテクノロジーを追求している僕のような人でもまちづくりに参加できるのだと、だんだん建築の面白さを思い出してきた。そうして、2001年以降しばらく離れていた建築に再び接近し、2010年代から建築やまちづくりに触れるようになったという流れですね。

それ以降は馬場さんと同じで、建物を自分たちでリノベーションしてギャラリーにしたりと、点的に建築をやっていた時代があって、そこからだんだんと「都市や街はどうあるべきか」と面的なことを考えるようになっていきました。ただ、街について考える中で、これはおかしいぞと思ったのは、どこに行っても「外」のイメージがないことです。よく、「都市の金太郎飴化」が問題視されますが、いまの街はすごくインテリア化していて、コンテンツのイメージしかない。ここからどうやってもう一度、街同士が役割分担していけるのか。そう考えて僕が

UDON HOUSE（2018）

空き家だった古民家を改装してオープンした、讃岐うどんを作って学ぶ体験型宿泊施設。うどん作りはもちろん、近隣の農家での収穫体験や、瀬戸内らしいアクティビティの体験などができる施設。古田秘馬さんが立ち上げに関わる。

一度やろうと思ったのは、政府や東京都、自治体が持っているマスタープランをつくり直すこと。2002年の特措法以降失われていたイニシアティブを、もう一度行政府に戻して、全体設計をした方がいいのではないかと思ったんです。

ただ、最近はクリエイターの創造力をフックに未来の都市ビジョンを構想する「URBAN VISIONARY」のような場を通じて民間企業同士で話し合いながら、どういうふうに街を役割分担させるのが一番いいのか、共創的にビジョンをつくっていくことに興味を持っています。民間が民間でできることをやり、それに制度がついてくるというイメージです。そしてもう一つ僕がやろうと思っていたのは、インターネットや交通網が発展し、概念的に日本がどんどん小さくなっていく中で、人の移動とか働き方とかを含めて、もっと地域と都心部をつないでいくということです。

そんなことを考えていた矢先にコロナ禍が来て、働き方や消費の仕方、地域への貢献の仕方も変わってきた。そして今日話ができたらなと思っているのが、ずっと人は地方に移動していくだろうと思っているのに、都心部は都心部で物件ができたらほぼ100パーセント稼働であるという、この変な感じについてです。理想と現実が、あるいは妄想と現実が非常に乖離（かいり）してしまっているような、不思議な印象があります。

震災復興は「復旧」に終わったのか？

宇野　ありがとうございます。実にさまざまな角度からの問題提起をいただいたと思うのですが、まずは秘馬さんや重松さんからお話があった、震災からの復興をどう位置付けたらいいのかを考えたいです。国土開発という観点では、震災から復興、復興から地方創生へという流れが大きかったと思うのですが、みなさんはそのあたりをどのように捉えていましたか？

古田　震災のときの復興で何が起きたのかというと、復興やまちづくりは誰かがやってくれるのではなくて、みんなで関わってやるものなのだという市民の意識が芽生えたのだと思います。それまで街に「遊びに行く」や実家に「戻る」という表現はあっても、街に「関わる」という言葉はあまりなかった。そこに「関係人口」という概念が生まれたのが、あのフェーズだったのかなという気がします。

馬場　僕は震災復興のときに、まさに目の前の教え子たちが被災者になったり、被災した現場にも居合わせたりすることがありました。地元の大学なので、高台移転の相談などが来るのですが、まあどこから手をつければいいのかわからない。そのときに、当時のうちの副学長である宮島達男が「こんなときだからこそ、建築をやっている君たちは、理想の風景を描くところからはじめろ」とわざわざ言いに来てくれて。本当にその通りだな

と思って、当時20歳ぐらいの、地元で被災していた学生たちを集めて、「君たちは次の時代どんな風景の中に住みたいのか。とりあえず理想の絵を描こう」と声をかけたんです。

　そうしたら彼らが描いた絵というのが、密集した商店や新しいピカピカの都市とかではなくて、田んぼのある朴訥（ぼくとつ）とした風景の中に、ぽつぽつと木造の素朴な家があって、つづら折りの道があって、というものだった。福島の原発事故があった直後だったから、太陽光発電や風力発電をどう使うかという観点も踏まえ、そういう風景がぱっと描かれたんです。少なくとも僕らの時代にイメージしていたのとはまったく違う、素朴で田園的な風景を、彼らは理想として描いたんですね。僕はそこに真実があると思ったし、彼らがこうした次代の理想の風景を描いたんだったら、それをどうやって実現すればいいのか考えなければいけないと思いました。

　一方で、国が進める震災復興というのは、エリアを一回デモリッシュ（解体）して、区画整理してという、近代型の都市計画の方法しか持ち得なかったと僕は思っているんですよね。ただ、その開発が起こるまでのミドルタイムの間に、まさに秘馬さんがおっしゃっていたようなことがたくさん起こったような気がするんです。被災地支援活動の建築プロジェクト「みんなの家」のように、包摂的ではないけど仮設的で、柔らかくて、さまざまな人がコミットできる枠組みのプロジェクトがあちこちで起こった。それがいま、トップダウンの強い力で書き替えられようとしていて、拮抗状態にあるのだと思います。2010年代というのは、いわゆるマスタープラン型の古い都市計画の方法論と、僕らが追求していきたいような共助型の新しいプロセスが並行して共存していた、そんな時代だったのかなと。

重松　私自身は復興の現場には携わっていないので、実際に現場がどういう状況

渋谷ヒカリエ デジタルサイネージ（2012）

「渋谷ヒカリエ」内に設置されたデジタルサイネージコンテンツを開業にあわせて企画・制作。種類はリング型や柱巻きなど多岐にわたり、天気、ニュース、時計など館内情報だけには留まらないコンテンツを、形状に最適化してグラフィカルに表現。

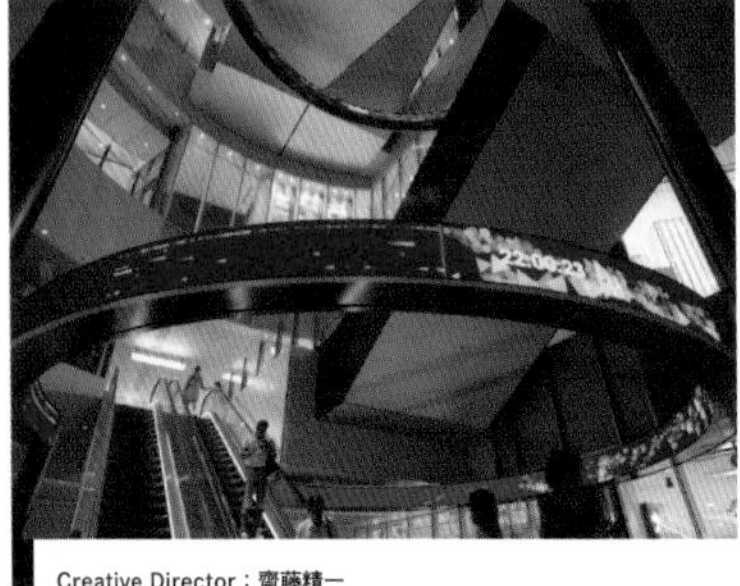

Creative Director：齋藤精一

であったのかはわからないのですが、コロナ禍以降の地方のまちづくりに比較すると、率直なところ「復興」というよりは「復旧」に近かったのではないかという印象があります。根底には、もともと過疎化が進行している地域において、いかにして人を戻すかという課題があって。その街に固有の何かを探し出して、産業を生み出していくというアクションが、生活のために街をつくり直していくスピードに追いついていかなかった、そういう街も多かったのではないかと。関係人口はたしかに非常に増えたのでしょうし、国民一人ひとりが自分に何ができるかということを考えるきっかけにはなったという観点では、大きな意味があったと思います。しかし、まちづくりという観点では、環境を与える者とそこに暮らす人たちという関係性は根本的には変わらなかった。「復旧」という印象の理由は、そこにあるのかなと思います。

齋藤　僕は3・11が起きたときに、もともと日本人が得意としていた、しかし大量消費主義の中で忘れられていた利他や共助のようなシステムに、もう一度スイッチが入ったような感覚がありました。震災を機に、みんなが自分に何ができるのかを考えはじめ、それぞれの能力を組み合わせてみんなで何かをつくっていこうという流れが起きはじめた。そうした流れの中で、みんなが当たり前にボランティアに行くようになったり、関係人口という概念が生まれたりしたのかなと思います。

　もう一つ、戦後復興やこれまでの震災復興と違っているのは、やはりインターネットの存在ですよね。いまはインターネットやSNSによって、何が足りていないのかが把握しやすくなった。さらにクラウドファンディングのようなツールが発達したことで、自分に何ができるのかを考えなくても、足りていない部分や個人的に思い入れのある部分に対して何かしらのアクションを取れるようになった。だからこそ、3・11のときに利他や

メディアアートディレクター：齋藤精一（Rhizomatiks）

六本木アートナイト2015（2015）

5年後の東京、あるいはその先に向けて、アートを介した街のつくり方、表現の方法にはいかなるものがあるのか。都市とアートとテクノロジーを掛け合わせ、未来の東京のあり方を問う実験的なプロジェクト。

共助のシステムにスイッチが入ったし、その後の地方創生の文脈においても機能しているのだと思います。

融解する「都市／地方」

宇野　重松さんがおっしゃった「復興ではなくて復旧だった」という点は、僕も強く感じていたところです。本当の意味で「復興」するためには、もっと新しいビジョンが必要だったのだけれど、そのビジョンが、少なくともマスタープランのレベルでは圧倒的に不足していた。それに対して秘馬さんたちは、何らかの志向性や仲間意識を持った人たちが望んでいるクリエイティブを、コミュニティ単位で一つひとつゲリラ戦的に実現していって、その中で見えていた風景を語っていただいたのだと思うんです。そうした取り組みは、いまの地方創生の流れに種まきとしてたしかに機能したと思います。ただ、「復旧」を「復興」にする規模のダイナミズムが伴っていたかというと、そうではなかったのだと思う。

　そしてこれは、齋藤さんが冒頭で指摘していた「これだけ地方分散化と言われていながら、東京の山手線の南西部だけがどんどん地価も上がって人が集まっている」という奇妙な状況に、僕には重なって見えるんですよね。東京では、震災という問題がきわめて政治的なイシューとして消費されていって、ある種の躁病的な盛り上がりを見せていった。一方で地方では、もともと戦後の利益誘導型の地方運営がほとんど破綻している中で、地方の代名詞である東北に地震と津波が襲ってきて、さらに放射能の問題みたいなことがあって、中心と周縁の落差、断絶のようなものが圧倒的に顕在化したのが、3・11だったのだと思うんです。それに対して、秘馬さんや『ソトコト』編集長の指出一正さんのようなプレイヤーがクリエイティブな力で挑んでいき、「地方創生」という言葉がずっと躍ってきたわけなのですが、齋藤さんの言うように、都心と地方の温度差、分断それ自体が覆されるには至っていないのが現状なのではないでしょうか。

古田　復興と復旧の話でいくと、今回のコロナ禍で観光業がメタメタになったとき、みんなが「新しい観光をつくる」と言いましたよね。だけど、コロナ禍が明けてきた途端に、昔ながらの観光に戻った。「実際は復旧だった」というのはそれと同じで、やっぱり大きな力は揺れ戻すんですよ。でも、別にそれは悪いことではなくて、揺れ戻しても、新しく生まれたものは勝手に歩みはじめる。コロナ禍以降の観光も、大きなホテルなどは昔の観光に戻っていますが、一方でコロナ禍のときに新しい観光を仕掛けたプレイヤーは、そのまま仕掛け続けている。引いて見ると大勢はあまり変わっていないように見えるのですけれど、僕はいろいろなものが確実に新しく変わってきていると思います。

　地方と都市の話については、そもそも地方と都市という二項対立で見ること自

体に、あまり意味がなくなってきていると思っていて。宇野さんは「東北＝地方の象徴」とおっしゃいましたが、震災が起きても、関西や他の地方の人間はおそらくあまり関係なく感じているだろうし。最近で言えば、たとえばどこかでゲリラ豪雨があって、ものすごく大きな被害が起きても、それが自分たちの地域でなければ関係ないというのが現実であって。メディアから見ると「都市対〇〇」、国から見るとガバナンス的に「地方対〇〇」なんだけど、多くの人にとっては、自分たちの目に見える範囲のコミュニティが大事で、目に見えていない方のコミュニティのことは関係ない。それがいいとか悪いとかではなく、そういう捉え方のほうが現実に即していると感じます。

あとは、たしかに都心の地代は上がっているけれど、それは不動産としての価値が評価されているだけであって、暮らしやすさとはまた違う話だと思っています。そうした評価の基準が、ちょうどいま変わってきているのだと思うんですよね。かといって、都市がなくなるわけではなく、ヒエラルキーのトップにいた都市が、都市という便利な役割を持つ、他の地方と並列的な地方へと、変わってきているのだと思います。

馬場　現実的に、東京のような大都市への集中はまだ進むだろうなという気はするんです。人と資本という意味で、都市と地方の差はむしろさらに広がるような気がします。歴史を見ても、人間というのは大きな外圧がなければ集中していくという経緯をたどっていて、そうした大きな本能みたいなものが急速に変化することはないのかなと思うんですよね。都市にはもっといろいろなものが集まり、周縁ではものが少なくなっていくのではないかと。

ただ、それは自然現象のようなものとして捉えればいいのではないかとも思います。たとえば、きちっと役割分担をして、人口や経済の集まった都市を乗り換

MIND TRAIL 奥大和 心のなかの美術館（2023）

奈良県南部東部の「奥大和」にて、吉野町、下市町、下北山村を長時間かけて歩き、自然に包まれながら作品を鑑賞・体験するイベント。2023年で4回目の開催となる。

齋藤精一《JIKU #017 SHIMOKITAYAMA》2023年
撮影：スタジオシュガール

え駅のような街、いわば「トランジットシティ」として捉え、本当に暮らしやすい地方を生活していくための街、「リビングシティ」と捉える。二つの街の間を自由に往来し、「どこに住んでいる」という概念すら希薄になっていくような動き方をする、僕らの側がそういうモードに変わっていくような可能性がないかと考えています。乗り換え駅のような都市でせわしい時間を過ごすときがあってもいいし、秘馬さんのいる三豊のような場所で、美しい風景の中でぼーっとする時間を過ごしてもいい。僕らはたぶん、ごく自然に、そうした価値観を持ちはじめる。そうなると、その場所ならではの魅力をしっかり追求していくことが、非常に大事になってくると思います。秘馬さんが言ったように、何をもって「いい」と言うかの評価軸も変わってくるし、評価軸がより多軸的になっていくのではないかと。

齋藤　ライフスタイルや趣味志向の解像度がとても高くなって、一言でいえば価値観が多様化したんですよね。そうした個人的価値観が認められる時代になった背景には、やはりインターネットの力が非常に大きいと思っています。都心に住み、いいワインを飲み、いい暮らしをするのが一つの正解だと思われていたところから、地方に住んで自分の好きなことをやるとか、自分が信じた働き方をする、新しいビジネスをする、そういうのも正解だよねという時代になった。その中で、馬場さんがおっしゃっていたように、ウィークデーは都心部で働いてウィークエンドは地方へ行く、という流れが起きてきた。これが、都市集中と地方分散が同時に起きるという現象なのではないかと思います。Ｗｅｂ3の現象を見ていても、同じことが起きていると感じますね。Centralize（集権化）とDecentralize（分散化）のどちらなのかという議論から、Centralize とDecentralize というのはむしろ同時に起きると。Centralize を好む人もいるし、Decentralize を求める人もいるし、その両方を使い分けることもあるし、どれを選んでも正解であるということになった気がするんですよね。

関係人口から「株主人口」へ

齋藤　それから先ほど秘馬さんからも指摘がありましたが、「関係人口」という言葉が生まれたことで、地域は次のフェーズに行きつつあるのかなと思います。つまり、地域との関わり方として「観光以上・移住未満」では不十分で、人間の動物的な本能として、自分の属する場所を求めているような気がするんです。「アドレスホッパー」でいろいろなところに行きます」というのでも僕はいいと思うのですが、スノードームをひっくり返したときに飛散したいろいろなものが、だんだんと沈殿していくように、生物と場所の関係として、人間には起点となる場所が必要な気がしていて。だから、地域ともっと深い関係を持とうという動き

が、これからはじまるような気がするんですよね。ふるさと納税をして、実際にその産地に行ってみたり、若い人たちが地域おこし協力隊として地域に行ったり、といった動きはいろいろはじまっているとは思うのですが、その関係の濃さというか深さ、解像度がさらに上がっていくのではないかと。

古田　僕は場所に縛られない働き方・生き方を実践するコリビングサービスの「LivingAnywhere Commons」や「ADDress」の拠点の運営や、それらとの連携もしているのですが、たしかにみんな平均2年ぐらいアドレスホッパーをやるんですよ。で、2年ぐらいの間に自分はここだという場所を決めて、どこかに落ち着く。やはり、どこかに落ち着きたいっていう動物的本能はあるのだろうなと。

もう一つは、僕らは「観光客じゃなくて関係人口」とよく言っていましたが、もう一個先があるなと思っていて、最近は「株主人口」という言い方をしています。関係人口はあくまでただのファンである一方、株主人口は、地域のプロジェクトに自分でお金を出して、地域に本気でコミットする人たち。そうした新たな関係のあり方をつくって、より深く地域に関わる人を増やしているところです。関係人口として何度も来ていたメンバーが、みんなもう一歩先に行きたいと、もやもやしはじめてきて、その人たちに「こういうプロジェクトあるけど、一緒に出資してやる?」と聞いたら、みんな「やる」と言って入ってくれたんですね。これは一つ、新しいポイントだなと思っていて。

齋藤　「株主人口」、すごく可能性に満ちた関わり方だと思います。「関係人口」は僕もいろいろなところで言っていましたが、「関係」し続けているだけでいいのかというモヤモヤはあって。やはりみんな何かに関わりたいと思って、自分がちゃんと体重を乗せられるものを求めはじめているような気がしますよね。

古田　そうですね。ここ7〜8年はクラウドファンディングがとても普及しましたが、それも少し変わってきていて。これまではあくまでファンとしてある主体を応援するためのプラットフォームとして使われてきたところから、最近はたとえば不動産をクラウドファンディングで買ってみんなでお店を立ち上げるとか、本気で関わりたい人たちがより多様なかたちでコミットできるようになってきました。インターネットが登場した瞬間、ほとんど無料で世界中にアクセスできるようになったように、今後は交通がほぼ無料みたいな時代が来るかもしれないわけで、そうなったときに、本当に誰でもどこにでも住めるような時代になってくる。そうした可能性も含めて、みんながコミットできる地域を探すようになってきているし、コミットされる地域の側も、従来の大手による大規模な開発ではなくて、そうした手触り感のあるコミットを求めてきているような感覚があります。

馬場　ただ、僕らがいまここで話しているような感覚が、国レベルの制度にはなかなか落ちてこないなという課題感はありますよね。たとえば、「複数の生活拠点を持つ人がこの街にはこのぐらいいるのだけれど、あっちの街に思い入れがあるから税金はこういう配分で払おう」のように、住民税とか市民税を分割して払う仕組みがあってもよさそうですが、そういうことにはならない。もちろん、ふるさと納税みたいな仕組みは面白いとは思いますが、この国では「どこかに立脚しろ」という伝統的な価値観がまだまだ強くて。僕らの動き方や感性にフィットした制度が生まれてこないと、立ちゆかなくなっていくなという気はします。

それから先ほど齋藤さんが「Centralize とDecentralize が同時に進行する」という話をしていましたが、僕はすごくそこに共感します。僕らはついつい都市と地方の二項対立で捉えてしまいがちですが、それらをたくさんの選択肢のうちの一つとして捉え直すと、都市と地方という二項対立軸そのものが無意味に思えてくるんですよね。

古田　だからたぶん、いまは都市の側が変わるタイミングなんですよ。明治維新で、「倒幕しよう!」「いやいや幕府が強いんだ」と争っていた状況が、大政奉還という仕組みになった途端にうまく回り出したのと一緒で。いまは都市対地域みたいな話をしているのですが、そうではなく都市の方が変わる必要があり、都市側が変わった瞬間に何かが大きく変わる気がしています。

重松　本当にそうだと思います。いままでは都心は都心であるということだけで成り立ってきたのですが、今後は都心が選択される意味をよりラディカルに考えていく必要がある。独特性、個性のようなものはむしろ圧倒的に地方にあって、その相対としての東京をどう魅力付けしていくかということが、いま東京が抱えている最も重要な課題なのかもしれないですね。

GDPは旧態依然?　問われる「成長」の再定義

宇野　都市と地方の二項対立が破壊されている、それは僕もそう思います。でも、こうした「どこでも自由に生きていける」という発想は、僕の考えでは、東京で言えば都心の一部地域、港区とか渋谷区とか目黒区とか世田谷区の人たちに限られたリアリティではないかと思います。いわゆるリチャード・フロリダの言う「クリエイティブ・クラス」は、情報産業や金融産業など、グローバル資本主義の先端に近いところで活動するビジネスマンとこの新しい世界に適応した広義のクリエイターという理解でいいと思うのですが、たしかに彼ら彼女らの多くは土地に縛られない生き方が、経済力的にも仕事の内容的にも可能です。しかし、世界人口の大半はまだそのような生き方はできず、20世紀的な工業社会に縛られ

ている。イギリスのジャーナリストであるデイヴィッド・グッドハートは前者を「Anywhereな人々」、つまり「どこでも」生きていける人々だと呼び、後者を「Somewhereな人々」、つまり「どこかで」ないと生きていけない人と呼びました。そしてブレグジットや同年のトランプ現象は前者の「Anywhereな人々」に最適化されていく世界に、後者の「Somewhereな人々」が起こした反乱だと位置づけています。民主主義が、弱い大衆の強いエリートへの反逆の道具になっているという分析です。

僕は今の話にこれに近いものを感じる。スローフードが好きな都心のクリエイティブ・クラスと、意識の高いローカルが結託して「地方創生」ビジネスを謳歌する。渋谷のビルの高層階に集まるクリエイター集団が、目の前の宮下公園を追われるホームレスには手を差し伸べずに大分県の農村と交流してセルフ・ブランディングする、といったことが平気で行われている。その結果、後回しにされてしまった地方中核都市が、いま「金太郎飴化」という言葉で槍玉に挙げられたような貧しさに陥っている。

だからこれからの10年を考えていく上では、僕はこの10年で相対的に置き去りにされてしまった地方の人口30万~50万人くらいの中核都市や、東京で言えば西武新宿線沿線とか池袋よりも北のエリアとか、そういった放っておけば「金太郎飴」とか「ファスト風土」とか言われてしまうような状態に陥ってしまう街にも目を向ける必要があると考えている。そうした街にどう手を入れて、そこにどんな暮らしをつくっていくのかをしっかり考えていかないと、2020年代にポジティブな花が開いていくのは難しいのではないかと思うんですよね。

齋藤 それで言うと、僕が最近すごく気になっているのは、「そもそも成長とは何だろう?」ということです。お金持ちになることが成長なのか、心情的に豊かになることを成長として望むのか、価値観がバラバラになっていますよね。その中で経済成長の指標にGDPが使われていること自体が、ものすごく旧態依然としているんじゃないかと思っていて。GDPは、どれだけ製造を持続できるか、どれだけ富国強兵できるかということを測るために、1940年代にアメリカがつくった指標。なので、新しく出たものはGDPに換算されるけれど、たとえばオークションとかメルカリで買ったものに関しては、GDPに換算されないですよね。ですから僕が地域創生の文脈でよく言っているのは、「できるだけGDPを下げましょう」ということです。たとえば家を建てるときには、地域の森で程よく間伐をして、その間伐材を使う。食べ物は地産地消し、ゴミも地域内で処理する。要は、できる限りローカルにあるものの中でやりくりする、そしてその地域に観光に来る人たちがそれぞれの地域にないものを交換しあうことで、そこに経済というものを起こせるのではないかと。多様な価値観がある時代においても、

何をもって成長とするかは、誰かが明確にする必要があると思うんです。日本は欧米のカルチャーに対してすごく憧れを持っているから、それを取り込むこと自体が成長であると捉えられてきた側面があると思うのですが、コロナ禍が明けて、やっぱり日本は日本らしいものをつくっていかなきゃいけないよね、という力学が再び働いている気もします。だから、都市対地方ではなくてどっちにいてもいい、ただどこにいても自分が何かしら成長、あるいは社会に対してグリップできるようにしていくための言語化を、しなければいけないような気がしているんですよね。

もう一つ付け加えると、宇野さんがおっしゃった「クリエイティブ・クラス」という概念も、僕はけっこう疑ってかかっていて。『クリエイティブ都市論』(ダイヤモンド社、2009)の著者のリチャード・フロリダは、クリエイティブなトレーニングをした人たちがクリエイティブ・クラスであるっていう定義をしていたのですが、料理や介護はクリエイティブじゃないのかと言ったらそんなことはないし、いまはクリエイティブになろうと思ったら自分でやり方をデザインすることもできると思うんですよね。

宇野　先ほど紹介したグッドハートは、最新刊の『頭 手 心：偏った能力主義への挑戦と必要不可欠な仕事の未来』(実業之日本社、2022)の中で、クリエイティブ・クラスと呼ばれるような知識社会に適応した頭脳労働者に富と権力が集中する社会そのものの問題を指摘しています。いまの社会に適応するスキルだけが異常に評価されていて、介護や教育や職人のものづくりのような心や手を使う仕事が過小評価されており、それこそが分断の発端であると。その議論が、いまの齋藤さんのお話にけっこう通じるなと思って聞いていました。

古田　ちょっとこの焚火にあえて薪をくべさせてもらうと(笑)、「分断」っていけないことなのかしら。というのは、みんなで一緒にやろうとすればするほど、どっちが上で、誰の意見に従うのかと、余計に分断されるようなこともあると思っていて。それってどうなんだろうなと。

馬場　たぶん、誰もがそうした分断を抱えているのではないでしょうか。あえて強引に自分のことに置き換えてみても、僕は一見、アドレスホッパーで、クリエイティブな生き方をしているように見えて、案外その辺のスーパーで、「わー、安くなってる！デフレ日本万歳！」と言いながら買い物をしていたりもする。そうしたいかんともしがたい両面性が体内にあって、その両方を肯定されたいと思っている。齋藤さんがくれた「成長って何？」という問いに対しては、ものすごくベタな言葉になるけれど、「何をもって幸せというか」ということをしっかり考えることが大事なのだと思います。戦後はお金も食べ物もなくて、みん

なが少しでも豊かになりたいって思っていて。その後の高度経済成長期からは、「お金持ちになりたい」「株だ投資だ」と、みんながワーッと走っていったのだけれど、リーマンショックがあって、その後の震災でいろいろな資本が一瞬でリセットされる風景を見て。でもそこで頑張っている奴らを見てかっこいいなと思って、「あれ？　お金持ちになりたいって何だったんだろう？」と思っている。僕たちの時代の幸せって何だろう、僕たちはいまどうなりたいと思っているのだろう。少なくとも、ここにいる齋藤さんや秘馬さんは幸せそうにしか見えないんだけど、そういう考え方って、新しい都市をつくる価値観にできたりしないかなとは思いますね。

オリンピックで露呈した、マスタープランの限界

宇野　あと齋藤さんが冒頭で、もう一度マスタープランをつくり直す必要があるんじゃないかという話をしていましたが、僕もたしかにその問題があると思っていて。都市のビジョンやマスタープランと言えば、東京オリンピックという大きなイベントがあったはずなのですが、ここまで一度も話題に出てきていない（笑）。

古田　……まちづくりにおいて、ほとんどインパクトがなかったっていうことなんですよ。

宇野　むしろ、何もなかったことが問題であると。

馬場　そういう意味では、異常に個の介入ができないイベントでした。

齋藤　僕はその次につながる万博を、いま頑張ってやっていますけど、結局、超Centralizeって無理だったんですよね。ひずみが大きすぎたという。だから万博では、Centralizeしていくような夢島の敷地において、できるだけDecentralizeすべきだと。つまり、それを機に各地域の人たちが、地域の何をもって観光とするのか、外部の目も交えて再定義するのが、僕は万博だと思っていて。逆に、万博でそれができなかったら、今後はないなと思って頑張っています。

宇野　オリンピックを招致すると自動的にマスタープランが起動して、同時多発的に動きが起こるだろうというすごく甘い目算のもとに事実上のノープランで呼んでしまい、そのダメージコントロールに追われたのが2020年のオリンピックだったわけですが、その反省としての2025年の大阪万博でリベンジできるかどうかが、試金石になっているわけですね。

重松　マスタープランという考え方はもう馴染まないけれど、仮説でもいいから、ビジョンはやはり必要なのではない

かと思いますね。誰かから与えられるプランではなく、みんなで検証していく仮説や共感を得るための羅針盤のようなものは、必要なのではないかと感じます。

馬場　現場の仕事では、ビジョンの解像度をどのくらいにすべきかについて、よく悩みます。具体的すぎるとその感覚からズレる人を排除することになるし、「健康で元気なまちづくり」のようなものでは、すべてが包括されてしまってビジョンとして機能しない。そのあたりの解像度が本当に難しいなと。あとは、僕らが仕掛けてきたゲリラ戦が山のように起こっていくことも、一つのダイナミズムになり得るとは思うのですが、そうした動きをちゃんと捉えて制度に還元したい。部分部分の最適集合が結果的に全体に還元されるようなフレームワークが、まちづくりにおいても提示できないものかなと思っていて。それを解くカギはビジョンに限りなく近いものだと思っています。ビジョンに向かってアメーバ的に形を成していくような都市生成の仕組みはできないか。まだ抽象的だけれど、そんな感覚はありますね。

古田　プランでもなくビジョンでもなく、もうちょっと抽象的な、概念的なものが必要な気がします。ポスト資本主義みたいなことがいろいろ言われてきたけれど、そもそも一つのビジョンに向かっていくような時代じゃないよねと。例えば、三豊で僕らが最近使っているのは、「身の丈資本主義」というキーワードで、身の丈で投資できる範囲でやるのが心地いいよねといった話をしていたりするのですが。マスタープランやビジョンに向かっていく時代ではないとしたら、何があれば人は動いていけるのかということですよね。

アクションと経済合理性を兼ね備えたまちづくりを

宇野　ゲリラ戦的に面白いことをやっていくことで、東京とはつながるけれど、逆に近くの地域との落差みたいなものが際立ってしまうこともあったと思うんです。クリエイティブな人たちがある地域に集まって火をつけていこうというやり方は、出発点としてはすごく正解、というかそれ以外に方法はなかったと思うのですが、何か射程距離の限界のようなものも感じているんです。せっかくつけた「火」が他の「火」とつながって燃え広がっていかない。関係者と東京の金持ちだけが楽しい。そういう問題があるような気がしているんですよね。

齋藤　ビジョンを掲げるだけではダメな時代になったのだと思うんですよ。ビジョナリーに都市の理想やマスタープランを描いて、それにできるだけ近づいていきましょうというのは、都市構造における第一のフェーズで。要は戦後や震災からの復興において、まずは必要なユーティリティやファンクションをちゃんと洗い出して揃えると。そして、それらが

一回揃うと、それをどうやって最適化し、アップデートしていくのかというフェーズに入る。いまの東京や地方都市もそうだと思いますけど、このフェーズにおいてはビジョンやマスタープランだけではもうダメで、ビジョンとアクションが同時に回っていく必要があるのだろうと思っています。

もう一つ、それを表すような言葉なのか、もしくは価値共有みたいなことが、何かしら起きなきゃいけないなとも思っていて。「部族」と言うとちょっと差別的な語感があるかもしれないですが、あえてこの言葉を使うと、価値観の異なる〝部族〟の人って必ずいると思うんですよ。ここを守りたいと思う〝部族〟と、これをおいしいと思う〝部族〟と、こういうライフスタイルを是とする〝部族〟とがいると思うので、その人たちが言わずもがなのビジョンを持てる、そしてそのビジョンに対してアクションし続けられるようなプラットフォームを通じて、アクションとビジョンの両方を評価しながら変化し続けなければならないというのが、今の時代なんじゃないかなと。そういう意味で最近すごくインスピレーションを受けたのが、「アル・マシャー」という考え方です。アラビア語で、農民に平等に分配された共有土地のこと。その土地を人々が一緒に耕すと決めた場所のみに存在しうるもので、耕作をやめた瞬間、彼らは所有権を失うんです。行動が伴わないと、所有権自体も変わってしまうというこの考え方、僕はすごく面白いなと思っていて。制度というのはアクションを起こさなくても存在していて、バックキャストではなくフォアキャスト的にそれをどう使っていくかという話なのですが、そこにもアップデートが求められているのかなと。

馬場　たしかに「アクション」というのは、一つのキーワードになるのではないかと思いました。いままでが仕事（ワーク）の時代だったとするならば、これからはアクションの時代になるべきなのかもしれないと。宇野さんのおっしゃる「イオンワールド」のような風景は、まさにワークの概念が生み出したものだと思うんですよ。最も効率的に物を作り、最も効率的にそれを販売し、最も効率的に収益をあげることを突き詰めていくと、建築や街はそうした風景に収束してしまう。それに対して、「俺たちはこんなところで暮らしていて幸せなのか？」と疑問を持ったときに、一人ひとりが自分なりのリアルを追求するようなアクションが始まる。ただ、社会のシステムはまだまだワークの時代から抜け出せていなくて。個のアクションに拠って立つ時代における制度とかシステムとは何なんだ、みたいなことを考えながら、実装していく必要があるのかなと。

重松　ビジョンを描くと同時にアクションしていくことが重要というのは、まったくその通りだなと思うのですが、コロナ禍でこれだけ大きな変化が起きても、変わらずにやっていけるものは引き続き

変わらずに続いていて。みんななんとなく変わらなくちゃいけないと思っているのに、止まることができずに結局何も変わっていないというものが、たくさんあるような気がしています。社会の仕組みを変えるレベルのビジョンというのは、ずるずる前進し続けているものがすべて刷新されて一周する頃、つまり50年くらい先のことを考えて描く必要があるのではないかと。その先で「どういう姿になっていたいんだっけ？」ということを考えながらビジョンを描かないと、仕組みを変えるモチベーションはなかなか出てこないのではないかなと思いました。

齋藤　これだけ時代が変わっても、ロードサイドにはずっと同じようなフランチャイズ店が並んでいて、クロムハーツがついた軽自動車がたくさん走っている。それはなぜなのかといえば、結局すべては経済原理によって回るから。コロナ禍はそのことを明らかにしたんだと思います。とはいえ経済と関係を持っていないと、変化は続かない。1周目は回っても、2周目、3周目には続かない。なので、経済をどうグリップするのかを考えながら制度設計していかないと、地方都市の金太郎飴化現象は、いつまで経っても変わらないだろうと思います。マイクロ経済みたいなものも回るようになってきたし、アクションを是とした全体の雰囲気もあるような気がしますけど、まだいくつかのロープで引っ張られてしまっているような感覚がありますよね。

宇野　かつて吉本隆明が、学生運動が盛り上がっていた頃に国会を取り囲んでいるデモ隊とそれを抑え込もうとする機動隊がいて、日本中のジャーナリストや思想家はそのどちらを支持するかを考えているが、むしろ大事なのはそこにデモの人出を見込んで屋台であんパンを売りに来ている人たちのリアリティなのだ、というようなことを言っていたんですよね。つまり安保闘争に思想的な動機から意見を表明する人というのは、かなり意識の高い人で、マジョリティの感性はそこにはない。社会を変えるためにはこのあんパン屋のような人たちを動かすことが必要なのだと言ったわけなんですよね。

なので、人間を中心に街をつくっていこうと思うのだったら、むしろ絶対にアクションしないような人たちをどう取り込んでいくのかを考えないと、進まないような気がするんですよね。これまでのまちづくりは、商業空間や公共空間をどうしようということを中心に考えてきたと思うのですが、それはどこか「ハレの街」をどう演出するかという意識に傾いていたところがあったと思います。だからこそ、これからは「ケの街」のようなものを、つまり住空間や病院や学校を中心に捉え直すべきタイミングが来ているのではないかと思います。

馬場　アクションに経済が掛け合わされていなければ駆動しないという実感はめちゃくちゃありますね。僕も『エリアリ

ノベーション』を書いたのはいいのですが、それが本当に駆動するためには結局ファイナンスとガバメントが重要なのではないかと、そんなことを考えたことがあって。宇野さんが言っていたデモ隊と機動隊は、両方ともシステムなんですよね。一方、そこであんパンを売っている人はアウトオブシステムで。そこには人間の欲望に直結した、小さいけれどめちゃくちゃタフな何かがありますよね。それはシステムの中にはないのだけれども、経済活動というメタレベル的なシステムの中には、ちゃんと肯定的に存在している。そうしたアウトオブシステムがどんどん生まれるような、そしてそのアウトオブシステム自体が価値化・経済化していくような仕組みがあるといいのかな。そういう時代のまちの風景って、どういうものになるのでしょうか。たぶん、20世紀につくったような、均質な建物が並んだ秩序ある風景ではなくて、もうちょっとワサワサしていて、無秩序の中に調和があるような、そんな風景なのではないでしょうか。僕らの中に答えがあるわけでもないのだけれども、そういうビジョンを僕らはちゃんと風景として描いていかなければいけないのかもしれないと思いました。

震災以降の成果を持ち帰る

宇野　ここまでの議論を振り返ると、震災以降の十数年で、それまでトップダウンのマスタープランのもとで進められてきたまちづくりや国土開発に対して、まさにここにいるようなプレイヤーたちがボトムアップのアクションで対抗してきた。そしてここからはこの十数年の成果を持ち帰るフェーズだと思うんですね。つまりこれまでの「上からの」マスタープランの傲慢さとも、「下からの」アクションの規模的な限界みたいなものの両方の問題を克服する、地に足のついた、それでいて射程の長いアプローチが必要になってくるのではないでしょうか。それは言い換えれば、意識の高い地方や東京で培ったものを、それ以外の土地や「ケ」の場に持ち帰ってくるフェーズだと言ってもいいかもしれません。そしてそのフェーズ変化の結節点にコロナ禍があった、ということなのだと思います。

古田　今日はけっこう制度の話が出ましたが、社会や政治制度の前に、大企業という枠組みから変えられる制度はあるなと思っていて。それはテレワークや副業解禁ということとも少し違っていて、雇用の関係そのものがもっとフリーエージェント的なものに変わっていくと、オフィスのあり方や街のつくり方も結果的に変わってくる。いまは結局、会社のあり方に合わせてビルや街の制度がつくられているので、会社の制度が変わると街は意外に大きく変わるのかな、とは思いましたね。

馬場　秘馬さんから大企業の話がありましたが、やはり近代の社会というのは、個が何らかの安定性のある組織に所属し

ながら、その個性をある程度最大公約数的なものにして社会に還元していく、というヒエラルキーピラミッド構造でデザインされていたと思うんですよね。でも、それだとダイナミズムが起きずにどんどん硬直していき、街の風景も均質化していく。結局、社会のデザインが、そのまま街の風景に落ちていってしまったのではないかと思う。だとすると、そこから逸脱していくためには、個の欲望や感性、経済活動やアクションをちゃんと担保しながら、それが社会によりダイレクトに還元されるような仕組みが必要で、それをつくるのに少しでも貢献していきたいなと思いました。

齋藤　これまで人々はアクションや経済活動を通じて地域や社会とつながってきたわけなのですが、いまはそれぞれの地域や国に対する貢献とその結果までもがトラックできる時代になったのだと思うんですね。つまり、地域の成長に対して楽しみを得られる時代になってきたのかなと。都市と地方の問題については、Centralize と Decentralize の両方存在していないと社会は回らないし、大企業は大企業だからこそ、マイクロなプレイヤーはその規模だからこそできることがたくさんある。全体的に多様化したということを踏まえ、都心部も地域も、ヒエラルキーではなく並列として考えられるように、全体の制度を設計していく必要があるのかなと思います。なので、馬場さんがおっしゃっていたことはまさにその通りだなと思いますし、それを具体的な方策として、みんなで落としていかなきゃいけない。特にソーシャルデザインに関わっている人たちや、社会を俯瞰（ふかん）的に見てアクションに落としている人たちが、次に何が起きるべきなのかについて、何らかの思想や哲学に落としていかないといけない。そうしないと、またバックトゥーノーマル的な、バネが戻る力学に負けそうな気がします。

重松　今日は、まちづくりとは社会そのものを考えることなのだと、改めて痛感しました。私には都市開発者という立場でお声がけいただいたのだと思いますが、都市開発者とかデベロッパーという言葉自体が、もはやフィットしていない感覚がありますね。また、地方と都心が平等な立場になったとき、どうすれば都市は選ばれるのかということを真剣に考えてみると、都心における幸福は、たとえば心地よいストレスがかかって程よくアドレナリンが出ることであり、そういう状態を生み出す場であることが重要なのかなと感じました。まだ都心に面白い人が集まってくれているうちに、本当の意味で面白い状態をつくっていかなきゃいけない。そのためのアクションをどういう形で起こしていくのか、改めて考える機会をいただいたと思います。

INTERVIEW 西田司

街にはもっと「小さな公共空間」が必要だ

「ひらく建築」や「小商い建築」から考える、「クリエイティブなパブリック」の可能性

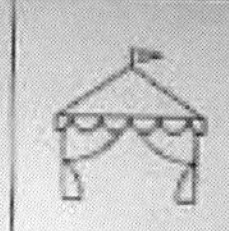

「公共空間」と聞いて、市役所や博物館、公園といった、大規模な公営施設が真っ先に思い浮かぶ人も少なくないでしょう。しかし、「公共」は商業空間、さらには「自宅」のような、もっと身近で、小さな場所にも生まれるもの。むしろそうした「小さな公共」こそが、これからのまちづくりのカギとなるかもしれません。

この記事では、住宅から公共建築、まちづくりや拠点運営まで幅広く手がける建築設計事務所オンデザインパートナーズ（以下、オンデザイン）代表で、街や公共空間にひらいていく住宅や商業建築を多数手がけてきた建築家の西田司さんにインタビュー。街にひらく住宅建築や、レクリエーションとしての「小商い」建築の事例などを通して、これからの街に求められる「小さな公共空間」のあり方について考えました。

■聞き手——宇野常寛、小池真幸
■構成——石堂実花

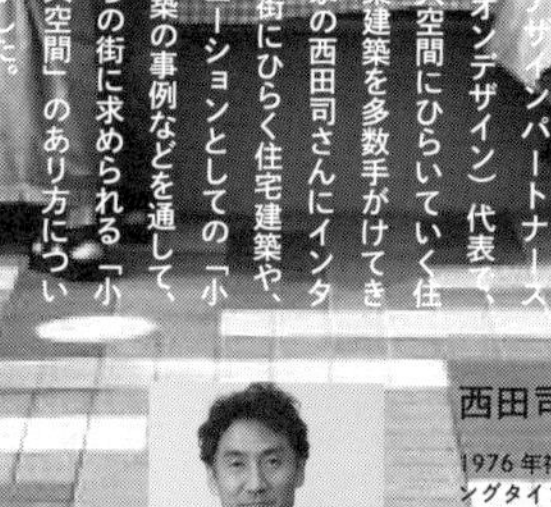

西田司 OSAMU NISHIDA

1976年神奈川生まれ。使い手の創造力を対話型手法で引き上げ、様々なビルディングタイプにおいてオープンでフラットな設計を実践する設計事務所オンデザイン代表。東京理科大学准教授、大阪工業大学客員教授、ソトノバパートナー。主な仕事として、「ヨコハマアパートメント」「THE BAYSとコミュニティボールパーク化構想」「まちのような国際学生寮」など。編著書に『建築を、ひらく』『オンデザインの実験』『楽しい公共空間をつくるレシピ』『タクティカル・アーバニズム』『小商い建築、まちを動かす！』。

トップ写真：@koichi Torimura

時間軸の共有が、小さな公共を生み出す

——西田さんは建築家として、外部の空間にひらいていくタイプの住宅や商業建築を数多く手がけてきたと思います。今回はそんな西田さんの視点から、街の公共空間のあり方やまちづくりにおける建築の役割について語っていただきたいです。まずは震災以降のこの十数年、西田さんがどのようなかたちで建築やまちづくりに関わってきたのか、お話しいただけますか？

よろしくお願いします。僕はオンデザインという建築設計事務所の代表をしていて、住宅から公共建築、まちづくりや拠点運営まで幅広く手がけています。オンデザインとしていくつか本も出していて、たとえば『建築を、ひらく』（学芸出版社、2014）という本では、物理的に建築の窓やドアをひらくという意味だけでなく、今まで建築に関わってこなかった人に対して「ひらく」という意味や、建物に公共性を与えるという意味での「ひらく」という意味もタイトルに込めつつ、オンデザインでの活動をまとめました。また『オンデザインの実験』（TOTO建築叢書、2018）ではサブタイトルに「人が集まる場の観察を続けて」と題し、「オフィス、このままじゃまずくない?」「この建物、このままじゃ使えなくない?」というように、震災やコロナを経てこの十数年で寿命が来ていると判明した20世紀的な建物をアップデートさせるためには、建築に実験という発想をもたらすのが大事だという議論をしています。

——そうした問題意識のもと、オンデザインではどのような建物を手がけてきたのでしょうか？

オンデザインがつくった建物の中で、取り上げていただくことが多い事例を二つ紹介しますね。一つは、2010年にできた「ヨコハマアパートメント」という住宅です。中央にある、土間のような広場を共有しながら住むという住宅ですね。広場ではアーティストの制作展示や週末のパーティーや地域住人の発表会など、通常の住まいでは実現しづらい催しが開催されています。

もう一つは神奈川大学の「まちのような国際学生寮」です。吹き抜けの空間にボックスのようなスペースがいくつも浮いていて、それぞれキッチンがついていたり、和室になっていたり、工作ができたりと、小さなリビングが複数あるようなイメージです。学生寮といえば食堂やダイニングホール、リビングルームがあるのが普通ですが、ここではそれらが細切れに散在していて、自由に選んで使えるようになっているんです。「国際学生寮」という名前の通り、

海外からの人が住みながら、日本の学生も遊びにきたりして、国際交流が起きる場を目指しています。

これらの建築を考えるときに意識したのは「時間軸の共有」です。建築では一般に、建物というハードな「空間」をいかに設計するかを考えます。でも、その場所で小さな出会いがどのように起こるのかを考えたとき、大事なのは「時間軸」なのではないかと思ったんです。たとえば、「ヨコハマアパートメント」をつくったときに、「ちょっと干渉し合おうよ」という意味で「Do Disturb」というコンセプトを立てました。「こんなご飯作ったんだけど、ちょっと食べる?」というやりとりが起きたり、朝起きたらリビングでヨガをやっている人がいて自分もちょっと興味を持ったり、街の人が突然入ってきて一緒にバーベキューをしたり……こうした「小さな公共性」を暮らしに持ち込むと、いい意味で体験の「シェア」が起こり得ると考えたんです。コロナ禍以前は、空間から時間を考えるのが一般的でしたよね。たとえば、オフィスという場所があるから働くとか、カフェがあるから休憩時間が発生するとか。でも、時間という非常にナイーブで、輪郭を持たないけれど意外に共有可能性があるものを、建築や公共空間に持ち込んで考えてみると、建築や都市を自分ごと化できるんじゃないかと考えました。

「まちのような国際学生寮」はその発想をかなり大きく広げて、「パブリックとは小さなプライベートが集まってできているのではないか」という仮定のもとでつくられています。たとえば、自分の国から持ち込んだ料理のレシピを紹介していたら、それを見た人が「なんかちょっと美味しそうだから、週末一緒にご飯作って食べない?」という交流が生まれたり、その国で楽しんでいるゲームを持ち込んでやっていたら「ちょっとそれ何?」という会話が起こったりと、小さなプライベート空間であるリビングから偶発的な出会いがいくつも起こっています。さらにそれぞれの場所は吹き抜け空間にあるので、お互いどんなことをやっているのかがなんとなく見えるんです。

「公共」から「パブリック」へ

――「小さいプライベートが集まって生まれるのがパブリック」という考えはしっくり来ますね。もともとは公共空間って、ヨーロッパの広場のように社会の一員として市民の意識を持ち得る場所を指していて、だからこそプライベートな空間と区別されるものだったはずです。でも今は「法を犯さない限り、プライベートな物事を人前でやっていい空間がパブリックだ」という認識になっている気がするんです。いつの間に変わってしまったのだろう、と思いながら話を聞いていました。

「ヨコハマアパートメント」(2009)
アーティストの制作展示や週末のパーティーや地域住人の発表会など、通常の住まいでは、受け止められない事柄を広場を所有することで実現している。 1階が近所にもひらかれた天井高5mの半外部ラウンジ“広場”、そこから各々の専用階段をぐるっと回って、高くて明るい2階の居住部屋に出るという構成になっている
(写真：@koichi Torimura)

「まちのような国際学生寮」(2019)
「共同生活を通した新しい交流空間の実現」を求められたプロポーザルからはじまった、200人の学生が集まって暮らす学生寮の計画。国や地域の文化・慣習だけでなく、個人の好みや気分で変化する暮らし方を含めた、一人一人が持つ多様な個人的バックグラウンドこそが交流のキッカケになると捉え、“ポット”と名付けた小さなリビングのような居場所が4層吹き抜けの共用部に立体的に点在する学生寮を考えた(写真:@koichi Torimura)

日本では「公共」という概念と「パブリック」という概念が使い分けられているように思います。「公共」の「公（きみ）」は「大きな家」という意味で、昔でいうと天皇や幕府、最近では行政などを指します。「お上」もしくは「大きな家」のエリアを司っている人たちが持っている場所に行く、という感覚ですね。

一方で「パブリック」はラテン語の「publicus＝人々の」を語源としており、古代ギリシャやローマ以降のいわゆる市民社会のようなイメージで、自分と自分以外の人が共存できる空間を指します。ヨーロッパの広場は、よく市庁舎の前や教会の前にあるんですが、市庁舎って「シティ・ホール」や「タウンホール」というだけあって、「自分たちの街の場所」っていうニュアンスがあるんですよ。その前に「プラザ」があって、結婚式なんかが行われているわけです。

また「パブリック」という言葉には「その場所を管理することで良くしていくのは自分たちだ」という意識も込められています。よく日本では「子供が声を出しすぎているから、この広場は〇〇遊び禁止です」というクレームを入れる人がいますが、まさに「公共とはお上が管理している」という意識があるから、行政に文句を言うんです。でも、「パブリック」は本来、そこを使っている人同士が自治・管理する場所。話し合いのもとで「何時以降はやっていけない」「安全性を担保するために場所と時間をちゃんと区切って遊びましょう」といった取り決めが当たり前のように行われるのが「パブリック」だと思います。

——なるほど。日本的な感覚でいうと、公の場では「〇〇してはいけない」というように「私」を殺す場所だとみんな思っている。しかし、むしろ「私」も「公」の一部だから、「〇〇できる」「〇〇する」というようにルールをつくっていくと考えるのが、西洋的な「パブリック」なのだということですね。

「小商い」建築がひらく公共

この「公共」から「パブリック」へ、という問題意識は、僕の活動の軸となる問題意識の一つなのだと思います。そうした考えのもとで書いたのが、『小商い建築、まちを動かす！』（ユウブックス、2022）という本です。建物の一部に週末だけ開く店舗のような場所を埋め込んだ建築事例を集めた本で、事例紹介を通して「普段は住宅だけど、日曜日だけ本屋をやります。なんなら、そこでコーヒーも提供します」といった場所を街の中に埋め込んでいくと街は変わっていくのではないか、ということを考察しています。

この本を作ろうと思ったきっかけは、僕の事務所のス

「Fika」(2012)
10坪の敷地に建つ、北欧雑貨を売る店舗とそのオーナーのための住宅。ここで売られている北欧雑貨は、今までオーナーが少しずつ収集したもので、ただの売りものというよりは、今も日常的に使われていて、一つひとつが生きている(写真:@koichi Torimura)

タッフが賃貸で場所を借りて、週末起業をはじめたことでした。設計事務所って、普段けっこう忙しいんですよ。なのに、タバコ屋くらいの小さい場所を借りて、休日にもその場所でカフェをしたり、物販をしたりと、働きはじめたのに驚いてしまって。そもそも余暇って身体を休めるためにあるはずなんですが(笑)、月曜日から金曜日まで生産的な行為をしているはずなのに、土日にも同じことをやっている。しかも、生産性のためじゃなくて、楽しむためにやっているのが面白いんです。「レクリエーション(recreation)」という言葉がありますが、これは「クリエイションする体を回復するために、土日は体を休めて平日働こう」という意味です。ところが彼女は回復するために、またクリエイションをしているんですよね。

同じようなことをご自宅でしているお客さんの家を、オンデザインで設計したのが、西武池袋線の東長崎駅の駅前商店街の一角にある「Fika」という住宅兼雑貨屋です。「Fika」はスウェーデン語で「お茶をしよう」という意味ですが、ここのオーナーは編集者として月曜日から金曜日まで働いて、土日だけ北欧雑貨屋を営んでいます。3畳くらいの狭い空間に北欧雑貨が並べてあるのですが、この売り場の裏側の1階にお風呂とトイレがあって、2階にダイニングキッチン、3階にリビングと寝室がある。夜に行くと、商店街から窓ガラス越しに売り物の鍋が置いてあ

「Fika」(2012)(写真：@koichi Torimura)

るのが見えるのですが、この売り場は玄関ホールのスペースで、吹き抜け空間にすることで大きくバーンと見せていることが特徴です。最近はパラレルワークや副業が認められるようになった流れもあって、このように都市への働きかけがある建築をつくる方法は可能性が大きいと思っています。

面白いのは、「会社とは違うコミュニティがあるのがすごく楽しい」と言っていたことです。来たお客さんと北欧雑貨について熱く語るのが楽しくてやっていると言っていて、そこは売り場であると同時に、同じ趣味がある人との時間を楽しむ場所でもあるんですよね。たとえばコーヒーが好きだったら、コーヒー好きのコミュニティが生まれるでしょう。さっきの「プライベート」の話にも近いですが、売り手と買い手、消費する人とサービスする人が入れ替わることは、すごくクリエイティブなことだと思っています。よりマニアック、かつ、より繊細なコミュニティがたくさん生まれることで、多様な対話を可能にする環境が増え、街に良い影響をもたらすと思います。

——そうした余暇で行う小商いが同時多発的に出てきていることには、どのような背景があると思いますか？

日本は所有することによって承認欲求を満たしていた時

代が長いと思います。たとえば昔から人は土地や車など、コレクションしたものを人に見せることで欲求を満たしますよね。ただ、今の日本は所得水準が上がらないから、所有するという行為によって承認欲求を得るのが難しくなっています。一方で、シェアすることによって共感を連鎖させていく欲求は、所有の感覚をひらく行為だと思うので、他人との関係を生み続けることができれば、実は所有物の総量はそこまで必要ありません。

精神科医の斎藤環さんが『関係する女 所有する男』(講談社、2009)という著書で言っていたことですが、所有欲求は手に入れたらもっと欲しくなる、際限がない感覚であるのに対して、関係する欲求は、日々の関係図式を連鎖させていくこと(持続させること)で満たされる欲求で、展開性や継続性に長けているそうです。昨今の日本の社会背景もあって、所有の欲求と、関係したいという欲求のバランスをとることによって、持続的にモチベーションを保とうとする人が増えている時代なのかなと思います。

——プライベートとパブリックの話にもあったように、人はその場で何かをしないと、その土地が自分に関わりのある場所だと思えませんよね。たとえば、僕(宇野)はランニングでよく行く公園は少し離れていても自分が関わっている場所だと思えるけれど、普段ほとんど行かず、すぐ近所にあっても特に関わりのない公園ではそう思えないわけです。そんな中で、土地に関わるための手段としての「小商い」という発想があるわけですね。現代社会では人間は主に経済活動を通して社会と関わることが一番多いはずが、実際の産業構造の中で「働く」ことでは、なかなか世界とのつながりを感じづらいのが現状です。一方で、小商いで自分の扱っている物事を通じて交流をすることは、とても手触り感のある行為ですよね。小商いという回路が、その人を街や土地に結びつけるのだと思いました。

めちゃくちゃ面白い視点ですね。宇野さんの『ひとりあそびの教科書(14歳の世渡り術)』(河出書房新社、2023)を読みましたが、「周りを見ずに、自分の時間を使って、自分に正直に取り組もう」と言っていますよね。小商いはまさに、そうした「ひとりあそび」の回路の一つだと思うんです。小商いの空間では、時間と空間がセットになっているのがポイントです。誰かとお茶を飲んだとか、話をしたとか、そういう時間が積み上がっていく空間は、愛着が湧きやすいんです。もちろん毎週同じスタバに通って仕事をしている人は、その店に愛着を持つと思いますが、もっと能動的なクリエイションの時間がある空間は、その場とのつながりがより強まります。「どうせやるなら本棚をかっこよくして、本を並べてその風景を写真に撮って」といっ

た感覚で、空間を育てるようになる。時間が空間をどんどん育てていくことで、場とのつながりが加速していくのだと思います。

——今の話はメディア論的にもとても面白いですね。Web2.0の挫折の原因って、「人々が発信能力を持っても、何も創造行為に使わなかったこと」に尽きると思うんです。多くの人にはクリエイティブな才能どころか、そもそもモチベーションがなくて、クリエイトしなかった。でも、承認はほしいから、そこで何をやったかというと、人の悪口をシェアしはじめた。敵を撃つことで味方を確認することは、最も原初的なメンバーシップのあり方であり、この状況が政治利用されたのがトランプ現象だった。

ただ、西田さんのお話を聞いて、人間は「創造社会」はつくれなかったけれど、「小商い社会」の方には行けるのではないかと思いました。自分で物事をつくることができなくても、それを紹介してシェアすることはできる。それが物理空間と結びついていると、長期的で持続的な承認のベースになっていくのだと思います。

コントローラブルなセミパブリック空間をつくる

小商い店舗で言えば、相鉄線の南万騎が原駅という駅の宝くじ売り場を改修して、一日千円で地域の人に店舗として貸し出している「みなまきTRY STAND」という拠点づくりも、オンデザインで手がけています。元宝くじ売り場なので、2畳くらいのスペースと、その前の空間に少しだけはみ出して、ワゴンを並べることができるようになっている。出店しているお店は、エッセンシャルオイルからアロマグッズや耳つぼジュエリー、和紙や布小物、クッキーの販売、さらには「似顔絵描けます」「手相見ます」「ワインの楽しみ方を教えます」「犬のチョッキを作ってあげます」といったお店など、本当に多種多様です。ほとんどが地域のおばちゃんたちで、毎日予約で埋まっているんです。安く貸しているので「いくら売れたか」も教えてもらっていますが、5日で10万円、一日平均2万円売り上げちゃう人もいる一方で、「一日5人しか来ませんでした」という人もいる。趣味の域を出ない人もたくさんいるのですが、皆さん楽しんでやっている印象を強く受けます。

——そうした小商いモデルは「所有」と「関係性」の中間にある気がします。「モノ」と「コト」の中間にあると言ってもいい。「これからは所有ではなく、関係性だ」ということはバブル批判のスローフード運動のあたりでもさんざん言われていたし、僕らは上の世代の「所有によって承認

「みなまき TRY STAND」(2021)
南万騎が原駅前の商業施設内にある、小さなお店屋さんスペースで、地域の人々の「やってみたい」が叶うチャレンジスポット。みなまきに関わる人なら誰でも、1日オーナーとして、街の人々に向けてやってみたいことを試せる(写真:@koichi Torimura)

欲求を満たす」という消費行動を見て、あきれながら育ってきた世代でもあります。しかし、それで「所有から関係性へ」を実践したら今度は、比喩的に言えば「恋人からのLINEをずっと待ち構えている若者」や「自分の投稿にいくつ『いいね!』がつくかをずっと考えていて、気がついたら発言がどんどん過激化していくおじいちゃん」が生まれてしまった。これは消費社会の病が情報社会の病に置き換わっただけではないかと思います。モノは空間的に際限がなくなるけれど、関係性は時間的に際限がなくなって、その結果みんなプラットフォームに常駐するようになった。空間に拘束される代わりに時間に拘束されるようになったわけです。

人間を人間間のコミュニケーションの交換に縛りつけて閉じ込めるのではなく、どう生産的な回路に開いていくか。このとき有効に機能する回路の一つが、西田さんの言う「小商い」なのだと思います。この場合の「小商い」は、生業とは切り離された小商いですよね。今日の産業における生業、特に工業や情報産業への従事が世界に対しての手触りや、自分の住んでいる土地への愛着を切り離す方向に作用するのに対して、生業に結びつかない小商いのほうが、自分がその土地にコミットしているという感触を与えるということなのだと思います。

それから小商いではないですが、僕が手がけた「ひらく」建築の事例として、「観察と試み」というタイトルのプロジェクトも紹介させてください。調布の深大寺という場所にある、ひとり暮らしの60代女性のお家です。元々この家に住んでいたお母さんが孤独死されていて、2代目として、ひとり暮らしをするのに不安を感じていました。お母さんは死後3日間発見されなかったそうなのですが、そのトラウマもあって、ひとり暮らしをするなら、「ここ2〜3日顔出さないから心配だ」と言って訪ねてきてくれるような関係を近隣の人と築くことができているこの地域に住みたい、とのことでした。そこで、建物の一部を減築して、誰でも入ってこられる状態のお庭を広げたんです。さらに、一番広く庭に面している空間をガラス張りでオープンな空間に改築しました。図面には「テラスリビング」と書いてあるのですが、道を歩いているだけで、この部屋の中がけっこう見える。その部屋にいると、道を歩いている人とたまに目が合って、タバコ屋のおばちゃんみたいに挨拶しています。

実はこの家の家主は、情報セキュリティの研究者なんです。彼女いわく、現代の情報社会において、自分の情報は世界中から見られているのが普通だと。なのに、家では一生懸命塀を建てて自分を隠そうとするのってどうなの?という疑問から、こうしたつくりになりました。もちろん

一人で静かに仕事がしたいときは外からは見えない奥の部屋でしたり、寝るときは2階にいたりするのですが、実は見られる空間にいるときの方が安心するそうです。彼女はこれを「ひらくセキュリティ」とおっしゃっていました。

——プライベートな領域を減らして、1階にセミパブリックな領域をつくるという発想は面白いですね。場所への関わりを増やすための建築を考えたとき、減築という発想が出てきた。

はい。これは先ほど宇野さんが言ったように、クリエイションがキーになりながら風景が変わっていくということで、すごいことだなと思っています。日本のまちづくりを「所有欲求」に引きつけると、どうしても内側に閉じこもるかたちになっていきます。塀や生け垣をつくってセキュリティを高めることで、中がどうなっているかわからないかたちになったり、そうじゃない家は、カーテンが閉まっている状態になったりする。そういう家ばかりだと、街を歩いているときに、何か世知辛い感じになりますよね。でも、小商いはその中の余剰や一部を「このときだけは開いていますよ」「この場所をもうちょっと使ったらどうですか?」という具合に部分的にひらくことで、「街を動かす」んです。

先ほどの北欧の雑貨屋「Ｆｉｋａ」の人とも、感覚はかなり近いです。「週末だけ家で雑貨屋をやっています」という話と「私がオープンなところにいて『話しかけてもいいよ』というモードを出しているときは、ひらいてる状態なのよ」という話は本質的には同じで、毎日その場にいたいと思ってるわけではなく、使い分けているだけなんですよね。生け垣や塀という線で街と自分を区切るのではなく、「ここまではひらいてる／閉じている」という切り替えをしているんです。

——僕自身は80年代に東北や九州でずっとよそ者として暮らしてきて、監視社会的な閉塞感も多分に感じてきたので、「隣人同士のつながりがあたたかい」とはまったく思いません。でも、人が社会とのつながりを健全に保つために、プライベートとパブリックを「隠すかオープンにするか」という二択で捉えるのではなく、「コントローラブルでセミパブリックな空間を確保する」という発想は面白いと思いました。中間領域を持っていた方が、実は柔軟なクッションとして作用すると。

「オフのデザイン」が都市と人を変えていく

——そうした「所有」と「関係性」の中間領域にある、コ

「観察と試み〜深大寺の一軒家改修〜」(2012)
築 50 年の木造住宅の改修。「プライバシー感（天気や気分によって変わる心のセキュリティ度合い）」を設計テーマに、IT セキュリティを研究する施主と協働した、個人住宅と社会の繋がり方を実験できる住宅。気分に応じて日常生活を閉じたり開いたりと、住宅がもっとまちとの境界を越えていけるように、生活の丁寧な観察をし、その生活が外側へ拡張されるよう外部化する改修設計を試みた（写真：@koichi Torimura）

「観察と試み～深大寺の一軒家改修～」(2012) (写真：@koichi Torimura)

ントローラブルなセミパブリック空間を街にもっと増やしていくためには、これからどのようなことが必要でしょうか？

今回は主に空間と時間の話をしましたが、「ヨコハマアパートメント」や「まちのような国際学生寮」のような空間は、「自分の時間」を見直すことによって創出できると思っています。コロナ禍で「おうち時間」が増えたことで、公園に行ってみたり、散歩したりと、街に出る人が増えましたよね。まずは風景を「見る」機会を重ねていくことで、愛着が湧いてくると思います。そして「見る」側から「自分がやる」側になる時間を日常に差し込むことができれば、さらに愛着が増していくでしょう。

――いきなり「自分がやる」まで行かなくとも、まずは「見る」からはじめるだけでも意味があるのだと。でも、そこから「自分がやる」にジャンプするための敷居は、まだまだ高いようにも感じます。僕（宇野）は高田馬場に住んでいますが、戸山公園で屋台を出そうと思ったら申請しても許可が下りるまでに時間がかかるでしょうし、いざはじめようと思うと大変なことが多いと思うんです。

おっしゃるように、都市部でやろうとすると専門的な知

見が必要です。だからこそ、そういった感覚を持って地方に行く、というケースが今後増えていくだろうと思います。すでに農業の分野ではいちご狩りや米の収穫時期に合わせて収穫旅行に行きます、といったことをやっている人が多いですよね。その延長で、「月に1回だけ農家マルシェを手伝います」という人や、「田舎のお祭りで年に数日だけカフェやります」という人もいたりします。

逆に都市部の話で言うと、僕は最近オフィス空間にすごく可能性を感じているんです。というのも、最近オンデザインの事務所を拡張することになって、半年前に1階の居酒屋だった跡地を居抜きで借りました。普段は打ち合わせスペースとして利用しているのですが、週末はスタッフが「小商いしたい」と言ったときに、フリーで貸しているんです。フリマをしたり、知人とイベントを仕掛けたり、地域のお祭りの際にスナックをしたりしています。最近は社員が「オフデザインシネマ」という名前の映画上映会をやっていて、仕事が終わったらみんなで映画を観るという企画なのですが、この「オフデザイン」という言葉がいいなと思っています。小商いは都市の「オフデザイン」だという感覚がありますから。

僕もそこで月に一度ノンアルバーをやっているのですが、街の人が普通に飲みに来てくれたりして、社員も「週末に友達と何かやろうかな?」といった感じで公民館のようにオフィス空間を使っています。多くの仕事がオンラインで済む時代に、どうしてわざわざオフィスに来るのか?ということを突き詰めて考えたとき、たとえば「実は夕方くらいにオフィスに行って、街で一緒に飲むために来てます」という答えにはリアリティがあると思うんです。「その人らしさ」をオフィスで表現することで、オフの時間から改めて、働くということについて再確認できる。街の重要な要素であるにもかかわらず、今まで内側に閉じていたオフィスがひらかれていくことで、何か新しいものが生まれるのではないかと思っています。

——考えてみれば、人間は存在しているだけで風景への介入が発生しているはずですよね。誰しも本来は、存在しているだけで世の中に影響を与えている。僕たちはつい、他の人間から認められないと満たされないと思いがちです。だからこそ人間の相対評価と切り離されて、まずは自分たちの暮らしている場所の風景そのものに自分が介入し得るのだと思えることは、大事な回路だと思います。

【論考】

門脇耕三

「大都市・都心の再開発／地方都市・郊外のリノベーション」を超えるには？

「渋谷のハロウィン」から考える、2020年代のまちづくり

門脇耕三 KOZO KADOWAKI

1977年神奈川県生まれ。2001年東京都立大学大学院修士課程修了。東京都立大学助手、首都大学東京助教などを経て明治大学准教授。現在、明治大学出版会編集委員長、スイス連邦工科大学チューリッヒ校客員講師、東京藝術大学非常勤講師を兼務。専門は建築構法、構法計画、建築設計。効率的にデザインされた近代都市と近代建築が、人口減少期を迎えて変わりゆく姿を、建築思想の領域から考察。建築の物的なエレメントへのまなざしに根ざした、独自の建築論も組み立てている。著書に『ふるまいの連鎖：エレメントの軌跡』（TOTO出版、2020）、建築作品に《門脇邸》（2018）など。（写真：©Sara-Sera）

渋谷に代表される、大都市・都心の再開発。他方で、地方都市や郊外で盛り上がるリノベーション——2010年代のまちづくりは、大きく分けてこの二つの動きがそれぞれ進行し、一定の成果は残しつつも、その課題も明らかになってきました。こうした成果と課題を踏まえつつ、2020年代のまちづくりはいかなる方向に向かっていくべきなのでしょうか？

大都市・都心の再開発／地方都市・郊外のリノベーションという対立を超えて、2020年代のまちづくりが向かっていくべき方向性について、建築家の門脇耕三さんに論じていただきます。もはや東京の風物詩ともなっている「渋谷のハロウィン」を手がかりに考える、これからの都市空間のあり方とは？

秋が深まってくると、必ず話題になる都市を舞台としたイベントがある。ハロウィンである。ネットでは毎日のように「祭り」が繰り広げられているが、現実の都市を舞台とした祭りでこれほど話題になるものは本当に少なくなった。その意味で、最近のハロウィンは、都市を盛り上げる優良なコンテンツと言えるのかもしれない。

とはいえ、ハロウィンがこれほど盛り上がるようになったのは、ごく最近のことにすぎない。いまでは渋谷がハロウィンの聖地と化しているが、仮装した若者が街中を埋め尽くすようになったのは、2013年頃からなのだという(※1)。

ハロウィンが2010年代に現実の都市での巨大な祭りへと成長したことは、SNSの普及とあわせて語られることが多い。実際、Twitter(現X)やInstagramなどの主要なSNSはこの時期に登場・発展したものだし、過激だったり刺激的だったり珍奇だったりする仮装の写真がタイムラインに流れてきて、この時期の渋谷に興味を持った人も少なくないだろう。SNSを主軸として見るならば、ハロウィンの勃興は、いちじるしく巨大化したネット上のアクティビティの現実空間への飛び火にすぎないと言える。

しかし、僕はこのハロウィンの勃興の裏には、もうひとつの別の事象が隠れていると思っている。その事象とは、2000年代に本格化して、現在も進行中の都市の変化のことであり、この変化は、「都心の郊外化」とでも言いあらわせるものではないかと考えている。

ハロウィンと郊外、またはゴシックと辺境

ハロウィンはケルト人の伝統に起源を持つと言われているが、現代のハロウィンはアメリカ風のもので、アメリカには19世紀に、アイルランドおよびスコットランドからの移民によって持ち込まれたのだという。したがって、恐ろしい存在に扮するアメリカ風ハロウィンの仮装には、多分に近代初頭のイギリス人の感覚が反映されていると考えられるのだが、当時のイギリス人たちにとっての「恐ろしいもの」は、少なからずゴシック様式と接続するものであった。現代の日本でも、ゴシック風のドレスはハロウィンでの仮装の定番であり、黒を基調としたゴシックファッションは、「死」「オカルト」「悪魔」などのイメージと分かちがたく結びついている。

ゴシックはもともと、ルネサンス期のイタリアの文化人たちが、アルプス以北の教会建築の様式を侮辱的に呼びあらわしたものであった。辺境の蛮人たちの様式というわけだ。中世に栄えたゴシック建築は、したがってルネサンス以降は下火になるのだが、突如として18世紀なかばのイギリスで復活し、19世紀にはイギリスの国民的様式と見なされるまでになる。たとえば、1852年に完成したイギリスの国会議事堂であるウェストミンスター宮殿は、ゴシック・リバイバルと呼ばれる復興ゴシック様式でデザインされている。そして、このイギリスにおけるゴシックの復活は、ホレス・ウォルポールというひとりの貴族の趣味的な生活に端を発するものであった（※2）。

イギリスの貴族階級の特権性を享受できる立場にあったウォルポールは、ロンドン南西にあった広大な緑が広る土地を手に入れて、1748年に、後に「ストロベリー・ヒルの館」と名付けられることになる自邸の建設に着手した。完成したのは廃墟めかしたあやしげな建物だったが、そこでは当時の正統的な建築の作法に鑑みられることはなく、ウォルポールが空想的に描いたゴシック的な雰囲気を、ただひたすらに追い求めるものであった。

ウォルポールによるゴシック趣味の追求は、その後も止むことはなく、彼は数十年にわたってこの館に手を入れ続けたという。そればかりではなく、1764年には小説『オトラント城奇譚』を書き上げる。その舞台は、幽霊が出ると言われている暗く辺鄙な古城で、物語は、そこで不吉な予言が徐々に成就されていくというもの。陰鬱ながらも、超自然的で夢幻的な雰囲気に包まれたこの小説は、すぐに爆発的な人気を得て、「ゴシック小説」と呼ばれる一大ジャンルの嚆矢（こうし）となった。オトラント城と同じく、あやしげで神秘的な空気をまとったストロベリー・ヒルの館も評判となり、見学者がひっきりなしに訪れる状況だったという。

典型的なゴシック小説は、古くて暗い建物で起こる陰謀、殺人や超自然的な現象を描くもので、その影響は、現代のホラー小説やSF小説にも及んでいると言われている。代表的なモチーフは、古い建物や神秘現象に加えて、廃墟、怪奇、幽霊など。フランケンシュタインやドラキュラも、ゴシック小説から生まれた異形たちである。暗さと恐ろしさをあわせ持ちながら、神秘的であり、どこか高貴でもある。それこそ、ゴシック的なるものたちに共通するイメージなのであった。

こうしたゴシック的なものは、18世紀後半から19世紀初頭にかけてのイギリスで大衆的な人気を得ているが、ケルト人の伝統だったハロウィンがイギリスからアメリカに渡り、恐ろしげなものに扮する祭りとして定着するのも

同じ時期である。ハロウィンには、ゴシック趣味が直接的に反映されていると考えてよいだろう。また、ゴシックはその誕生から一貫して、辺境・辺鄙などの周縁的な場所性と親和的だったことも忘れてはならない。当時のヨーロッパ的な視点からすれば、アメリカはイギリス以上の辺境だった。ゴシック的なものとしてのハロウィンがアメリカに居場所を見いだしたのは、ごく自然なことだったのだ。

あるいは、アメリカで発展したハロウィンは、イギリス的なゴシック趣味の郊外的展開と見なすこともできるかもしれない。アメリカは一部の大都会を除いて、国自体が郊外の巨大な集合体のような様相を呈しているが、都市の周縁である郊外は、やはりゴシック趣味となじみがよい。映画監督のティム・バートンは、初期の代表作『フランケンウィニー』（1984）において、ゴシック小説『フランケンシュタイン』（1818）の舞台をカリフォルニア郊外へと移し替えることで、イギリスのゴシック趣味を現代的・アメリカ的な文脈でよみがえらせているが、彼が制作したハロウィン映画の大定番『ナイトメアー・ビフォア・クリスマス』（1993）は、その延長線上に位置している。『下妻物語』（小説2002、映画2004）で、イギリスの復興ゴシックと関連の深いロリータ・ファッションに身を包んだ少女が闊歩するのも、郊外の最果てであった。おそらく、郊外では「高貴」の要素がやや影をひそめるのだが、いずれにせよ、ハロウィンを経て、ゴシック的なものは郊外を新たな居場所として発見するのである。

そして、そこからさらに時間が経ち、ハロウィンは東京にも根付くことになる。

渋谷に見る東京都心の郊外化

すでに述べたとおり、ハロウィンが東京で大規模化したのは2010年代のことであり、その中心地は渋谷であったが、渋谷がこの時期に大きく変貌したのは周知のとおりである。この大変貌は、東急グループによる渋谷駅前を中心とする再開発によるものだが、一連の再開発の最初のプロジェクトとして位置づけられているのが、2012年4月に開業した渋谷ヒカリエ（※3）である。その後、2018年には渋谷ストリームが、2019年には渋谷スクランブルスクエアの第1期が開業しているが、2027年までには、さらに複数の大規模プロジェクトが開業予

定だという。

渋谷は、その名のとおり渋谷川の流れる谷地の街であり、駅前がスリバチ状地形の谷の底に位置している。そのため、駅の東側と西側、南側と北側の行き来が起こりづらい。そこで、この谷の上に歩行者デッキを架け渡して、水平方向に移動しやすい街とすることが再開発の骨子のひとつとされている。あわせて、「アーバン・コア」と呼ばれるエスカレーターやエレベーターを備えた公共の垂直動線を整備することによって、上下方向の移動のしやすさの改善も行われている。渋谷の再開発では、駅を中心とした広範なエリアの回遊性を高めることが目論まれているのである。

一方、この再開発によって、谷がちな地形がつくる渋谷特有の都市体験が得られにくくなったことも事実である。かつての渋谷での体験は、谷を這う曲がりくねった道によって性格づけられていた。道がうねっているから、すぐに方向感覚を見失い、思ったところにたどり着かないし、その逆に、思いがけないところにたどり着くこともある。通りの先は見通せない。しかしその先とつながっている感覚はあって、どこからか音楽だったり、煙草のにおいだったりが漂ってくる。

見通せないけどつながっている。この空間的な特徴は、近年のショッピングモールの設計にも認められるもので、購買行動の活発化につながることがあるのだという。渋谷が買い物の街として発展した理由は、この空間的な特徴に求めることもできるのかもしれない。また見通せない道は、そこに身を隠せるような感覚も与えるから、ちょっとしたところでダベったりする滞留行動も誘発しやすい。渋谷のストリートが活気に満ちているのは、そんなことも関係しているのかもしれない。以上のように、渋谷の地形は、この街での行動様式に強く結びついていると考えられるのだが、とりわけ特徴的な通りには、たとえば「スペイン坂」や「オルガン坂」などの名前がつけられることもあって、渋谷のアイデンティティ形成に強く寄与してきた。

今回の再開発で整備されている歩行者デッキなどのインフラは、しかしこうした渋谷の空間的特徴を、大きく減じさせるものである。何より、空中に浮かんだデッキの上を歩く体験は、ビルのなかの水平の床での体験と大差がない。それは地面の上の地形を踏みしめながら歩く感覚、つまりストリートの感覚を奪ってしまう。現在の渋谷は、谷底に発展した繁華街というこの街最大の特徴を失いつつあるのであり、結果的に、よく整えられていてフラットな、

ユニバーサルな街へと変わりつつあるのである。

大きなフロアを持つ超高層ビルの相次ぐ建設も、渋谷のユニバーサル化を助長している。建築家のレム・コールハースは、超高層ビルでは各階の床面積が巨大になるから、外壁面とフロアの中心部の距離が大きくなるという単純な理由によって、外観のデザインと内部のプログラムが無関係になると論じた（※4）。つまり超高層ビルは、内部で起きていることを外部に伝達することができない。ビルの内部は街から切断されてしまうのであり、したがって超高層ビルでは、内部にどんなによい空間を持っていたとしても、その雰囲気を街に伝えることができないのである。加えて、超高層ビルでは延焼の問題などから、路面も街に開きづらい。

渋谷では、街の無個性化が進んでいる。一般的に言って、都市の中心部は歴史が積み重ねられているぶん特徴が豊かで、都市の辺縁に位置する郊外は、新しくつくられたぶん特徴に乏しい。しかし渋谷で起きていることは、この一般的な都市の構造を逆転させるような力学に基づいている。2010年代以降の渋谷には、郊外的なものが急速に流れ込んできているのである。そのような中、アメリカの郊外で発達したハロウィンが渋谷で急速に普及したことは、けっして偶然ではないように思われるのだ。

大都市における「都市再生」と郊外化

渋谷では、街の無個性化、あるいは郊外化が進んでいる。しかし渋谷で起きていることは、渋谷のみの特殊な事象であるわけではない。同じようなことが、ある意味では日本中で起こっている。

バブル経済崩壊以後の日本の都市計画においては、「都市再生」がひとつの重要なキーワードとなっている。ここでいう都市再生とは、基本的には、容積率の上限などの規制を緩和することで、都心部での再開発を誘導する仕掛けのことをいう。欧米では、産業構造の変化などにより空洞化して荒廃した大都市都心部の課題解決を「都市再生」と呼ぶが、これとは異なる、近年の日本独特の概念である。

容積率とは、建物が建つ土地の面積に対する、建物内部の床面積の割合を意味する数字である。たとえば100㎡の土地に、各階の床面積の合計が200㎡の建物が建っていたとすると、その容積率は200％と計算される。

実際には、どの部分を「床面積の合計」に含めるかが細かく定められているため、このような単純な計算では算定できないのだが、2000年代に入ってからは、「エレベーターの部分は床面積に含めなくてかまわない」などといった具合に、この容積率の算定方法の緩和が次々と行われ、建物の建替えを動機付けてきた。

つまり、仮にまだ使える建物があったとしても、緩和後の容積率に基づいて設計すれば、より多くの床面積を持つ建物が建てられるケースがでてきたのである。床面積が増えれば、賃料などの収入も増大するから、立地がよく、床の貸し出しの見込みが立ちやすい場所であればあるほど、建替えは事業として成立しやすい。2000年代以降の民間活力をインセンティブとする都市再生は、その基本的な部分では、このような仕組みに基づいて推進されてきた。

また2002年には、都市再生を推進する「特区」を設け、自治体の判断を経ずに、国が主導して自由に都市計画を決定できる法制度がつくられた。それまでの都市計画では、一貫して地方分権への流れが進んでいたが、それを逆転させることによって、意思決定を速やかにすることが目論まれたのである。同時期には、民間事業者の提案に基づき、自治体の首長が判断を下して緩和内容を決める仕組みもつくられた。これらの法制度は、都市計画の自由度を高めることによって、日本の都市の国際競争力を向上させることを意図してつくられたものであったが、結果として2000年代の後半になる頃には、民間主導の大規模な都市再生が大都市部で次々と実現していくことになったのである。

このような日本型の都市再生は、バブル崩壊以後の建設産業の停滞からの脱却に寄与したし、都市の防災機能を向上させ、安全性を高めるなどの役割も果たした。しかし根本的には、経済合理性に基づく建替えをベースとする手法であり、そこにはいくつかの限界があったことも指摘できる。

第一に、この種の都市再生は立地のよい場所になじみがよく、また床面積の増加を伴うものであるため、大型のものばかりになりやすい点である。すでに指摘したとおり、大型のプロジェクトでは、建物の内部と街との良好な関係を育むことが原理的に困難であり、既存の街は、開発による盛り上がりから取り残されてしまうことがある。

第二に、建替えをベースとする以上、それまで街が育んできた歴史がどうしても失われやすい点である。大型の都市再生プロジェクトは、たしかに都市を更新するのだが、その過程で一掃されてしまうものも存在する。それらは、

仮に時代の遺物的なものだったとしても、何らかの歴史を証言していたことは確かなのである。

第三に、事業性を主要なインセンティブとしているから、多かれ少なかれプロジェクトは投機的な性格を帯び、結果として建築のプログラムが、地域性というよりは市場を反映したものになりやすい点である。したがって、できあがった建築のプログラムは、流行りではあるものの、どこかで見たことのあるようなものになりやすい。

以上に述べたことは、いずれも、都市をユニバーサル化する力学に関わっている。つまり日本型の都市再生は、都市の個性を失わせる傾向を持つというわけだ。2010年代前半頃までの都市再生プロジェクトは、大きな話題となるものも多かったが、最近のものがあまり話題になっていないのは、どのプロジェクトもどこか似通って見えてしまっていることも一因なのかもしれない。

いずれにせよ、東京をはじめとする大都市の都心部では、都市のユニバーサル化・無個性化が進んでいる。それは、すでに述べたとおり、郊外的なものの都心部への逆流とも捉えられる現象である。渋谷の再開発は、地形の無効化という大きな特徴を持っていたため、現象として認識しやすかったにすぎない。渋谷で起きたようなことは、実際には、あらゆる都心部で進行しているのである。

郊外化の逆の力学としてのリノベーション

2000年代以降の大都市の都心部には、郊外的なものが流れ込んできている。それは、都市を無個性化し、ユニバーサル化する力学を持つものであった。一方で、同じ時代に、ここでいう郊外化とは異なる力学を持った動きもまた登場し、大きな潮流を形成するに至っている。リノベーションである。

リノベーションという言葉が登場したのは、それほど古いことではない。建築界で使われるようになったのは1990年代のなかば頃からで、2000年代初頭には広く注目を集めるようになった。その初期の重要な動きとして、アーティストや建築家たちが中心となって行った、都心部の空きビルを活用する取り組みであるセントラルイースト・トーキョー（CET）を挙げることができる（※5）。

2000年代の初頭は、インターネットが産業構造に変化をもたらし、それが街にも及びはじめた時期である。

東京の東側の問屋街だったエリアでは、問屋を経ない販売経路が生まれた結果、多くの空きビルが発生する状況が生じていた。こうした空きスペースを活用して、展覧会などの期間限定のイベントを街中で展開したのがCETである。第1回のCETは2003年に開催されているが、小さな空きスペースを利用した同時多発的なイベントにより、一時的にではあるが街全体が活性化し、人流も大きく回復した。この成功を経て、小さなリノベーションの集積によって街全体を更新する「エリアリノベーション」という考え方も生まれていく。

エリアリノベーションのような考え方は、空洞化した大都市都心部を対象とする、欧米型の都市再生とも近い。しかし、CETのような複合イベント型の取り組みから出発した日本のリノベーションは、建物に大きく手を加えず、イベント的な手法で空きスペースを活性化させることに成功したこともあってか、コストをかけない街の活性化手法として認知されていくことになる。そのためリノベーションは、地価が安い地方都市や郊外などを舞台に、資本投下が困難な建物に適用されることが多くなっていくのである。2000年代のなかば頃からは、「地方創生」の掛け声のもと、大都市の競争力強化ばかりではなく、地方の活性化も政策として重視されるようになる。リノベーションは、この波に乗って、全国へと波及していくことになった。

地方や郊外で展開したリノベーションは、大都市の都心部で起こった都市のユニバーサル化とは、まったく逆の力学を内包するものであった。すなわち、リノベーションでは小規模な建物が対象となりやすいから、内部のアクティビティが街に表出しやすく、古い建物を活用するので、街の歴史の継承につながり、地元に根付いたプレイヤーが事業者になることが多いことに加えて、フランチャイズ店等との差別化が可能な企画が必要なため、建築のプログラムが街に根ざしたユニークなものになりやすい。リノベーションは、つまり街の個性を引き出し、卓越化させる力学を持っているのである。

一方、こうしたリノベーションならではの課題も存在する。資本投下に限界を抱えるリノベーションの場合は、建築的な操作はささやかなものが中心となるため、街の永続的な構造を担保するものになりにくいという課題である。古い年代に建てられた建物は、耐震リスクや防火リスクを抱えるものが多く、小規模なリノベーションでは、これらのリスクを完全に解消するには至らない場合が少なくないのである。また、人口が少ない地方や郊外におけるイベント中心型のリノベーションでは、メンバーシップが限定的になりがちなため、イベントの持続そのものが

困難という課題もある。限られたメンバーでの飲み会は、すぐに飽きてしまうというわけだ。

リノベーションは、たしかに街の個性を豊かにする。しかし、それをいかに構造化できるのかが、まちづくり型のリノベーションが抱える課題なのである。

大都市・都心の再開発/地方都市・郊外のリノベーションという対立を超えて

以上に見たように、2000年代以降、日本の都市において大きなプレゼンスを発揮した都市再生とリノベーションは、きわめて対照的なまちづくりの手法だったと言える。都市再生は、大都市の都心で大規模な再開発を実現したが、都市を無個性化させ、それを構造として定着させてしまうという課題を抱えていた。リノベーションは、資本投下に限界を抱える地方都市や郊外の個性的なまちづくりを牽引したが、それを長期的なまちの構造へとつなげていく道のりに困難を抱えていた。対照的なこのふたつの手法は、その対照性ゆえに、大都市・都心/地方都市・郊外というかたちで棲み分けてしまっている。

このジレンマを乗り越えるためには、資本投下が可能な都心において、建物の歴史的・文化的価値と性能を、現代的なものへと昇華させるリノベーションのスキームを確立し、それを地方や郊外でも展開していくことが必要なのではないか。しかしそのためには、立地と床面積のみで建物の評価が定まる現状の枠組みを脱却する必要がある。たとえばヨーロッパで行われているように、築年数が長い建物ほど高く評価されるような新たな指標の導入が必要だが、それはかなりの困難を伴うものになるだろう。

だとするならば、大都市・都心の個性を回復させる方法と、地方・郊外のまちの構造に寄与するリノベーションのあり方を考える必要がある。後者については、さまざまな地方で数多くの取り組みが行われている最中であり、今後の展開に期待できるところが大きそうなのだが、ここでは前者について、やや唐突なところから思考を進めてみることとしたい。ここで考えてみたいのは、最初に触れたハロウィン的なものの可能性についてである。

日本の最近のハロウィンは、そのアナーキーな無秩序さや、一部の公序良俗に反する行いなどから、批判的に論じられることが多い。しかし日本のハロウィンは、もう少しポジティブに論じることも可能ではないか。筆者はそ

の根拠を、日本のハロウィンの無秩序さそのものに見いだせるのではないかと考えている。

ハロウィンは、SNSの発達以後の日本の都市空間に登場した、数少ない大規模な群衆アクティビティのひとつであることはすでに述べた。しかしSNSが一般化した当初、都市空間における群衆アクティビティは、SNSによって大いに活性化することが期待されていた。その論拠となったのは、2011年初頭からアラブ世界で活発化した、いわゆる「アラブの春」。SNSでの呼びかけが現実空間での団結に結びつき、次々と政治改革を引き起こしていったこの一連の出来事は、震災のショックに打ちひしがれていた日本の人びとにも勇気を与え、反原発デモをはじめ、現実の都市空間を舞台とするさまざまな運動に結びついた。SNSでの呼びかけに応じるかたちで、ふつうの人たちが仕事帰りに参加する「気軽な」デモのあり方は、これまでになかった政治参加のあり方として脚光を浴びた。SNSを苗床として、直接的な民主主義が立ち上がるという期待も高まったし、そこで紡がれる集合知を基盤とした、新しい知の時代に入るとの予測もあった。しかし現在のSNSでは、ごく単純な正義感が暴走して炎上沙汰になることが日常茶飯事の、きわめて愚劣な世界と化してしまった。都市空間での政治的な群衆アクティビティの勢いも、社会を変えることなく潰えてしまった。

SNSの失敗は、おそらく、多数の人間の意見がきわめて単純な政治的イシューに収斂（しゅうれん）してしまう、SNSの構造そのものに原因を求められる。しかしSNSの勃興期に期待されていた集合知は、意見の多様性は保ったまま、その多様性のなかから紡がれる新しい知をイメージしたものだったはずだ。つまり多様性は、それ自体が重要な社会的リソースとしての役割を果たすのだが、ハロウィンの無秩序さは、多様な行動が多様なまま、きわめて活発なかたちで都市空間に現れる、デモとは異なった群衆アクティビティのあり方を想起させる。

もちろん、ハロウィンに参加する人たちの意識は、それほど多様なものではないはずだとの反論も成立するだろう。彼らは、しょせん喧噪を楽しみたいだけの人たちだという反論である。しかし、彼らの仮装がきわめて多様であることは忘れてはならない。それぞれの衣装は、参加する人それぞれが工夫を凝らした結果なのであり、しかもそのことが、物理的実体として現れ、都市空間を彩っている。これは大いに評価されるべきことではないか。人間がつくるものが多様であることは、豊かな文化の醸成の基盤的条件であると言ってよい。多様な物理的実体として現れたハロウィンは、新しい都市文化の形成の萌芽を十分に予感させるものなのである。

そして、十分な集積を果たしながらも、都市再生によってふたたび周縁化しつつある東京の都心部は、19世紀初頭のイギリスやアメリカの郊外と同様に、ゴシック的な、あるいはハロウィン的な想像力を呼び寄せ、さらに大規模なかたちで展開させるポテンシャルを秘めている可能性がある。そこで鍵となるのは、おそらく、ストリートのような「そと」とビルの内部のような「うち」のあいだにあって、両者を取り持つ、言わば「なか」の空間である。恐ろしいもの。怪しいもの。有象無象の魑魅魍魎(ちみもうりょう)。そうしたものたちの宿り代をつくり、都市の構造へと転化させていくこと。現在の東京に求められているのは、そのような思考かもしれないのだ。

(※1)kakeru3「ハロウィン渋谷いつから始まった？なぜ？画像まとめ2008〜現在」BRAVO-NOTE'2020、https://bravo-note.com/halloween-shibuya-start/(参照2023-10-25)
(※2)鈴木博之(1977)『建築の世紀末』、晶文社
(※3)東急グループ「渋谷再開発情報サイト」、https://www.tokyu.co.jp/shibuya-redevelopment/index.html(参照2023-10-29)
(※4)レム・コールハース(著)、渡辺佐智江、太田佳代子(訳)(2015)『S、M、L、XL+——現代都市をめぐるエッセイ』筑摩書房
(※5)CET(Central East Tokyo)(編)(2004)『東京R計画——RE-MAPPING TOKYO』晶文社

【論考】

白井宏昌

「環状」から「セル(細胞)状」へ

都市構造の変遷史から考える、「TOKYO2020」以降の東京改造の可能性

白井宏昌 HIROMASA SHIRAISHI

建築家、亜細亜大学都市創造学部教授。1971年東京生まれ。早稲田大学院、ロンドン大学政治経済学院修了(博士:都市社会学分野)。鹿島建設建築設計部、OMA、ロンドン・オリンピック・パーク設計チーム勤務を経て、帰国後、設計組織H2Rアーキテクツを東京と台北に共同設立。2015年～2023年まで滋賀県立大学環境科学部にて研究・教育活動に従事した後、現職。

世界的なパンデミックによる開催延期という前例のない状況の中、政治・経済から文化までさまざまな議論を引き起こした「2020年東京オリンピック(TOKYO2020)」。半世紀先を見据えた都市改造や国土開発の契機となった1964年の東京オリンピックのように、この一大イベントをきっかけとした東京改造は、果たして実現するのでしょうか。

「TOKYO2020」を経たいま、東京という都市が直面する課題と向かうべき展望を、建築・都市計画を専門にしながらオリンピック都市の研究も進める建築家の白井宏昌さんに論じていただきます。戦後の東京の都市構造や都市開発ビジョンの変遷を、ロンドンのそれとも比較しながら総括することで見えてくる、今後目指すべき東京改造の方向性とは?

ポスト2020：見えない東京の空間戦略

多くの疑念と疑惑を残して、あっという間に去ってしまった2020年東京オリンピック・パラリンピック。「理念なき五輪」と言われ続けた大会が終わって、早くも2年が経った。近代オリンピックは19世紀末に生まれ、20世紀を通して形づくられてきた世界最大のスポーツイベントであるが、開催都市にとっても多くの変革をもたらす起爆剤として（良くも悪くも）大きな役割を果たしてきた。そのような起爆剤としてのオリンピックとシンクロするように、都内では巨大な再開発がここかしこで進められているが、それらはまるでバラバラに進行しているようにみえる。オリンピック自体は新型コロナ感染のなか無観客で強行されたこともあり、イベントとしては実感のわかない「不発弾」のごとく、まったくインパクトを残せないまま終わってしまった。

オリンピックは終わり、東京都は有形・無形のオリンピックの遺産（レガシー）を強調し、それらを活かしたこれからの都市づくりを訴えるが、さすがに苦しい。今も渋谷や虎ノ門など様々な場所で再開発は続いており、それぞれのまちの風景は変わり続けているが、これから東京という都市がどこへ向かっていくかはなかなか見えてこない。大会終了後も多くの人々がモヤモヤを抱える今、改めて問わなければならないのは、オリンピックを経た東京という都市のあり方であろう。オリンピックを経たこれからの東京という都市を私たちはどのように想像することができるだろうか？　それはどのような空間になり、誰がイニシアティブをとってつくられていくのだろうか？

この問いに答えるために、最新の東京の都市ビジョンを紐解いてみる。これまで東京の長期ビジョンは都知事が代わるたびに更新されてきたが、現在発表されている最新の東京の都市ビジョンは、小池百合子東京都知事のもとで2021年に出された「未来の東京戦略」をバージョンアップした「未来の東京戦略 version up 2023」である。そこには東京という都市が今後取組むべき課題とともに、将来に向けた21の戦略が明記されている。しかしながら、この21の戦略を見ていても、東京の将来像ははっきりと見えてこない。昨今、ニュースを賑わせているAIの活用やテレワークの普及による働き方の変化など、多様なコンテンツが総花的に語られているが、そこには「場所」や「空間」といった言葉がほとんど登場しない。基本的にはコンテンツありきで、東京の都市全体の空間的視点を欠いているようにみえてしまう。それは英国のロンドンの長期ビジョン「London Plan」が「the Spatial Development

Strategy for Greater London（大ロンドン市のための空間戦略）」と位置付けられているのとは大きく異なる。「未来の東京戦略」においては都市がどのようなコンテンツを持つかが重要であり、東京にある多様な「場所」や「空間」といった視点は二の次のように思えてしまう。「未来の東京戦略」からは東京という都市空間のこれからを想像するのは難しそうだ。

そこで、別の資料を当たってみる。東京都が出している東京のグランドビジョンに2017年に発表された「都市づくりのグランドデザイン」がある。こちらも巻頭の序文を小池百合子知事が書いており、小池の意図が反映された、より空間的視点をもった「都市づくりの」長期ビジョンだと捉えることができる。ここに東京が目指すべき都市像として、「交流・連携・挑戦の都市構造」が提起されている。言葉だけで、これらがどのようなものかをイメージするのは難しいが、これは神奈川、埼玉、千葉も含めた、より広域な東京圏を捉えて、東京の都市機能を図ろうとした「環状メガロポリス構造」（p63図表参照）をさらに強化させたものとして描かれている。この「環状メガロポリス構造」自体は小池のオリジナルではない。これを提案したのは、小池より前に東京都知事を務めた石原慎太郎（故人）である。つまり、現在想定されている東京の空間戦略は石原の遺産を引き継ぎ、「環状メガロポリス」という硬派な名称を「交流・連携・挑戦」と優しい呼び名に変えただけで、本質は石原都政がつくりあげたものである。そして、石原慎太郎こそが「東京でオリンピックを再び」とのコンセプトを立ち上げ、2度目の東京オリンピック招致を先導した人物である。その意味でも、我々はオリンピックに限らず石原慎太郎の「遺産」を生きているのであり、オリンピック後の東京の姿を考えるうえで、我々は時計の針を少し前に、石原慎太郎が都知事に就任した1999年に戻す必要がある。石原慎太郎は、1995年に国会議員を辞職した後、青島幸男に代わり、1999年4月に東京都知事に就任する。都知事となった石原は様々な政策を打ち出すが、東京の都市づくりに関しては就任から2年経った2001年に「東京の都市づくりビジョン」を発表する。当時、さかんに議論されていたのが「首都移転」であり、石原はこれに強く反対していた。石原はむしろ東京の周辺を巻き込み、より東京のプレゼンスを高めるため、「環状メガロポリス構造」を「東京の都市づくりビジョン」の中核に据える。これはこれまでの東京の空間戦略を大きく変えるものであり、そこには石原の政治理念とともに、バブル経済崩壊後の日本経済再生を目指す国の思惑や、戦後振り子にように揺れ動く国土開発計画の行方など、多様な要因が重なり、でき上がったもので

ある。それらを紐解いていくと、今日の東京という都市の状況をつくり上げている枠組みがみえてくる。

東京の都市ビジョンの変遷

石原慎太郎が「環状メガロポリス構造」を生み出す以前の状況を簡単に振り返ってみよう。東京という都市のこれまでの発展の経緯をたどってみると、焼け野原となった終戦から、急速な人口増加に伴う都市域の拡大に対して、1958年につくられた「第一次首都圏基本計画」に今日の都市戦略のあり方の発端を見出すことができる。都市の拡大を可能としつつ、それを制御する手法として、同心円構造が提案された計画作成にあたって、参照されたのが1944年にロンドンで作成された「大ロンドン計画：Greater London Plan」である。そこでは、大ロンドン圏を金融の中心地シティを含むロンドン中心部から同心円に周縁に向かって「Inner Urban Ring」、「Suburban Ring」、「Green Belt」、「Outer Country」と4つのエリアに分け、それぞれに異なる役割を与えるというものである。この中で、「グリーンベルト」、都市の拡張を制限する役割が期待され、この考え方は戦後の東京の都市戦略にも応用された。

東京では、戦前、1939年に制定された「東京緑地計画」の中で、すでに周縁にグリーンベルトが計画されており、戦中は防空帯としての機能を持つことにもなったが、戦後の「第一次首都圏基本計画」ではここが「近郊地帯」として設定されることとなる。東京、横浜を含む都心部を「既成市街地」とし、その外側に「近郊地帯」、そしてその外部に「市街地開発地区」を設けるという具合に、東京の戦後の都市ビジョンは「大ロンドン計画」の計画理念を継承した中心から周縁への拡張型空間構造を標榜していた。

その後、「大ロンドン計画」を規範に出発した「成長を促進しつつ抑制する」という東京の都市戦略は、それを具現化する方法として、都内に複数の拠点＝核をつくり、それらを放射状道路と環状道路によりネットワークで結ぶというモデルへと展開されていく。特に、石原慎太郎の前に長く東京都知事を務めた鈴木俊一のもとに1982年に発表された「第二次東京都長期計画 マイタウン東京―21世紀への新たな展開」で提案された「多心型都市構造」（p63図表参照）はこのアイディアをより鮮明に打ち出した。ここでは、東京都心部（特に千代田、中央、港区）へ

人と資本が極度に集中するのを是正するために、池袋、新宿、渋谷、大崎等、そして当時ほとんど未開発であった臨海部を「副都心」として位置づけ、東京の業務機能を分散し、立川、八王子、町田等も含めて東京に多くの「心」を作ろうとするものであった。

ここで重要なのが「分散」というキーワードである。明らかに時代は「分散」を求めていた。国土レベルでは1987年に出された「第4次全国総合開発計画」が東京一極集中の是正を掲げ、「地域間の均衡ある発展」という言葉がキャッチフレーズとなった。翌年の1988年には「多極分散型国土形成促進法」が制定され、やはり「分散」が計画理念として用いられた。ここでは、日本や東京の人口が増加していることが前提となっており、日本に多くの「心」ができていくことを想定し、また日本経済もバブル期に突入しようとしていた。東京の都市構想についても国土交通省（建設省）が1958年より「首都圏基本計画」として制定していたが、1986年に出された「第4次首都圏基本計画」でも東京中心部への一極集中への是正として、首都圏に業務核都市を分散させる方針を定めていた。

石原慎太郎の都市ビジョン：分散から集約へ

しかしながら、石原慎太郎が1999年に東京都知事に就任した時は、これとまったく異なる状況となっていた。バブル経済は崩壊し、日本は、その後の「失われた10年」の真っ只中にいた。そこで石原が目指していたのは日本経済を牽引する「世界都市東京」であり、前述したような「首都移転」などもってのほかで、むしろ東京の首都機能を強化すべきとの考えを持っていた。またこの時はまだ東京の人口は増加傾向にあったが、石原は来るべき、東京の人口減少の時代を予見していた。人口増加の拡張時代には「多心型都市構造」で示されたように、多くの「心」が郊外へと分散していくことが可能だが、人口減少の時代にはむしろ東京の中心部に集約されていくことが望ましく、また経済状況が悪化している状況では、中心をより強固にして東京のプレゼンスを高めることが重要だと考えていた。その意味でも、既存の「多心型都市構造」はアップデートされるべきであり、さらに東京のプレゼンスをより高めるためには、これまで東京の空間戦略が都内に限定されてきたのに対して、神奈川、埼玉、千葉を含んだ

より広域に広げるべきと考えていた。東京都が作成する都市ビジョンが他の県のエリアを侵食するのは軋轢を生みそうなものだが、石原にとってはより強い「東京圏」をつくり、首都移転を是が非でも避けることが重要視されたのだ。

点から面への転換

石原の提唱した「環状メガロポリス構造」は東京中心部に強力な「センター・コア」をつくり、その外側に放射状に異なるコンセプトを持つエリアを形づくっていく空間構成を持つ。放射状道路と環状道路を整備し、同心円の放射型都市構造という点では、「多心型都市構造」と同様であるが、両者の違いは「副都心」などの「点」を中心としたモデルから、「面」的に都市を捉えていくところにある。「多心型都市構造」ではそれぞれの「心」が同様な業務機能を中心とした、ある意味ヒエラルキーのない「点」が分散していたものに対し、「環状メガロポリス構造」では東京の中心部に位置する「センター・コア」という圧倒的な中心に対して、その周辺は中心部を補完するものとして位置づけられ、その意味では、中心と周縁に大きなヒエラルキーが存在する。つまり石原の都市ビジョンは、それまでの「心」となったエリアが均等に自立した姿を目指すのではなく、首都圏の地域間格差を前提にしながら、より「強い東京」を目指すというものだったといえよう。「環状メガロポリス構造」は「センター・コア」に経済力を集約させ、面としての「強い東京」を目指したが、「センターコア」の内部には相変わらず丸の内、渋谷、新宿といった「副都心」が存在し、それらが緊密にネットワーク化されることを想定していた。しかしながら、「センター・コア」内部の個々の「心」への具体的な言及は少ない。そこには石原が「環状メガロポリス構造」を提起したのとは別のもうひとつの動きがあった。前述したように、1990年代後半から2000年代初頭にかけて日本経済はバブル崩壊後の長い低迷期に入っており、経済再生が日本政府の大きな課題となっていた。そこで出てきたのが「都市再生」によって日本経済の再生を図ろうというアイディアであり、そのための規制緩和である。1999年小渕恵三内閣のもとで行われた経済戦略会議では、大都市の「再生」による経済の活性化が答申され、続く小泉純一郎内閣時に、これらの構想が実行に移される。

都市開発における「規制緩和」に関してはバブル期から行われてきた。1988年に再開発地区計画制度が設けられ、さらには1992年には都市計画法が改正され、豊富な資金を活用し、「規制緩和」によって、より多くの都市開発ができるような制度がつくられる。しかし、バブル崩壊後の「規制緩和」はこれらとは異なる。国は低迷する経済に梃入れする意味合いで、2002年に「都市再生特別措置法」を施行し、東京では池袋駅周辺、新宿駅周辺、渋谷駅周辺、品川・田町駅周辺、羽田空港南・川崎殿町・大師河原地域、東京都心・臨海地域の6つの地域が都市再生緊急整備地域として指定される。これらの地域では、行政が用途・容積率の緩和を行い、民間事業者がその枠組みの中で自由度の高い提案を行い、経済的利益を得られるような仕組みがつくられた。つまり、これらのかつて「副都心」として名づけられた場所では、「公」が条件を整備し、「民」がそれぞれの空間のあり方を形成していく仕組みができ上がっていったのだ。

小池都政への継承

石原都政の時代に、「環状メガロポリス構造」により東京の中心に強い「センター・コア」をつくるが、その内部の核となる個々の場所のあり方は、民間主導で決められていくという構図が完成する。そして、この構図は、石原慎太郎が東京都知事を辞任した後、猪瀬直樹、舛添要一を経て、小池百合子へと引き継がれていく。小池都政が出した「都市づくりのグランドデザイン」では「環状メガロポリス構造」が「交流・連携・挑戦の都市構造」と呼び名を変え、石原が「センター・コア」と呼んだ同心円構造の中心は「中枢広域拠点」となり、その外側が「水と緑の創生リング」から「新都市生活創造域」へと名称を変えたが、本質的には変わらない。港区・千代田区・中央区を中心として同心円に広がる「面」としての東京を行政が策定するものの、個々の具体的な場所づくりは民間が先導していくという構図は変わらない。

小池が石原からの展開を試みているのは「環状メガロポリス構造」の計画範囲である。石原が東京都という行政範囲を超えて想定していた「首都圏」が、より広域に広げられている。そこには感染症や災害対策に関して、地方を巻き込んだ都市づくりを行うという意識もあるのだろうが、東京圏を現在より広域に設定することの現実性は検

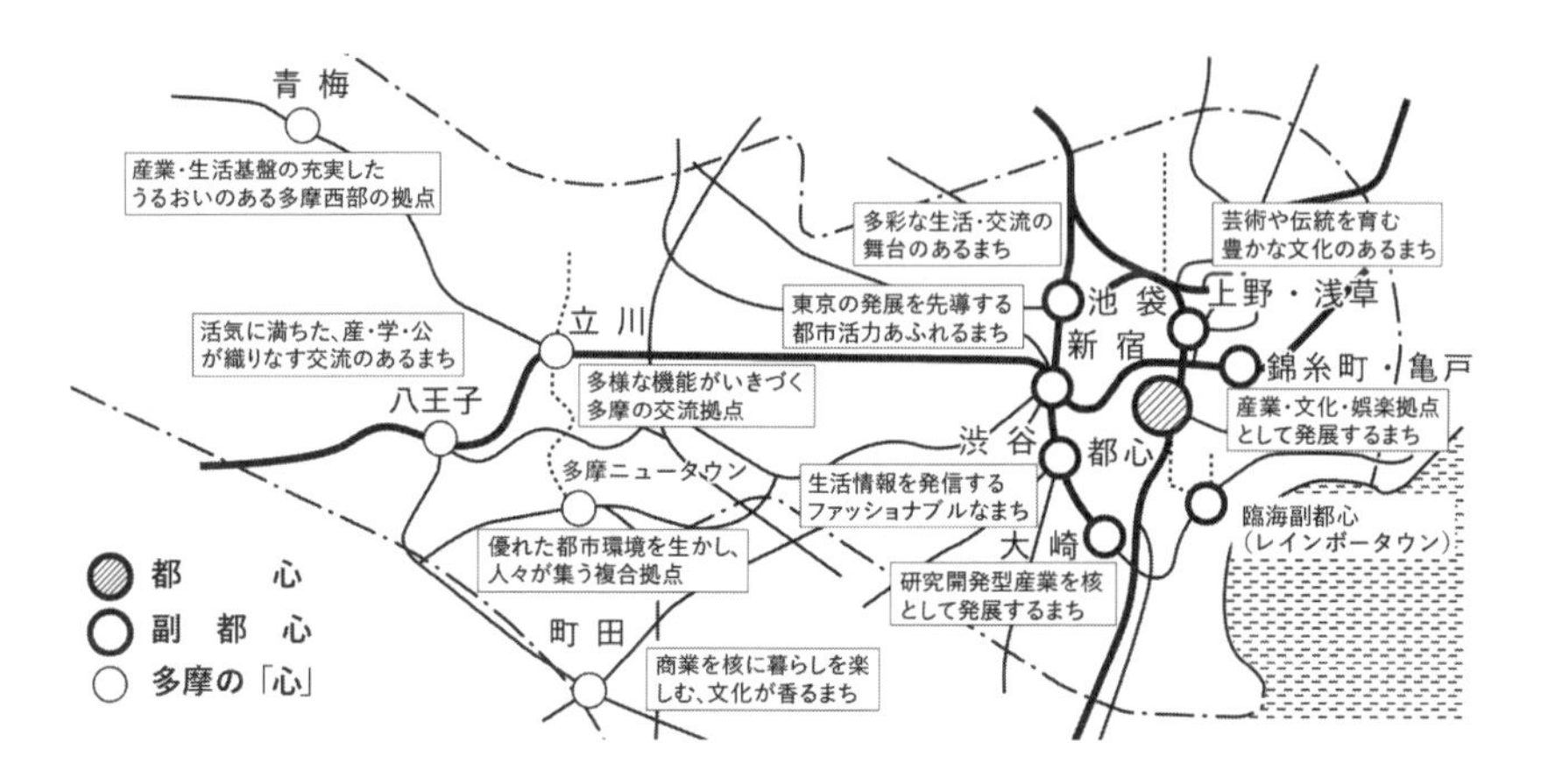

多心型都市構造（1982）（出典：「第二次東京都長期 計画 マイタウン東京ー21 世紀への新たな展開」）

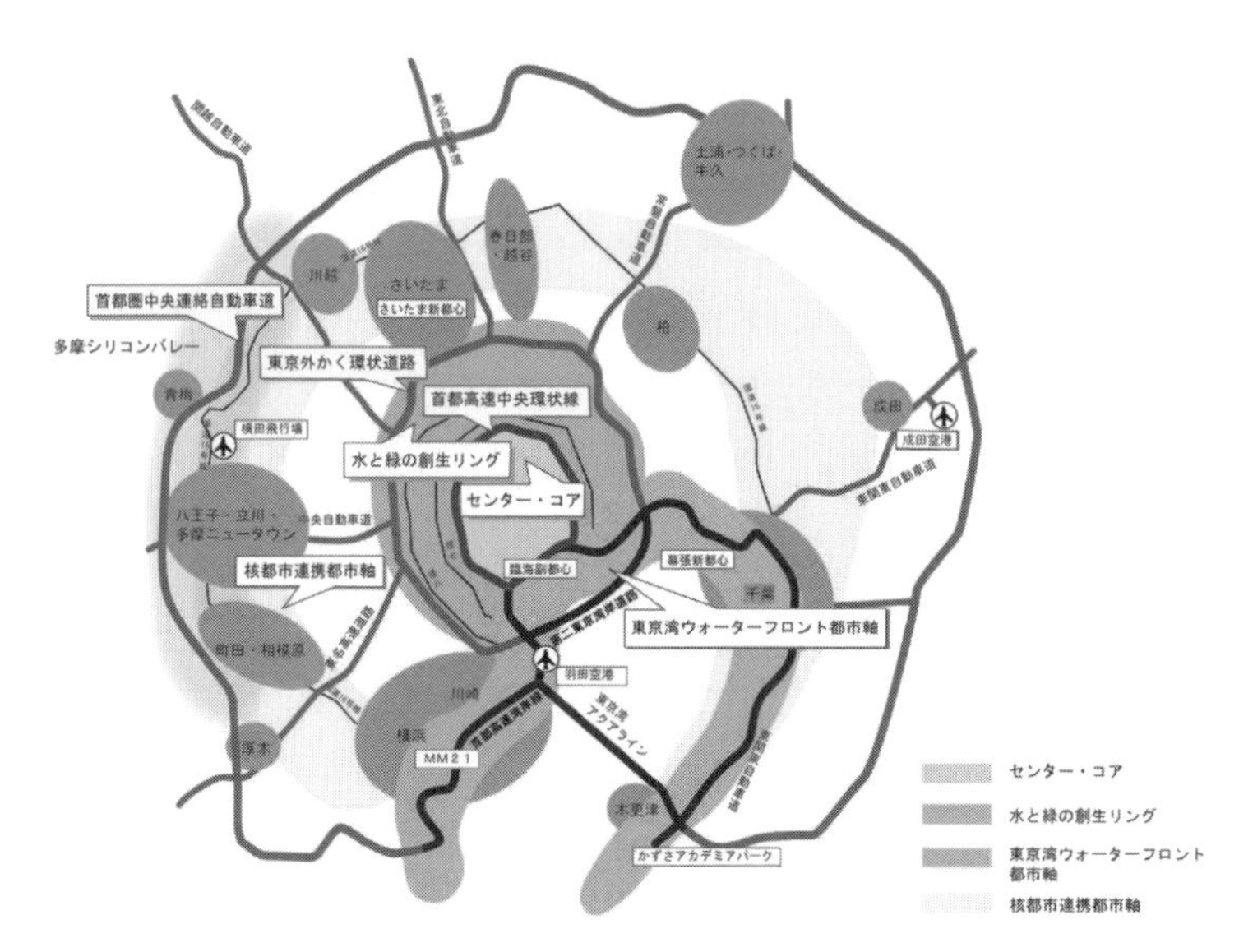

環状メガロポリス構造（2001）（出典：「東京の都市づくりビジョン」）

討が必要であろう。また小池は都知事への再選を目指し掲げた「東京改革2・0」で「グレーター東京」の推進を提起している。これは戦後、初代東京都知事の安井誠一郎が1955年に選挙公約で掲げた「グレーター東京と首都圏整備」を彷彿とさせる。しかしながら安井の「グレーター東京」は先述した「大ロンドン計画」の空間のあり方を参照していたのに対して、小池のそれは現在のロンドン行政機関「グレーター・ロンドン庁:Greater London Authority」のように東京都が国に対してより強い権限を持つことを意図しているように思える。空間意識の安井に対して、小池の権力意識が見えてくる。現在の東京の都市空間戦略が見えにくいのは石原慎太郎の遺産ともいうべき「環状メガロポリス構造」と「規制緩和」で生まれた「公」と「民」の関係に加えて、小池の「空間」に対する意識の少なさにも起因しているようにも思えてくる。

新たな都市空間モデルを模索する

これまで、東京の都市空間戦略の変遷、特に大きな転機となった石原慎太郎都政以降の空間戦略を見てきた。より「強い東京」を目指して、「点」的な分散的戦略から「面」的な集約的戦略へと舵を切り、都の中心部をセンター・コアとして、人と資本の集中を促す。しかし、個々の場所づくりは民間に任せるという手法は東京の都市をわかりにくいものにしている。バブル崩壊後の経済の再生が都市の再生に結び付けられ20年ほど経つが、そのオルタナティブを考える時期にきているのではないだろうか? 新しい都市モデルを探す必要があると思われるのだが、では東京はそのきっかけをどこに求めればよいのだろうか?

石原の提起した「環状メガロポリス構造」を改めて見てみると、戦後つくられた「第1次首都圏基本計画」から東京の都市構造が「環状」であることは戦後変わらず、その具体的な展開の仕方や、中心と周縁の強弱が変わってきたことに気づく。そして、前述したように東京都が「第1次首都圏基本計画」を作成するに参照したのは1944年に発表された「大ロンドン計画」である。ロンドンが戦後の人口増加を想定しながら、都市を「管理」していく手法として環状構造を戦後の東京の都市モデルの原型としたが、東京は「大ロンドン計画」から学ぶべきは環状構造だけだったのだろうか。他にも学ぶことができたのではないかと思えてくる。改めて「大ロンドン計画」

を見直し、そこに別のヒントがないか探してみたい。

「大ロンドン計画」はドイツ軍の空爆で、ロンドン市内が壊滅的状態になっていく中で、戦後のあるべきロンドンの姿をイメージしながらまとめられたもので、その中心には建築家・都市計画家でロンドン大学教授のパトリック・アバクロンビーがいた。実はこの計画には前段階があり、「County of London Plan」として1943年に出されている。これらを合わせて「アバクロンビーの計画」とも呼ばれることもあり、1943年の計画をより広域に展開したものが1944年の「大ロンドン計画」である。東京が取り入れたのはこの最終形に描かれた、グリーンベルトを持つ同心環状の都市構造だが、その前段階の1943年の計画を参照していたかどうかは不明だ。1944年の「ロンドン計画」には、将来への提案もさることながら、多くのページを既存の都市の分析に充てている。それらは美しいグラフィックの図版として纏められ、80年経った今見ても古さを感じさせない。そのなかで後に「ポテト・プラン」とも呼ばれる有名な地図がある。輪切りのポテトで埋め尽くされたような印象を持つその地図は「ロンドンの社会・機能分析地図：London Social & Functional Analysis」(p67図表参照) と名付けられている。そこには、既存のロンドンの様々な地域が、社会的な特徴や機能ごとに分類され、色分けられている。多様な細胞が有機的に結びついて構成されるようにも見える。そういった意味では「ポテト・プラン」というよりも「セル（細胞）・プラン」と呼んだ方がふさわしいかもしれない。その図を見てると、ロンドンという都市が生き物のように思えてくる。

「ロンドンの社会・機能分析地図」は行政区分をもとに描かれている地図ではない。故にこの地図にはロンドンを構成する市区町村レベルの境界線も描かれていなく、その基準となるような道路も表現されていない。そこには、長い歴史の中で形作られてきたコミュニティがエリアごとに描かれている。さらには公園などのオープン・スペース、人々が集まる地域拠点、商店街などが描かれ、複雑な都市の状況が示されている。そのなかで、歴史ある金融街の「シティ」と環境の良い住宅街の「ウェスト・エンド」を中心に、新たな都市像をつくっていくという意図で、両エリアに青と赤の円が描かれているが、これらはそこにある地域コミュニティの領域とは合致しておらず、あくまで目安なのだ。ここにアバクロンビーの葛藤を見て取ることができるのではないだろうか。新しい都市像をつくる際必要な抽象的な（幾何学的な）思考が、既存の地域コミュニティの非幾何学的な状況と合致しない。アバクロンビーはこの矛盾に悩んだはずだ。それは都市を「分析」することと「計画」することの違いであり、そこには「リサーチ」

と「デザイン」を繋げることの難しさという今日的な問題も孕んでいるように思われる。しかし、この矛盾を十分に解決しないまま、翌年に4つのエリアを持つ環状の広域都市像を提案するに至ったように思える。そして、東京はこの最終形の「大ロンドン計画」のみを参照として、戦後の都市空間戦略をつくり上げていったのではないだろうか。ならば、我々が今日、見直すべきは、当時見過ごしてしまったアバクロンビーの「社会・機能分析」であり、そこから導き出される都市のビジョンを考察することではないだろうか。それは都市を「計画」することに重点を置くのではなく、現状の「分析」を重視し、その延長線上にこれからの「都市」のあり方をみるということになる。いわゆる「計画至上主義」からの脱却を目指すものになるのではないだろうか？　戦後「大ロンドン計画」の環状構造という「計画概念」を頑なに守ってきた東京への有効なカウンター・プロポーザルになるはずだ。

東京の「セル（細胞）・プラン」を考える

ではアバクロンビーの「セル・プラン」を東京に当てはめてみるとどのようになるだろうか？　まず東京をどのような「細胞」に分けることができるか考えることが必要であろう。例えば、以前の東京の計画で述べられてきたようにおおまかに「渋谷地区」というのではない。そこには、渋谷駅周辺もあれば、原宿、恵比寿、表参道など、多様な「渋谷」がある。これらを別のものとして認識することが重要なのではないだろうか。もちろん、より小さな領域に分けていくこともできるが、ここでは、駅（時には複数）を中心とした歩いていける範囲を一つの領域と分けてみるのが良いかもしれない。もちろん、場合によっては駅のような交通インフラでなく、象徴的な場所がそのエリアの核となることもあるだろう。いずれにせよ、東京という都市が、どのような「細胞」の集合でできているかを描くことが、第一歩になるのではないだろうか。当然のことながら、それらは市区町村といった既存の行政区分によるものではなく、ひとつの細胞が複数の行政区に跨（またが）ることもある。そして、これらの「細胞」には個性はあるがヒエラルキーがないことを確認したい。これまでの東京の都市戦略はその時代にもヒエラルキーを設けていた。鈴木俊一時代の分散型の「副都心」も石原慎太郎以降の集約型の「アーバンコア」でも東京圏に明らかなヒエラルキーを作っていた。しかし、これからは多様だが、ヒエラルキーのないある意味フラットな都市像を目指すべ

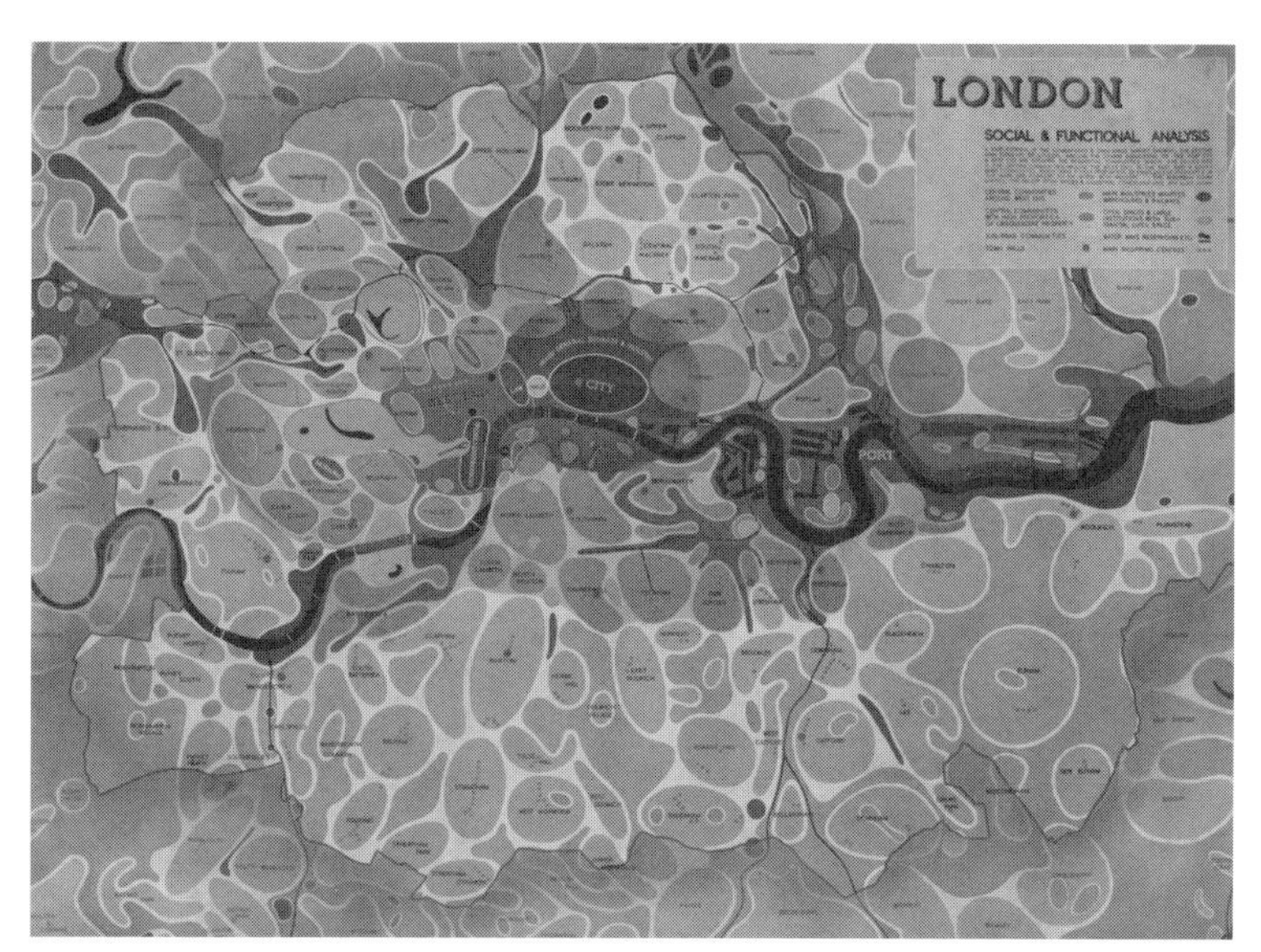

London Social Functional Analysis（1943）（出典：Patrick Abercrombie and J H Forshaw（1943）「County of London Plan」）

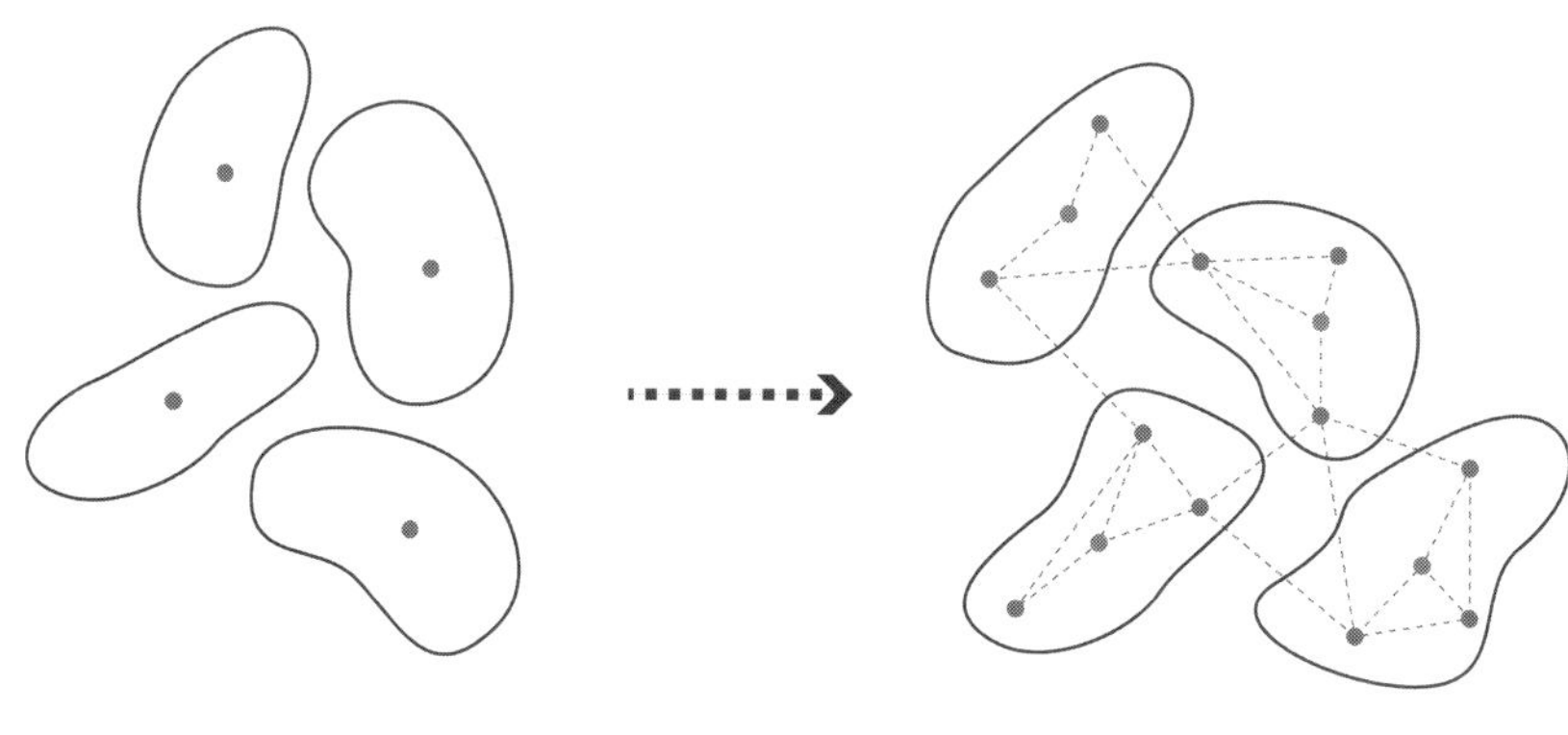

パトリック・アバクロンビーの「セル・プラン」（1943）とその発展形としてのアルタナティブ・トーキョー（2023）
（出典：筆者作成）

きではないだろうか。既存の都市空間を分析してそれを可視化することで、そこから新たな都市像を描くこと。それはこれまで、行政が疎かにしてきた点であろう。政治的・経済的な要因で地図の上に幾何学的な線を引くような「計画」的手法ではない、アプローチが必要なのだ。

もちろん、アバクロンビーの「セル・プラン」には課題もある。それぞれのエリアの境界をどのように定めるかを曖昧にしており、もし東京でこれを実現するとなると大きな問題になりそうだ。また都市のすべてをこのような「細胞」で網羅できるのだろうか？　そこから漏れてしまうエリアも存在するのではないだろうかというような疑問もわいてくる。アバクロンビーの「セル・プラン」はそのような曖昧さを持つが故、魅力なのかもしれないが、それでも彼の都市への視点を計画に移すとき超えるべきハードルは多くありそうだ。そして、都市をこのように細分化していったときの最大の懸念事項は、誰がこれらのビジョンを進めていくのかということである。

ロンドンなきロンドン：参照としての1990年代

都市空間をアバクロンビーの「セル・プラン」のように細分化していくと、個々のエリアの把握は市区町村の範疇（はんちゅう）になり、広域を管轄する東京都が詳細に関与することは難しいだろう。もし、東京が「大きなビジョン」を棄て、都市を多様な場所の集合とみなすようになると行政機関としての東京都不要論がでてくるかもしれない。行政機関としての東京が消滅し、市区町村の集合体としての東京が存在する。そんなことは可能だろうか？　そんなラディカルな都市経営を考えるヒントがやはりロンドンにある。

1979年「小さな政府」と「民営化」を掲げ、公的支出の削減を図る鉄の女、マーガレット・サッチャーがイギリス首相に就任した。サッチャー政権は1983年、「都市の合理化」と題した政府白書の中で都道府県と市区町村の二つの行政単位は経済成長が約束されていた時代には適したものであったが、経済が停滞し、公共支出の削減が重要となる時代にはそぐわないと主張する。イギリスの首都、ロンドンは英国の政治・経済の中心地であり、イギリス経済のロンドンへの依存度は日本経済の東京へのそれより大きく、その意味でもロンドンという都市のあり方はイギリス全体に大きな影響を与えている。サッチャーが問題視したのは、首都ロンドンでの広域行政と地域行

政の無駄であり、広域行政機関としてのロンドン庁（Greater London Council：GLC）の廃止を提案する。この主張に反対する者も多く、大論争となったが、1986年3月31日をもって、GLCは廃止、大ロンドン市を統治するGLCは消滅することとなった。これは日本の東京都に当たる行政機関がなくなったことと同じインパクトを持つ。ロンドンというイギリスの首都は存在するが、バラ（Borough）と呼ばれる日本の市区町村の集合体となったのである。では、広域行政機関であるGLC消滅後の都市の統治はどのようになっていたのであろうか？ GLC廃止後のロンドンの統治は、必然的に市区町村単位のバラに大きな権限が与えられることとなった。また、バラという行政組織だけでは対応できない問題については、この時期では民間も巻き込んだ様々なパートナーシップが生まれ、これらの対応に当たった。地域の課題を解決するため、行政機関だけでなく様々な企業や団体が関わり、異なる組織の間で連携する機運の高まりが形成されたのだ。これは広域行政がなくなったことによって生まれた利点の一つといえる。ロンドンの自発的な都市経営はこのような状況がなければ生まれなかっただろう。

1990年代の「ロンドンなきロンドン」の時代における都市統治のあり方は、東京と都市空間を細分化する「セル・プラン」を実現していくうえでの参考になるだろう。広域行政としての東京都より地域行政としての市区町村のほうがより、エリアの状況を把握しやすいし、諸々の問題にも素早く対応できるだろう。しかしながら、公的な行政機関だけですべてを賄っていくのは難しい。そこには民間企業の助けも必要になるだろうし、地元の市民団体や商店街、NPOなどが関わっていくことも重要であろう。これは現在のエリアマネージメント興隆の流れとも合致するかもしれない。東京の都市のひとつひとつのセル（細胞）の空間をデザインしていくことは、それを運営していく組織のデザインとも密接に結びついているはずである。そのための公共・企業・市民が関わるフレキシブルな組織づくりが必要となってくる。

「大きな都市の物語」

しかしながら、広域行政機関としての東京都が消滅しても本当に問題ないだろうかという疑問は残る。都市空間の細分化は多様な「小さな物語」を生むだろうが、「大きな都市の物語」は必要ないのだろうか？ もし必要とした

らそれはどのようなものだろうか？　この問いへのヒントを得るため、再び１９９０年代のロンドンを見てみよう。

　ロンドンの広域行政を管轄するＧＬＣ廃止後、ロンドン全体に対する課題に対しては、各市区町村を超えてロンドン全域に関する問題は、各バラが代表者を出して、組織づくりに当たった。またイギリス中央政府も関与し、国の異なる省庁がロンドンの様々な課題への対応に当たったが、バラバラの対応になることも多く、また国の機関が地域の課題に親身に対応できないとの批判もあり、政府内にロンドンの統治に関与する組織：政府ロンドン事務所（Government Office for London：ＧＯＬ）を設置し対応することとなった。ＧＯＬはロンドンの戦略的な土地利用計画の策定なども進め、国が地域の都市戦略に積極的に関与した。しかし、ＧＬＣ廃止に伴う「ロンドンなきロンドン」は最終的には立ち行かなくなる。サッチャーの目指した広域行政機関廃止による公共行政の簡素・合理化は行政サービスの低コスト化と質の向上に寄与したが、それは同時にサービスの細分化と複雑化を招き、住民に混乱を招くこととなった。また多くの機関が関わることによる責任の曖昧さも問題点として挙げられていた。なかでも、最も大きな課題として挙げられたのは、ロンドン全体に関わる行政課題の高まりとそれに対応できる強力なリーダーシップを持つ組織の不在である。特に１９９０年代、ロンドンはグローバル都市間競争でイニシアティブを握っていくことに野心を燃やしていたが、ロンドンを統括する組織なしに世界に戦いを挑んでいくのはなかなか困難であった。

　あまり知られていないが、ロンドンは１９７０年代からオリンピックの招致を目指している。これまで１９０８年と戦後の１９４８年の2度にわたり夏季オリンピックを開催しているロンドンは、オリンピックがもたらす都市開発への起爆剤としての価値と、世界へのプロモーション効果について熟知していた。また、ロンドン東部、ドックランドと呼ばれるエリアの港湾機能衰退に伴う、新たな都市機能の模索と再開発も重要な課題となっており、そのためにもオリンピックは絶好の機会だったのである。最終的には２０１２年大会を開催するが、そこに至るまでは40年ほどの歳月を要しているのである。だが、１９９０年代を通して、ロンドンを統括する組織不在のなかでは、東京都なしに東京オリンピック招致を目指すようなもので、オリンピック招致はなかなか実現しない。実際、ロンドンが再び広域行政機能を持つきっかけのひとつがオリンピック招致だと言われている。ロンドン全体を見たときに西部に比べて社会基盤整備が遅れている東部を再編し、ロンドンという都市の名を世界のなかに大きく位置づける、その起爆剤としてオリンピックを活用するという「大きな物語」のもと、ロンドンという都市は再び組織化された。

2000年に広域行政を担うGreater London Authorityという機関が設置され、ロンドン市長が選出され、その後2005年に、ロンドンはオリンピック招致を成功させたのだ。

東京はどうだろう。2020年オリンピックの招致は都市の「大きな物語」と接続されることなく、都内でバラバラに進む再開発の後押しはしたものの、東京という巨大都市がどこに向かっているかは見えにくい。しばしば指摘されるように戦後復興の延長線上に位置付けられた1964年東京オリンピックは東京あるいは日本の「大きな物語」として機能したが、2020年大会はまったく違う。東京には描くべき「大きな物語」をつくり出すプランは存在していなかった。そしてもはやグローバル社会で存在感を示す石原慎太郎の目指した「強い東京」を標榜することも難しいかもしれない。ならばその時、アバクロンビーの描いた「セル・プラン」をモデルにして、「弱い都市」東京を組み立てていくこともアイディアとしてあるだろう。大きな空間構造を持たない小さな細胞の集まった都市像。そしてそれらをフレキシブルな組織が支えていく。そんな都市のあり方を試してみる時期にきているのかもしれない。

オルタナティブ・トーキョー

では具体的に、我々はどのような新しい東京のビジョンを描くことができるだろうか? 改めて、アバクロンビーの「セル・プラン」を見てみよう、そこにヒントはないだろうか? アバクロンビーの描いたロンドン市内の「セル」にはその地域の核となりえるタウンホールとショッピングセンターが描かれていた。彼の意識の中には地域の人々がそれらに集まる様子がイメージされていたのだろう。しかしながら、タウンホールは地域の中心となりうる存在だったのだろうか? あるいはショッピングセンターはその地域にとって最も重要な場所だったのだろうか? アバクロンビーの「セル・プラン」がロンドンという都市空間を小さなエリアの集合体として描くことに成功しておきながらも、それが計画として実行力を持たなかったのは、一つ一つのセル=細胞の働きを捉え切れなかったからではないだろうか? するとき今日、我々が考えるべきは、そのセルの中を見つめなおすことであろう。

東京の「セル」を考えたときに、その核となるべき場所を見出すこと、つまり地域拠点とも呼べるものが何かを

考える必要がある。今日の東京を見ていてまず浮かぶのは「駅」である。都心部の多くの巨大開発が駅を中心に行われており、また東京の戦後の開発が私鉄沿線で進められてきたことをみると「駅」の存在は大きい。これまでの東京のビジョンづくり、特に1980年代の「分散型核都市」で「核」となってきたのは駅を中心としたエリアであり、2000年代以降の特定都市再生緊急整備地域でもその多くは駅名が指定エリアになっている。また近年、「TOD：Transit Oriented Development（公共交通指向型開発）」という言葉が大きな注目を集めるなか、東京のそれぞれの「セル」の核として「駅」を想定することもできるかもしれない。しかし、交通の結節点としての駅をそこからより広域な面としての地域に接続するには難しいのではないだろうか？　駅を中心とした開発の賑わいは駅内部に完結しがちで、人々がそこから外のエリアに出ていかないという声をよく耳にする。また移動のための結節点としての「駅」では人々は流動するものの、そこにある商業施設などの諸機能はクリシェ化しており、ある意味硬直化している。そして、「駅」が巨大化すればするほど地域社会とは断絶し、面としての「セル＝地域」の中で孤立していくようにも感じられる。「面」としての「セル」を起動させるには「駅」だけでは不十分なのだ。それにはやはり、面的にエリアを形成し、よりしなやかに地域の人々を引き込んで、予測不可能なものを生み出すことが求められている別の「核」が必要になってくる。

その可能性のひとつとして、より地域に近い存在としての「小学校」に注目してみる。近代日本の都市空間は「学区＝住区」として小学校を中心に作られてきた歴史を持つ。確かにどの地域にも「小学校」は存在し、自分が卒業した学校あるいは、わが子の通う学校ともなれば、少なからず愛着を持つものであろう。しかし、現実には人々と「小学校」の関わりは限定的だ。自分や子どもが卒業してしまえば、「小学校」との関係はほぼ途絶えてしまい、自分にとってはほぼ関係ないものとなってしまう。特に「小学校」という制度化された教育機関がその機能に留まっていればなおさらだ。だが、「小学校」ほどその使われ方が限定的な建築もないともいえる。平日は主に使われるのが8：00頃から17：00頃まで（もちろん先生方が遅くまで残業しているのは承知だが）。そして、土日は基本的に、教室など多くの空間が使われていない。さらには一年を通して大きな休み期間がある。しかし、だからこそ、その余白の時間をうまく活用することによって「小学校」は異なるものとなる可能性があるのではないだろうか。例えば、現在多くの小学校では、週末に校庭を開放しており、そこに小学生だけでなく多くの人々が集まってくる。筆者も週

末になると子どもの通う小学校にテニスをしに行くが、そこにはその学校に関係のある人だけでなく、様々なかたちで縁を持った人が集まり汗を流している。みな徒歩か自転車に乗ってやってくる。それだけでなく、同じ時間帯、体育館では別のスポーツに興じる人々がいて、そこには多様なコミュニティが生まれている。そして、このような利活用をもっとラディカルに考えてみる。教室は地域の様々な活動が行われるレンタルルームになり、給食室は新たにレストランをはじめたい若者のシェアキッチンになり、家庭科室はクッキングスタジオにもなる。工作室は3Dプリンターやレーザーカッターの置かれた地域のワークショップとなるかもしれない。また、夏休みなどの長期休業中は、多様な空間はより創造的に活用することができるかもしれない。「小学校」の持つ空間的、時間的「余白」は、新たな地域の活力を生み出し、「駅」とは異なる「核」となる可能性がある。それを「アクティブ・ボイド（＝活動的な余白）」と呼ぶこともできるかもしれない。さらに「小学校」は地域の中で、地理的にある距離感を持って存在していることにも注目したい。単体としての「小学校」よりも、複数の「小学校」が連携して「セル」をつくり上げていくほうが、より魅力的な「地域＝セル」をつくっていくように思える。公立の「小学校」は教育の平準化を前提につくられているが、新しく利活用される「アクティブ・ボイド」としての「小学校」は、それぞれが独自性を持ち、「個性」のあるものとして、地域社会に存在することができるだろう。地域住民にとっては、多様な選択肢の中から、それぞれが自由に組み合わせて、独自のネットワークをつくり出していく。おそらく必要なのはこれまでの東京をつくり上げてきた「脱駅モデル」なのだ。「強すぎる駅」主体の都市ビジョンから転換し、より小さくも複雑なエリア形成をしていき、東京を個性を持った「セル」の集合体として捉えていくことができれば、これまでとは違う、「オルタナティブ・トーキョー」をつくっていくことができるだろう。そしてそれは、1943年にパトリック・アバクロンビーが作成した「セル・プラン」の進化形として、世界に発信していく可能性をもっているのではないだろうか。

【インタビュー】
藤村龍至

都市と国土はいかにして開発されてきたか？

ニューヨークとイタリア、そして80年代から考える2010年代以降の都市開発

藤村 龍至 RYUJI FUJIMURA

建築家／東京藝術大学准教授。1976年東京生まれ。2008年東京工業大学大学院博士課程退学。2005年よりRFA（藤村龍至建築設計事務所）主宰。2016年より現職。2017年よりアーバンデザインセンター大宮（UDCO）ディレクター。公共施設の設計のほか指定管理者として管理運営も行う。自治体での街路・公園・河川などの公共空間を活用した都市再生事業、都市施設や公共施設関連の計画策定にも多く参画。著書＝『批判的工学主義の建築』『プロトタイピング』『ちのかたち』ほか。

都心部に限らず、郊外や地方も含む全国各地で、都市の再開発が目まぐるしく進められています。慣れ親しんだはずの街が、しばらく訪れていないうちにまるで別の街であるかのように様変わりしてしまった、という経験がある人も少なくないのではないでしょうか。

生活実感のレベルでも街の風景が急変し続けている昨今、都市と国土はいかなるビジョンのもと、いかにして開発されているのでしょうか？　建築家としてさまざまな街の都市開発に関わってきた藤村龍至さんにインタビューし、震災以降、オリンピックとコロナ禍を経たこの十数年の、都心部から地方、そして郊外における都市開発・国土開発を総括していただきました。

■聞き手──宇野常寛
■構成──後藤しのぶ

ゼロ年代のニューヨークを追いかける、2010年代以降の都市開発

——今回は建築家としてさまざまな街の都市開発・国土開発に関わってきた藤村さんに、都市開発・国土開発というマクロな観点から、まちづくりについてお話しいただければと思っています。まずは震災以降、オリンピックとコロナ禍を経たこの十数年の日本の都市開発・国土開発の流れを振り返っていただけますか？

大まかに言うと、第二次安倍政権期の2012年末から2013年頃にかけてまちづくりの議論がはじまり、2014年に予算がつき、2015年以降に実際に開発がはじまっていく、という流れでしたよね。かつて民主党政権は「コンクリートから人へ」を掲げ、建設系の予算を減らし、福祉や子育て関連の予算を増やしていました。しかし本来なら建設予算を増やして、公共施設を建て替えていかなければならない状況だった。日本の公共施設は人口急増期の1960〜70年代に一斉につくられた建築物が多く、それらが建て替え時期を迎えつつあったからです。

一方、第二次安倍政権ではその方針を転換し、国内のまちづくりに予算を寄せていく方針を採ったわけです。当時「ローカルアベノミクス」と呼ばれていましたが、国や都道府県、市町村が持っている公有地の経済を活性化させることで、周辺の民有地の経済も活性化させていくことを見込んで、公有地に投資していく流れが出てきた。かといって、かつてのように公共主導型で何でもかんでも税金で整備するのではなく、かといって補助金をつけてイベントを企画させるわけでもなく、経営する主体を育てる作業が進められていきました。賑わい中心の空間にしたいのか、滞在空間にしたいのか、どういう性格の道路にしていくのか……地道ではありますが、周りの人と丁寧に方向性を話し合いながら、担い手の育成が進められていったわけです。

たとえば、ここ10年ほどの傾向として、カフェや休憩スペース、トイレをつくって「滞在快適性」を高めていくために、道路や公園、河川の規制緩和をしていく動きが強まりました。そうして人がスムーズに歩けるような街にすることで、周辺の不動産投資を活性化させ、空き地や空き店舗を解消していくことを目指したわけです。私は「2015年組」と呼んでいるのですが、東京なら池袋、地方なら愛知県の豊田などがその典型例で、私が直接関わっ

た岡崎もその優等生のような街です。街の中心部を川が流れていて、50パーセントぐらいが公有地だったのですが、都市整備系の部局が公園の改修や河川沿いの再整備を進めつつ、経済系の部局が空き店舗を活用した起業に取り組む人たちの支援を行ったりしていった。そうすることで周りの空き店舗がどんどん埋まって人が集まるようになったんです。さらに中電不動産や名古屋鉄道などが不動産投資を計画し、マンションを建てたり、駅ビルを建て替えたりといった投資をはじめようとしています。

——震災以降の都市開発の動きとしては、「ローカルアベノミクス」の結果出てきた「2015年組」の動きが大きかったと。

そうです。しかも、それは意外と成果をあげたのではないかと思っています。特に関西で進んでいる印象があります。京都、大阪、神戸は3都市の首長での会議も行っている。大阪がこう言えば、京都もこれを出して、神戸もこれを出して……というかたちで、競うように企画が進んでいます。

たとえば京都市の四条通りでは、車のために割いている道路空間を削って、歩行者のための空間を増やす「道路空間再配分」が進められています。そうすると歩行者の総量が増えるので、大きな経済効果が期待できる。また大阪市は御堂筋完成100周年の2037年に向けて御堂筋のフルモール化を進めていて、難波駅から御堂筋を歩行者中心の街路にしていく計画を進めています。いま自動車専用の6車線を段階的に減らしていき、最終的には歩行者が中心のモールにしようとしているんです。神戸市も三宮駅前に片側3車線の太い道路が南北に通っているのですが、段階的に減らして広場化しようとしています。

こうした流れは徐々に東京にも入ってきており、いくつかのエリアでは似たような取り組みを行う機運が出てきています。いま私は上野の開発に関わっているのですが、たとえばかつて上野の中央通り、アメ横のガード下から松坂屋までのいわゆる上野広小路は江戸の中心の広場の一つでした。しかし、いまは片側3車線の道路になってしまっているので、そこをもう一度広小路に戻したらよいのではないかという議論をしています。

人中心のまちづくりでは東京で言えば、池袋が先行していると思います。池袋が目指しているのは、明治通りの

バイパスが開通するのにあわせて、駅を出たらまっすぐグリーン大通りに歩いていけるような状態なのだと思います。上野でも2020年に公園口の改札の位置を少し移動させて、駅を出たら信号を待たずにそのまま上野動物園まで歩いていけるようになりましたが、人を中心に空間の使い方を変えると、とても気持ちよく駅から街に出られるようになる。こうしたアップデートが東京でどんどん進んでおり、ようやく人のための空間という考え方が浸透しようとしているのだと思います。たとえば、以前は車向けの空間だった東京駅丸の内口も現在は人のための空間になっていますし、新宿・渋谷も同様の動きをこれから進めていこうとしています。

そうした「人中心の公共空間」という考え方の導入に最も成功した例の一つが、2000年代のニューヨークでしょう。ブルームバーグが市長になったのが2001年、高層ビルが二つもテロで破壊された9・11の直後で、「ニューヨークには誰も来ないんじゃないか」と言われていた頃です。そうした状況からスタートして、見事に回復させ、グローバルシティで一人勝ちとも言える状況をつくった。実はニューヨークも起死回生のため最初はオリンピックを招致しようとしていて、2012年の大会開催地に立候補して結局ロンドンに負けたのですが、その際にプレゼンテーションした「ニューヨークX」というプランが非常に優れていたんです。ジャック・ロゲが会長になった2001年頃から、オリンピックは「レガシー」を重視するようになっており、オリンピック開発がいかにして都市問題の解決になるのかをアピールしなければならないようになりました。たとえばロンドンの場合、東西での貧富の差が深刻化していたので、東部に集中的にオリンピックパークをつくって投資することで、東部に集まっているクリエイティブ系の人たちとオリンピックパークをつないで新しいビジネスのハブにして、東西の経済格差を解消するとキャメロン首相がプレゼンテーションしていました。一方、ニューヨークに関しては、もともとイーストリバー沿いに港湾系の機能が集まり、工場や倉庫がたくさんある地域を戦略軸に据えリノベーションして人が集まる空間に変えていくという戦略でした。さらにそこは、大量に流れ込んだ移民対策と治安対策にお金を使っていたせいで全然整備ができていなかった、東西方向の地下鉄計画の再起動も含まれていました。東西の交通と南北の川の戦略軸の交差点に、選手村をつくろうという構想だったんです。

結局、ニューヨークはオリンピックの招致には成功しなかったのですが、「せっかく良いプランができたのだから活かそう」ということで、2005年頃から公共空間のリノベーションに一生懸命取り組むようになったんです。

都市計画や建築は、行政の施策を伝えるのに便利じゃないかと気づいたブルームバーグ市長やダニエル・ドクトロフ副市長が、アマンダ・バーデンという女性を都市計画局長に抜擢したり、ジャネット・サディク＝カーンという女性を交通局長に抜擢してガンガン社会実験を行い、タイムズスクエアを歩行者空間にしたりしていった。そうした計画がアメリカでさまざまな成果をあげはじめたのが２０１０年頃です。

その頃、日本はちょうど民主党政権から自民党政権に戻るタイミングで、ニューヨークでの成果がどんどん日本に戻って入ってきて、ニューヨークを手本とした方針でまちづくりが進められていったわけです。ジャネット・サディク＝カーンは日本でのレクチャーで盛んに「Walkable, Walkable」と繰り返していました。その「Walkable」が国交省の役人たちにも印象に残り、「ウォーカブル＝歩きたくなる街づくり」というのがある種の標語になっていき、その後の国交省の政策に影響を与えた。本当はその改革と東京オリパラがきちんと結びついていれば、東京もニューヨークみたいに変わることができたのだと思いますが……。とはいえ２０１０年代の日本は、２０００年代のアメリカの成果に学びながら、局所的に少しずつ方法論を着地させていった。そして、その成果が花開いていくのが２０２０年代なのだろうと思います。

渋谷が「アジア列島再生」のモデルとなる？

――２０１０年代に期待されていたニューヨーク型のウォーカブルな都市開発が、10年遅れで２０２０年代に表面化してくるということですね。

はい。そして、その実現に向けてカギになるのは道路でしょうね。都市の空間をいかにして再配分するかを考えたとき、中心になるのが道路です。道路を減らす、もしくは新しくつくる場合に、道路とその横にある建物をより一体的に機能させると過ごしやすい街になっていくと思います。たとえばパリは道路と建物を一体の「ストリート」として考えますが、日本は道は道、店は店、家は家というかたちで分離していて、空間としてのストリートのイメージが弱いように思います。数少ない例外が、たとえば丸の内です。仲通り沿いのビルは建物の高さに関するルール

を共有して街をつくっていくという伝統的な都市計画を採ってきた。

そして、今後より存在感を増してくるのが渋谷でしょう。渋谷は地形が複雑ゆえに丸の内のようなルールを定めても整備できないので、各再開発ビルが109のような円筒の建物を持ったらいいのではないかという発想で乗り切っています。「アーバンコア」という縦型の動線をつくって、それらが徐々に立体的につながっていくことで、2027年頃にはネットワークができ上がるだろうと。いわば、街全体を建築にしてしまうという考え方でできているのが渋谷という街なのです。渋谷に象徴される東京型の都市再生、すなわち巨大な建築を使って街を再生するという例は、世界的にはあまりないんです。駅と街と広場を建築の力で立体的に一緒にしてしまう、という発想を採っているのが東京の面白いところですね。

――藤村さんは十数年前から、渋谷駅前の再開発やJR駅前の「アトレ」の進出などを指して、東京の多くの街が「駅ビル化」してきているという点を指摘していましたが、それは渋谷においてある程度完成形を見ていると。

実際、中国の杭州では日建設計が現地の鉄道会社とデベロッパーと政府を巻き込んで、コンペで勝ちまくっているらしいです（笑）。また日本は駅ビルを中心とする開発が得意ですから、海外から渋谷に視察がどんどん来ているようです。ヨーロッパをお手本にした大丸有とは異なる、日本オリジナルの都市開発モデルとして渋谷が浮かび上がってきているのだと思います。

以前書いた『批判的工学主義の建築：ソーシャル・アーキテクチャをめざして』（NTT出版、2014）では、近代化の果てに生まれた原発や郊外化、移民、基地などの課題が集積する福島から埼玉、浜松、沖縄を結んだ「問いの軸」の答えがそのまま軸線を延ばした先に、通勤鉄道や新幹線、駅ビルを中心とした開発など、これまで日本が得意としてきた技術を輸出しようとしている台湾やマレーシア、シンガポール、インドネシアなどアジアの列島があるとして、「日本列島改造論」の次章は「アジア列島改造」であると論じました。私がいま実務で向き合っている高齢化やインフラ老朽化の課題も、おそらく次の10年ほどで中国やアジア諸国の課題となってくるのだろうと。実際、中国の一部ではすでに都市再生が課題になっているエリアも出てきているようです。

——これからは渋谷モデルの都市開発が、アジアのメガシティにも輸出されていくフェーズに差し掛かっていくのですね。

そうですね。ただ、国内では今後は「棲み分け」がよりいっそう進んでいくのだとも思います。渋谷は、身も蓋もない言い方をすれば「お金がないと楽しめない街」になっている。一方で、池袋や上野は思想的な解放感と街路型のまちづくりが非常にマッチしていて雰囲気がいい。六本木や赤坂、虎ノ門といった、富裕層が集まるエリアは富裕層型でやっていかざるを得ず、「歩いて楽しくてほっとする街」の要素は池袋や上野に残っていくのでしょう。それはもう好みの問題で選んでいくしかないのでしょうし、東京の副都心の行方もそういったかたちで棲み分けられていくのではないでしょうか。つまり、池袋や上野が良い意味で取り残されていき、私はそれでいいと思っています。

それから、丸の内や渋谷に端を発した東京の容積率緩和型の都市再生の動きは、そろそろ何らかのかたちでストップしたほうがいいのではないかと思います。容積率を増やすと池袋や上野も「渋谷化」が進む恐れがあります。さらには災害時にソウルの梨泰院で起こったような人流事故も心配で、ああいうものが1500%や1600%の容積率を超えた丸の内や渋谷で起こると言われはじめています。そうしたリスクも慎重に検討するような議論を少しずつはじめたほうがよいと思います。磯崎新が言ういわゆる「切断」、東京の都市再生の切断がどこで起こるのかということは、考えないといけないと思います。

いま地方に必要な、80年代の再評価

——ここまで主に、首都圏や関西などの大都市圏の話を伺ってきましたが、一方でこの十数年は、震災復興から地方創生という流れで地方のまちづくりへの注目が集まった時期でもあったと思います。藤村さんも、その流れの中で出てきたリノベーションブームなどを背景にさまざまな試行錯誤を重ねてこられたと思いますが、地方のまちづ

くりの現状についてはどのように見ていますか？

「地方創生」という言葉はもともと第二次安倍政権が掲げた「まち・ひと・しごと創生」から来ていると思うのですが、政府が言っていることのなかではわりと的を得たフレーズだったと感じるんですよね。かつての民主党政権期の「コンクリートから人へ」は、「まち」と「ひと」だけで、建設予算を削り教育福祉予算を増やすとか、コミュニティ主導のまちづくりを進めていくという発想でしたが、基本的にボランティア型だったので、掛け声はいいもののあまり続かないまま行き詰まってしまい、民主党政権の終焉と共に打ち止めにされた。そこに「しごと」を加えたのが第二次安倍政権で、民有地の経済を活性化させるために、行政が自ら旗を振って公有地の経済を活性化させるという公民連携型の発想が出てきた。地方都市の中心市街地の活性化も、道路や公園、河川などの公有地を活性化させることで周辺のリノベーションを動かしていく、という流れになった。そこに「しごと」の要素が入っていたことで、古い建物をリノベーションするときに起業とセットで進めるというような、小さいけれど自立した経済圏をつくる動きが生まれてきました。

その先駆者の一人が、谷中でカフェとコワーキングプレイスなどのテナントが入っている「HAGISO」という文化施設を手がけた建築家の宮崎晃吉(みつよし)さんです。住んでいたアパートが東日本大震災をきっかけに壊されることになったとき、壊される前に入居者や関係者が建物全体を使って作品を展示するイベントを開催したら、それを見たオーナーの考えが変わり、宮崎さんがアパートの改修を提案した結果できたのがHAGISOです。その後周辺に宿泊施設「hanare」なども運営されていますが、これらはイタリアの「アルベルゴ・ディフーゾ」という考え方（編注：集落内の空き家などをホテルとして再生し、レセプション機能を持つ中核拠点を中心に、宿泊施設やレストラン等を水平的にネットワーク化していく取り組み）とも共通した考え方だそうです。80年代のイタリアは観光やツーリズムを組み合わせてうまく価値づけをしていきながら、古いストックを再生して新しい人の流れをつくっていった好例なのですが、いま地方創生の流れの中では「80年代のイタリアに学べ」といった潮流が感じられます。

——地方では、イタリア型の地方創生&リノベーションを具体化していく動きが起きているという理解ですか。

はい。一方で別の流れもあって、たとえば私はいま神戸市のポートアイランドの再生プロジェクトに関わっています。1981年に「ポートピア'81」という地方博覧会が開かれてまちびらきが行われた人工島なのですが、そこがいま40年ぐらい経って、再生しなければいけない段階に来ている。そこで「ポートアイランド全体の再生プランを提案しましょう」と私が入ることになったのです。大阪の夢洲と神戸のポートアイランドは対になっていると思います。大阪は従来型で、埋立地に仮設建築物を建て、終わったらカジノ。それに比べて、ポートアイランドは80年代以来の蓄積があるので、リノベーション型です。たとえば阪神大震災の後、埋め立てが終わった2期の土地に医療産業都市をつくったら良いのではないかという話になり、コツコツと企業誘致を進めていった結果、現在は300社を超える医療産業の集積地になっています。いま神戸のポートアイランドは日本一の医療産業クラスターになっているので、大阪関西万博が掲げる「いのち輝く未来社会のデザイン」を産業として実体化しうるのは神戸の方ではないかと思います。ただ、それだけ企業が集まっているのに人が交わる交流空間や公共空間が全然ないので、ポートアイランドの公園などを再生し、まち全体を活性化していこうというのが私の提案です。まさに冒頭で触れたかつてのニューヨークにおけると同様のシチュエーションで、ブルックリンのダンボ地区のように海沿いの倉庫街がクリエイティブタウンにリノベーションされていったら面白いと思います。これは1990年代以降に同様の開発をしてきた東京の臨海副都心にも展開しうる方向性かもしれません。

――本来1980～90年代に日本が実現すべきだったビジョンを、現代的にアップデートして再生していく、いわば80年代の夢をもう一度再生するフェーズなのですね。

まさにその通りで、いま私は80年代の見直しをとても意識的にやろうとしています。80年代の日本は「ジャパン・アズ・ナンバーワン」で自信があったし、たしかに調子に乗りすぎていた部分もあったことは事実でしょうが、面白いところもたくさんあったはずで、そこを積極的に見直す作業が必要かなと思っています。「ポートピア'81」もそうですし、東京郊外のニュータウンなどもだいたい80年代に設計された街なので、世代の感覚が似ていて、一言でいえば志が高いんです。デザインも海外のあっちこっちに視察に行って、電柱のない街並みをつくってみたりと、

たくさんお金をかけて良い街をつくろうとしていた時代でした。たとえば、その頃のコンセプトの一つに1988年の「頭脳立地法」があります。田中角栄が「日本列島改造論」で第二次産業の分散、工場の分散を進めたのに対して、今度は80年代末に竹下登がサービス業の分散、つまり頭脳の分散を目指し、全国につくば研究学園都市のような研究学園都市やサイエンスパークをつくろうとしていた時期があって、その一部が久留米や函館に残っており、たとえば2000年に創設された「公立はこだて未来大学」はテクノポリス構想の残滓だとする見方もあります。

こうした80年代のレガシーの、再評価を進めるべきタイミングに来ていると思っています。イタリアで起こったような、専門家も含め移住が進んで、街の構造をしっかりと読み解きながら付加価値を高めていくような動き、いまの東京だと谷中で起こっているような動きを、全国各地でどんどん進めていくべきなのではないでしょうか。

「負け組」っぽい街のほうが面白い

——ここまでの話をまとめると、都心部ではニューヨーク型の開発を10年遅れでどう進めていくかというフェーズで、地方では80年代を参照しつつ、イタリア型の地方創生&リノベーションをいかに具体化していくかというフェーズになっているということになるでしょうか。そうした構図を背景に、藤村さんが今後の都市開発・国土開発において重要になると考えているエリアはどこでしょう?

ここ数年私が介入しているのは、たとえば所沢です。最近は所沢市に西武が入って、ポストセゾン、ポスト堤義明とも言える取り組みをはじめているんです。日本では中心にある街の外にはだいたい「市街化調整区域」と呼ばれる農地が広がっており、東京の郊外は2000年代にその規制緩和によって発展した地域も多い。そこでは「家賃保証しますよ」と言って農家さんにハンコをどんどんつかせて、サブリースアパートをガンガン建てていくという動きも一部の自治体では見られました。しかし、所沢市はそこであまり開発許可権限を駆使しなかったんです。そうやってちゃんと農地を守ってきた真面目な街で、地元の野菜や肉といった農産物が豊富にある状態なので、飲食で起業する人が増えればポートランドのような街になるはずです。

ただ一方、所沢の中心市街地で飲食店を開きたいと思っても、物件が少ないという状況が隠れた課題です。それを解決するために、空き店舗の発掘や、ストリートを使って起業した人を集めてマーケットを開くなど、地道な取り組みを進めているんです。ある種当たり前の話なのですが、今あるものを使っていいものをつくっていくという取り組みを具体的に積み重ねていくと、フィクションじゃないかたちで西武線沿線の街をつくり直せるはず。西武線沿線は農地が多いので、そういうルーツを活かして、東急型の不動産開発ではない西武らしい都市開発・まちづくりを進めていくというのが、いまやるべきことだと思っています。

——堤清二の西武が「時代と寝たトップランナー」として、消費社会の夢を渋谷で、あるいは所沢で実現していった時代があって、その夢が終わった後の精神的な後継者と言うべきが現在の東急であるように思うんですよね。そして、二子玉川に楽天のオフィスを入れたり、渋谷ストリームにGoogleのオフィスを入れたりして、情報社会下のクリエイティブ・クラスの街の顔を整えようとしている。これはどういうことかというと、西武的な都市開発は良くも悪くもだけれど、物語的だった。広告的なアプローチで、どう「ものを買う」ことで自由に、楽しく生きる新しいライフスタイルに接続できるかという物語を原動力に街に人を集めていた。そしてその「消費」という回路が「夢」から「当たり前のこと」に零落したときに、現代的なマーケティングでそれを乗り越えていくというのが、いまの東急の都市開発なのだと思います。そして藤村さんはこうしたデベロッパーたちの開発のカウンターパートとして、西武鉄道沿線で、その街の実際の小さなニーズから立ち上がる不動産的な介入をしていくということですね。大きな物語はないけれど、ボトムアップの積み重ねで駅前にアプローチしていくかたちで文脈をつくっている、ということでしょうか。

そうですね。さらに西武鉄道沿線には、原武史の滝山コミューン的な共産党が強い、行政や米軍基地への、対抗カルチャーがある。細野晴臣などが一時期住んでいた稲荷山公園というエリアに朝鮮戦争のときにできた米軍住宅があって、朝鮮戦争が終わってから一時期払い下げられていくのですが、そこにミュージシャンが集まって住んでいたことがあるんです。その中心にいた麻田浩という人が、2005年と2006年に一度ずつ、「ハイドパーク・

ミュージック・フェスティバル」というフェスを開催しました。当時は2回でやめてしまったのですが、2022年に中心人物の小坂忠さんが亡くなったことを機に2023年に17年ぶりにフェスが開かれ、それを支えているのが所沢の航空記念公園のマーケットチームです。

そもそも航空記念公園も稲荷山公園も、70年代に米軍から返還された基地跡が公園になったものです。80年代のセゾンカルチャーと一緒に新しい西武のイメージになって西武球場ができたりしていく中で、小さく続いていたアメリカンカルチャーやマーケットカルチャーを、しっかりと拾いあげて新しい物語としてもう一度結び直していく。西武線沿線はけっこう芸大や美大関係者が多くてリベラルで、大昔は「池袋モンパルナス」という芸術村があったり、その端っこにトキワ荘があって手塚治虫や藤子不二雄などたくさんの漫画家が巣立っていったり、宮崎駿が所沢に住んでいたりと、サブカルチャーのクリエイターもたくさん住んでいた。そうした背景も読み解きながら、西武線文化圏を再構築していって、東急線的なネオリベラリズムに対抗していくのがいいと思っています。

――都市の風景が生活実感のレベルで変わるのは、仕事の場や遊びの場としての都心ではなく、自分の生活空間が変わったときだと思いますが、都会と田舎の間に挟まれている西武線沿線はそうした地域の象徴なのかもしれません。

上野、大宮、所沢、松戸、岡崎、十津川、神戸……私が関わっている地域は、どちらかというと「負け組」っぽい、華やかさに欠ける街なんです。たとえば上野はコミュニティが強くカウンター体質で、都が駐車場をつくると言ったら反対、新幹線を通すのも反対、JRがビルをつくるといったら反対。その結果、デベロッパーが寄りつかなくなった街です。性に合っているのか、気がついたらそのような地域ばかりに関わっているようになってきましたね（笑）。でも、そういう街に向き合って、方向性を変えることに関わるのは、やりがいがありますよ。

INTERVIEW

田中浩也

ポスト・スマートシティのビジョンを考える

街には「広義のデジタルファブリケーション」が必要だ

地域のリサイクル材料から3Dプリントした「おかえり遊具」© 田中浩也・荒井将来・湯浅亮平

田中 浩也 HIROYA TANAKA

慶應義塾大学SFC環境情報学部教授、KGRI環デザイン＆デジタルマニュファクチャリング創造センター長。COI-NEXT慶應鎌倉拠点長。専門は、デザイン工学、3D/4Dプリンティング、デジタルファブリケーション、資源循環型まちづくり。

2016年より内閣府が提唱する「Society 5.0」を旗印としつつ、2010年代後半以降、官民の両側面から「スマートシティ」化に向けた取り組みが進められています。しかし、スマートシティという言葉が普及・浸透する一方で、国内ではいまだ目立った成功事例が少ないのが現実でしょう。アメリカを中心に行き過ぎたスマートシティ化の弊害も指摘されるようになっているいま、まちづくりにおける技術活用はいかなる方向性を目指すべきなのでしょうか？　デジタルファブリケーション、3D/4Dプリンティング、環境メタマテリアルを専門として技術と社会のあり方について研究を重ね、近年はさまざまな自治体のスマートシティ化の支援にも携わる田中浩也さんにインタビューし、スマートシティをめぐる実践や議論の現在地、そして今後向かうべき「ポスト・スマートシティ」のビジョンを考えます。

■聞き手―宇野常寛・小池真幸
■構成――佐藤賢二

スマートシティは誰が望み、誰が率いるのか

――田中さんはここ数年、スマートシティに関わるさまざまなプロジェクトに携わっているかと思いますが、そもそもの専門はデジタルファブリケーションや3Dプリンティングですよね？

はい、最もわかりやすい自己紹介としては、おそらく日本で最初に3Dプリンターを自宅で使いはじめたのが私でして（笑）。15年ほど前から、デジタルデータから直接モノをつくる技術である「デジタルファブリケーション」を研究してきました。

他方、日本でも2010年代の後半頃にスマートシティ化の流れが起こり、自治体として取り組む動きも出てきましたが、これがなかなか難しい状況があるようでした。その状況を打開する手段の一つとして、私がこれまで研究してきたデジタルものづくりや、ファブラボの活動に期待していただくようになったんです。そうして、自治体のスマートシティ化に少しずつ関わるようになり、市民の方々が街に期待することを捉えて、それを叶えるためにデジタルテクノロジーを手段として使うようなかたちをつくれないかと試行錯誤してきました。

――田中さんから見て、いまの日本のスマートシティ化はどのような段階にあると思いますか？

そもそもスマートシティには民間企業主導の取り組みと地方自治体主導の取り組みがあるのですが、いずれにせよ街で暮らす人々のニーズとズレが生じてしまうことが課題だろうと思います。民間企業主導の取り組みは、技術主義の立場からテクノロジーによる誇大な未来を構想する中で、自治体や住民が望んでいることとズレてきて、途中で行き詰まってしまうことが多々あるようです。自治体主導でも、2021年に岸田政権下で提唱されたデジタル田園都市国家構想で大々的に打ち出される以前からさまざまな取り組みが進められてはいましたが、結局多くの市民、特に住民は直接的な意味での街のスマート化をそこまで望んでいないので、そのまま進めても齟齬（そご）が生じるだけなので、工夫が必要です。

たとえば、スマートシティ推進側は「監視と引き換えにこんな便利な街になりますよ」などと言うのですが、住民は都市に利便性をそこまで期待していないことも少なくありません。むしろ、「デジタル」というなら、煩雑な行政手続きをもっとスマート化してほしい、と思っている人が大半であるはずです。また、個人を対象としたサービスであれば、空き駐車場をリアルタイムで検索するサービスや、

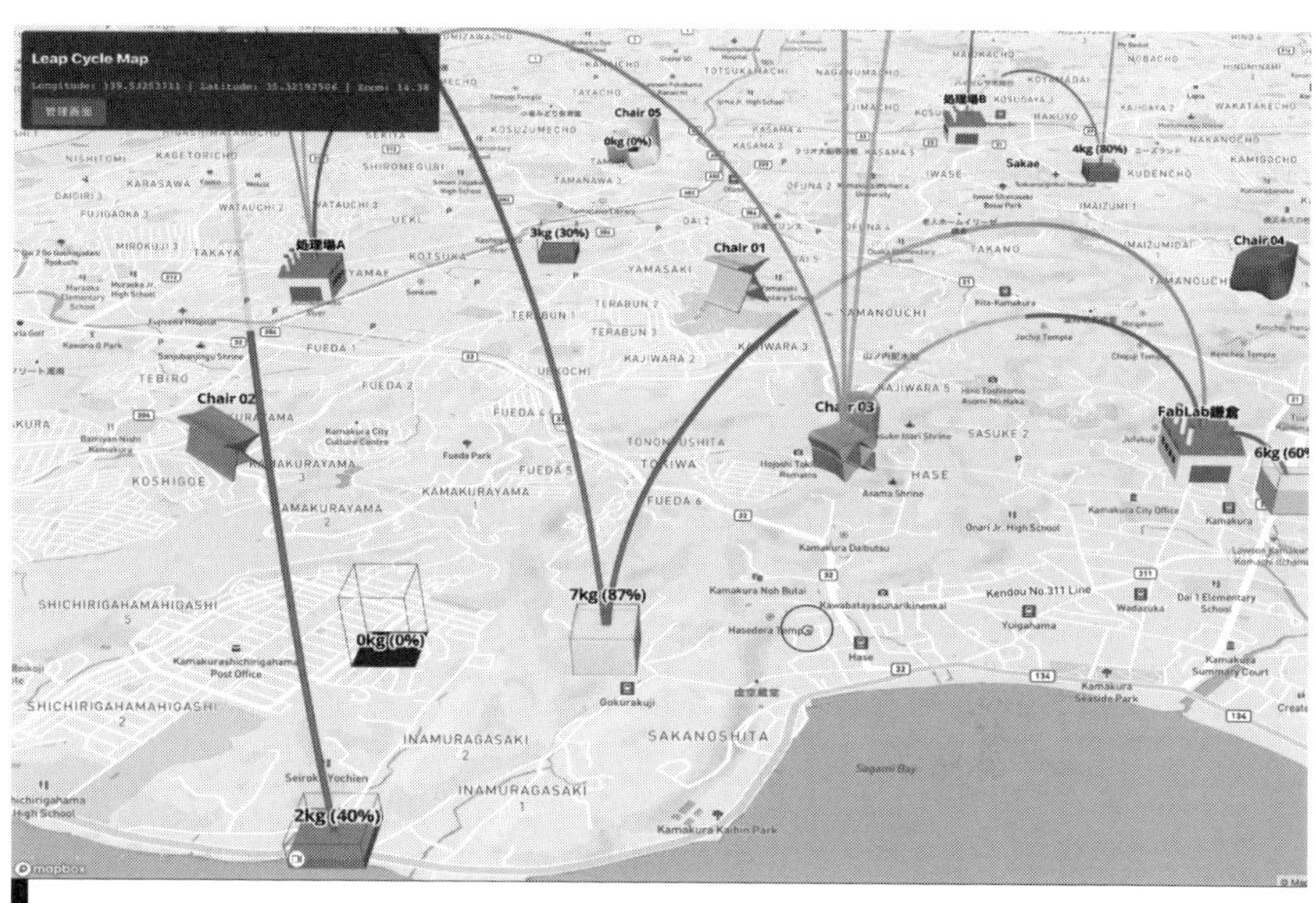

地域資源循環デジタルプラットフォーム LEAPS（Local Empowerment and Acceleration Platform for Sustainability） 開発中の画面
© 田中浩也・守矢拓海

人工衛星から空撮写真を撮る技術の延長でリアルタイムに駐車場の空きを伝えてくれるサービスなどがありますが、これらは民間主導のサービスであり、使いたい人が使えばよい、というものです。「スマートシティ」としてパッケージ化して街に全面実装することの意義が今のところ不明瞭であるように見えます。逆に企業が、街に住んでいるすべての人を対象に生活上のデータを管理しようとすると、住民からきちんと合意を取れずに双方の解釈違いが生じてしまい、電力の使用量や住民の個人情報の取り扱いをめぐるトラブルが起こったケースも耳にしたことがあります。

　これは海外でもそうで、たとえば、Googleがカナダのトロントで進めていたウォーターフロント地区の再開発は撤退してしまいました。市民の望むこと、自治体の望むこと、企業の望むこと、の3つの方向をきちんと重ね合わせるのはそう簡単なことではなく、たくさんの時間をかけて調整することが欠かせないのだと思います。

日本のスマートシティ化は「通信環境の整備」段階

――有名なスマートシティの批判的総括本であるベン・グリーンの『スマート・イナフ・シティ：テクノロジーは都市の未来を取り戻すために』（人文書院、2022）の中

地域のリサイクル材料から3Dプリントした「ラジオDJブース」
© 慶應義塾大学田中浩也研究室

では、デジタル格差の解消を目指したニューヨーク市の「LinkNYC」というプロジェクトが紹介されていました。誰でも使えるWi-Fi接続サービスを提供するため、市内に7500台以上のインターネット接続されたキオスクを整備し、それらを通じて無料の公衆Wi-Fiを提供するというプロジェクトですが、実はアルファベットの子会社であるサイドウォーク・ラボが市民の利用データを収集することで収益化を目指したものであり、プライバシー上のリスクが高いのだと。こういった問題が日本国内でも発生する可能性があるということでしょうか。

アメリカなどではそうした問題が実際に進んでいるのだと思いますが、日本ではまだそういう話はあまり聞きませんね。個人情報の取り扱いはむしろ慎重に議論されている印象を持っています。まずは、アプリケーション層ではなくインフラ層で、「5Gを広めること」を進めている段階なのではないかと思います。コロナ禍でリモートワークやZoomを活用した教育のインフラ整備が喫緊の課題となったことも背景にありますが、とにかくリモートワークの最重要インフラとして、5Gを都市に引き込むことが重視されている。村井純さん（現・デジタル庁顧問）がよく言っていますが、いまや誰にとっても通信環境は水みたいなものなので、東京都を含むさまざまな地方も力を入れていま

地域のリサイクル材料から 3D プリントした「おかえりベンチ」
© 田中浩也・荒井将来・湯浅亮平

地域のリサイクル材料から 3D プリントした「おかえりプランター」
© 湯浅亮平

す。

――「スマートシティ」という言葉が一人歩きしているけれど、日本では実際、まだ通信環境の整備を進めている段階だということですね。行政のデジタル化や、MaaSによる交通網の合理化といった有機的な発展は、現状の3歩ぐらい先でしょうか。

現時点ではインフラ層の取り組みが主で、その先の「デジタル技術を使ったまちづくりや市民サービスで何をしていくのか」という点に関してはどの自治体も手探りで、その地域ならではの提案を時間をかけて練り上げている最中だと思います。何よりも、地域によって課題は違い、多様性があります。また結局、その地域の未来の幸福は、その地域を担う自治体が主体となって構想しないと、いつもながらの「お上頼み」では、実効的には意味がないという理由もあります。

――そうした現状に対して、田中さんはどのようなアプローチをしているのでしょうか?

私が初めてスマートシティの課題を自治体の方から聞いた際、「4つのない」というフレーズを使って危機感を話されていたことが印象に残っています。それは、「(イメージが)見えない」「描けない」「触れない」「(市民の生活と)関係ない」という4つです。この4つがハードルになって、市役所担当者さんは市民側にスマートシティをなかなかわかりやすく伝えにくいというのです。いわば「スマートシティがどういう街なのか」という表象がないので、市民からすると日々の等身大の生活と「スマートシティ」というカタカナ文字の間にリンクをつくることができない状態になってしまっている。しかしそうだとするなら、私のやってきたデジタルものづくりの研究が役に立つのかも、と思いました。

そしてもう一つ、もともと市民の生活実感の高い分野からはじめることが大事かなと思いました。たとえばいま鎌倉市では、資源のリサイクル過程の「見える化」に関わっています。日々出している廃棄物には、週の半分ぐらい、ビンや紙、布といった資源回収の日があって、回収した資源はまた製品になると説明されています。でも、実際に昨日出したビール瓶がどこに運ばれて、どうやってまたビール瓶に変わって、どの店に戻ってきているのかを市民は知らないし、もっと言えば行政の人さえも実態を知らないケースもあります。そういう過程を「見える化」したいという声があって、資源リサイクルの見える化のプラットフォーム開発をはじめました。また、集められた資源を

購入が可能な「スマート・シティズン・キット」。中には都市を計測する各種センサーやバッテリーなどが入っている

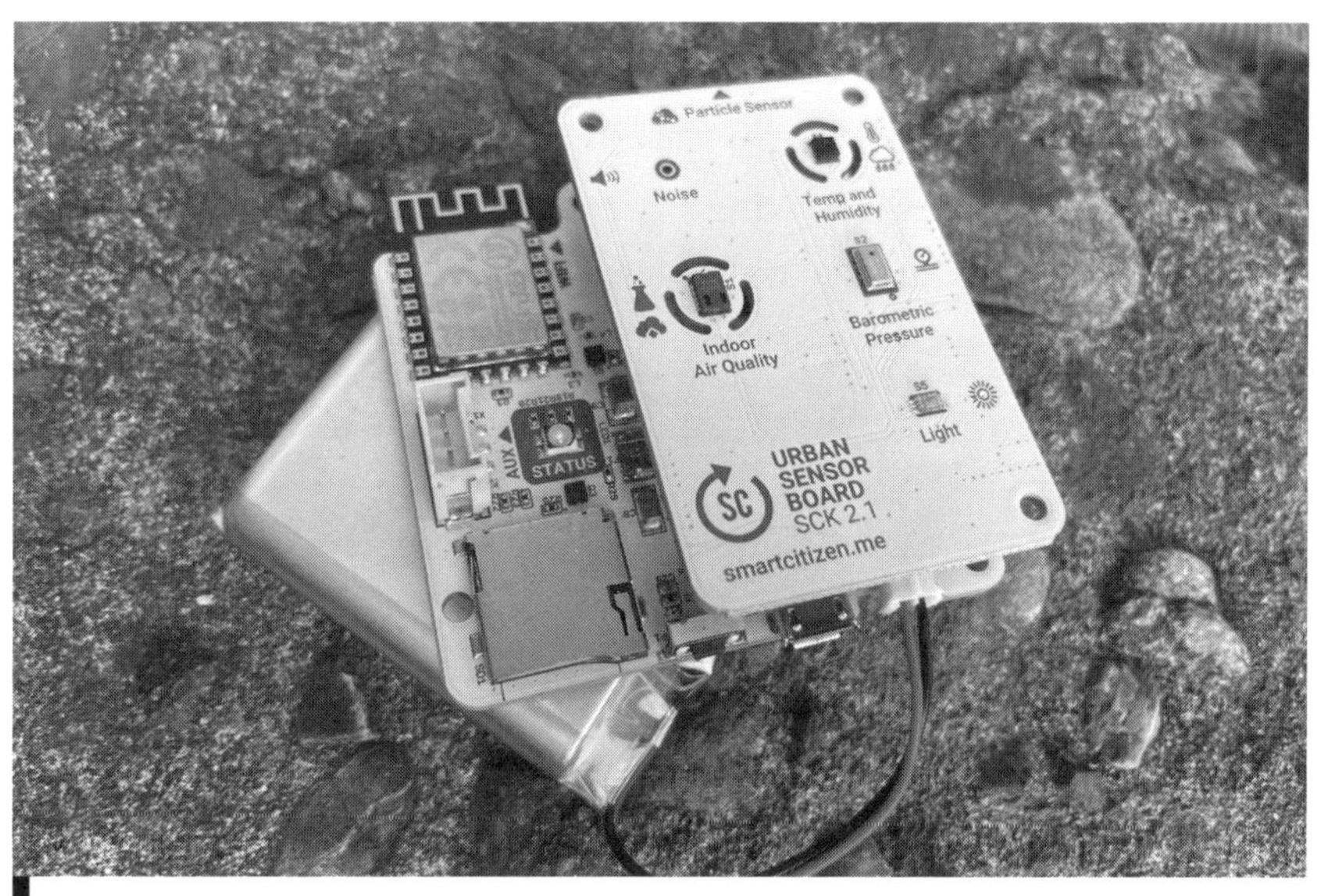

発売されている「アーバンセンサーボード」

使って、大型の3Dプリンターで、子供が遊べる街の遊具などをつくることで、実際に触り、遊べるようにすることにも関わっています。「デジタル技術」は使いつつも、最初の入口（課題設定）を「市民生活と関係ある」ものにし、また出口（成果）を、「見て触れる」ものとする。そして、入口と出口をつなぐプロセスを、デジタルで徹底的に「見える化」する。スマート化といっても、デジタルだけでスマート化するのではなく、フィジカル（物質）をそこにうまく絡ませることで社会との距離を近づけようとしているのです。

こういう活動の参照点にしているのが、市民をエンパワーメントするようにデジタル技術を使う「スマート・シティズン」というムーブメントです。これはもっぱらアメリカから出てきた概念である「スマートシティ」とは異なり、ヨーロッパ市民社会の側から出てきたものです。たとえば、スペインのバルセロナでは2016年頃、さまざまな機能がついた環境測定センサーキットを住民に配布して、騒音や温度、湿度やCO2排出量といったデータを自由に測ってもらい、意見を集めるプロジェクトがあったんです。実際、街中の公園で深夜までバスケットボールをしている人たちに対して、地域住民が自分たちで騒音量を測って、市役所に「ここでバスケットするのやめさせてください」と交渉したら、バスケットのコートが芝生に変わったという事例があるそうです。市民がデータを使ってしっかりと街を測るリテラシーを持ち、ボトムアップ的に市役所に提案する回路があり、市役所はそのデータをもとに政策判断している。そして、最後はバスケットコートだった場所が物理的に芝生に変わるという、見て、触ることのできる、物理世界の改変にしっかりと着地している。そうした産学官民共創プロジェクトのような住民参加の回路を展開できないかと、日々悪戦苦闘しながら進めているところです。

スマートシティ化とは広義のデジタルファブリケーションである

——しかし市民のアクティブで建設的な「参加」というのは日本人が最も苦手とする領域のような気もします。民度がシビアに問われるというか……。

民度が問われるというのはその通りだと思います。2020年3月に東京都で羽田空港の新飛行ルートが導入されることになったときも、ある場所でちょっとだけ、環境測定センサーキットを住民に配布する可能性の話をしたら、「市民が飛行機の騒音を測るようになったら大変だ」といった議論がすぐに出てしまいました。バルセロナの例

も良い部分を切り取って話してはいますが、現実はそこまで綺麗ではないでしょう。公平を期すため、たとえば第三者として大学が入ったり、市民の対話集会を毎週開いたり、そういう工夫をしているとも聞いています。

ところで実は、私はこうした取り組みは、広義のデジタルファブリケーションだと捉えているんです。冒頭でも触れたように、デジタルファブリケーションを「データからモノをつくる技術」と定義しているわけですが、騒音量のデータをもとに街を捉え直して、それを通じて政策を形成し、最終的に物理世界である街の一角を芝生に改変することは、シティスケールに拡張された意味でのデジタル・ファブリケーションだと言えると思います。

――スマートシティ化とは広義のデジタルファブリケーションであり、その実現のキモとなるのがシティズンシップ（市民性）であると。

スマートシティの弱点である「描けない、見えない、触れない、関係ない」を補完的に解決する手段として、デジタルファブリケーションは有力な一助になるということです。私が進めてきた「ファブラボ」の活動も、いま説明したストーリーラインから「ファブシティ」という、街全体に拡張されたファブのあり方を提唱しているのです。

誤解してほしくないのですが、私は根本的には他人と交流しないで家にこもってプログラムを書いていたい人間で、市民集会などにそんなに足しげく参加するタイプじゃありません。ただ、私のようなタイプの人間でも参加できる、新たな仕組みが登場しています。いま鎌倉では、オンライン上で市民が意見を出しあって、民主的な議論と合意形成を目指すため、慶応SFCの学生らが起業し開発した「Liqlid」という合意形成プラットフォームが導入されています。自治会や町内会の集会には行けなくても、こういうオンラインの仕組みで意見を言い合えるようになると、若者や子育て世代も参加しやすくなります。それから鎌倉市はデジタル地域通貨「クルッポ」を導入しているので、非経済的な活動を数値換算することもできます。これまで「ボランティア」というと、無償の協力を指すもので、「数値」には換算不可能でしたが、コミュニティ通貨は、法定通貨とは違ってお金にはならなくても、コミットメントを「数値」として見たり、使うことはできるという、中間的な仕組みです。Liqlidやクルッポのようなデジタル技術を使いつつ、デジタルで拡張された市民性や公共性のようなものをどう捉えるかということが、これからは大事だと思っています。

FULL STACK

The Fab City Global Initiative is envisioning and constructing possible urban futures by working at multiple and interconnected scales.

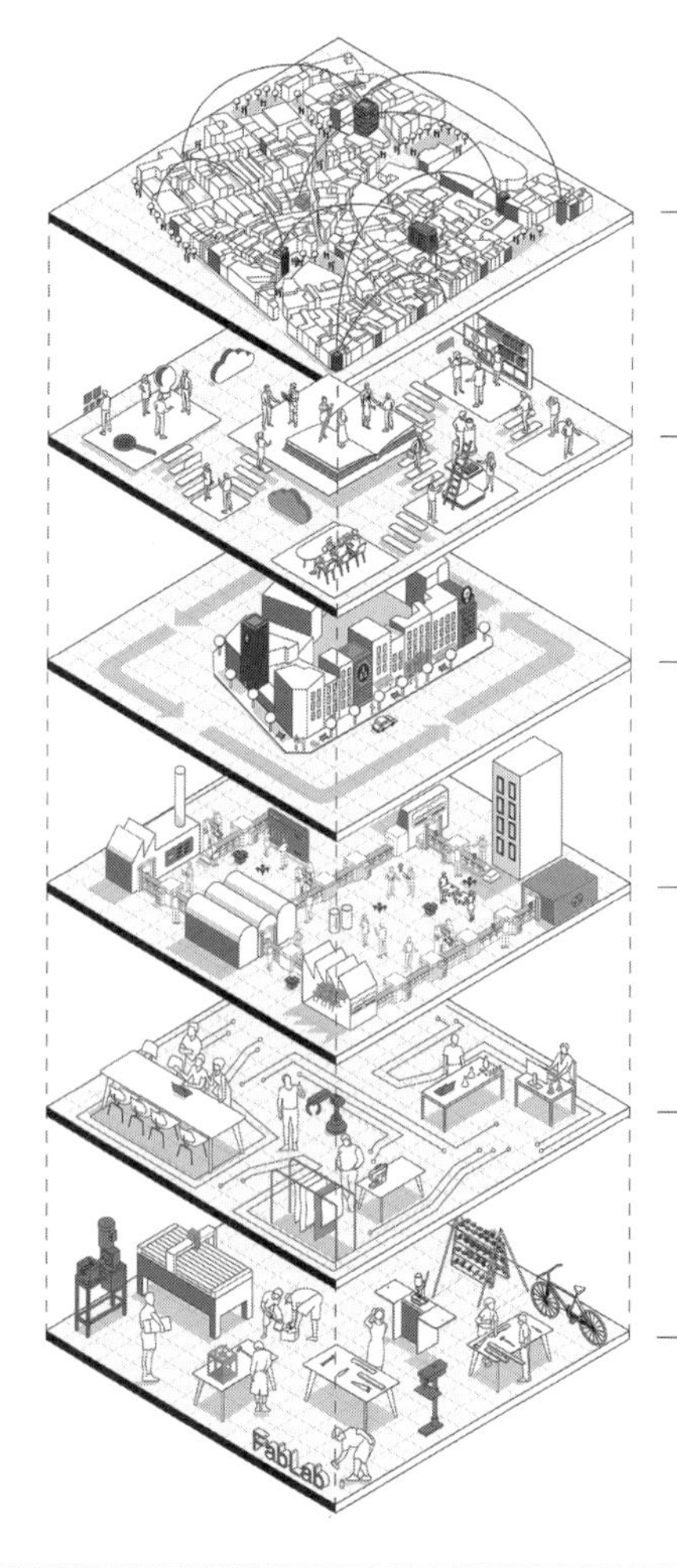

Cities Network

Shared metrics to evaluate progress towards self-sufficiency in cities. Policy-making, regulation, and planning for regenerative urbanization.

Platform Ecosystem

Project repositories for urban transformation. Distributed and decentralized repositories and value exchange mechanisms for global collaboration. Fab Chain, the blockchain project to enable distributed design and manufacturing.

Shared Strategies

Global programs for urban transformation related to local production and processing of food, energy, water, information, or other production systems. Implementation and deployment strategies by the Fab City Collective.

Distributed Incubation

Engage the power of a distributed network of knowledge to envision, design and create open source technology for urban regeneration. "Grow with Fab" program as a distributed accelerator within the Fab Lab network.

New Forms of Learning

New skills to learn how to learn, learning by doing principles, lifelong learning basis. The Academy of Almost Anything (Fab Academy, Bio Academy, Fabricademy), STEAM education and professional training.

Distributed Infrastructure

People, communities, spaces (Fab Labs, Makerspaces, Hackerspaces), machines, tools. Thousands of spaces and communities already in place in every major and middle city in the world.

Graphic by Zoe Tzika & Manuela Reyes

fab.city

6層からなる「ファブシティ」フルスタックモデルの提案

「菌糸の間」© 慶應義塾大学田中浩也研究室　鳥居巧・大村まゆ記・知念司泰

いま人間、そして人間以外を考える

――言ってしまえば、技術主義と人間主義の両輪こそが、スマートシティ化に向けた道筋だということですね。

この二つは常に振り子のように揺れています。時代の流れとしては技術主義の反動なのか、ここ数年は、都市を主観的な、人間的な視点から評価しようという流れも活発化していると思います。「出会いがある」や「風景がいい」といった体感に即した「センシュアスシティ（官能的な都市）」という評価軸や、デジタル田園都市国家構想に関連した「Liveable Well-Being City 指標」などが出てきています。いまの日本では、市民は街の直接的なスマート化をあまり期待していないので、市民が都市に求める要望を、「スマートさ」ではなく「ウェルビーイングを高める」ものとしてもう一度整理しなおし、評価する物差しをつくる取り組みが進められているのだと思います。これらの評価軸は、最終的に主観と客観を織り交ぜて「主観的幸福感指標」「活動実績指標」「生活環境指標」、さらには「協調的幸福」「ActiveQOL」といった項目で構成されています。GDPに代わる社会の物差しをつくるという研究がますます盛んになっており、そこでは、大学の人文社会系の知や、文理融合の知がますます必要とされています。

――主観的な幸福感を指標化すると聞くと、ちょっとモヤモヤしますね……。そういったものって数値にできないから「主観的」なはずで、極端な話ですが「ウェルビーイング」を合言葉にある価値を押し付けられるのはディストピアでしかないと思います。孤独が好きな人もいれば、自然の緑が美しいと思わない人もいるはずで……。

おそらく現状の「ウェルビーイング」は、自治体の職員やデベロッパー、地域のエリアマネジメント担当がこれからの戦略を考えるツールとして使われていると思います。この視点まで立ち戻れば、そもそも必ずしも「デジタルで」何かをしようという発想だけでなくてもいいはずで、「デジタルか／アナログか」や「バーチャルか／フィジカルか」といったことに関係なく、デジタル社会の中で「人間の生活環境として、何をつくり直すか?」ということから再考することになるだろうと思います。ウェルビーイングではなく「地域幸福度」という考え方も登場してきています。

ただ他方で、私は「幸福度」に代表される、人間の心の動きを深く捉える議論にもどこか限界があると感じています。そこで興味を持っているのが、「人の心」の真逆にある、「人間社会の外にある存在」へのアクセスです。たとえば、都市には人間以外の生物や微生物も住んでいます。私はたとえば、コロナ禍の期間で人間がいなくなった都市での動物や植物の変化、この3年間で植生が変わって、それまでと違う植物が生えたり、どういう生態系が侵食を増したか、といったことに興味があります。また、「微生物から都市を見る」という研究にも関心があります。コロナによって、都市には人間だけでなく、細菌やウィルスも含めた微生物というものがいるということを全員が理解しましたよね。

そもそも微生物の定義が「人間の目には見えない生物」というひどく人間中心的なものなのですが、色々な都市で微生物の分布を調べると、気温も土壌も、水質に応じて全部異なっているそうなんです。極論を言えば、微生物を採取すると、都市の指紋のようにどの街なのかがわかるという研究もあります。「どんな人が交通しているか」「この種の菌はこの地域にしかいない」といった都市のアイデンティティがわかるのです。いま私は、地域の生ごみ分解コンポストのデザインにも取り組んでいて、その土のなかにいる微生物を分析する研究者と交流を続けています。

そして、こういう「微生物」や「土」のようなものを結節点とすることで、人間とつながるだけでなく、「人間以外のもの」ともつながりあう街のあり方を研究しています。こういった方向性は、「人の心の中にある幸福やウェルビーイング」を取り出していくだけでは出てこなくて、ある意味、自然科学の価値を再考し、シティズンサイエンスと接続するようなところから立ち上がってくるものだと思いま

す。自然と人間との関係を再考することにもなります。最近、自然科学の分野のトップジャーナルである「Nature」という学術誌に「Nature Cities」という新シリーズが創刊されるといったことも起こっています。つまりITなどの登場によって「都市を自然科学する」という眼差しが勃興してきてもいるのです。こういう全体を俯瞰したりモデル化したりする方向性には、情報テクノロジーを使うことが有益になります。私はこういった方向性を進めていますが、現状のスマートシティ化の動きからは、かなり遠いところまで来てしまっている感もあります。

コロナ禍以前に逆戻りする都市空間

――これまでしてきたスマートシティ化の議論を、ポスト・コロナ的な状況に差し掛かりつつある今後、どのように進めていくのかを最後に考えたいです。そもそもコロナショックは都市にどのような影響を与えたと思いますか?

そうですね。結局、大学もコロナ前のキャンパスに戻ってしまっている印象がありますし……。たとえば「3年ぶりにリアル会場で入社式」などと「戻ってきた日常」を肯定的に報じられることも多いですが、私個人はコロナ前に戻ってほしくなかった(笑)。

――街の「賑わい」はもちろんあってもいいけれど、それだけが唯一の価値じゃないですよね。

よくわかります。私も「賑わい」はそんなに最上位概念なのだろうか? と常に疑問に思っていて、急速にコロナ前の都市に戻っていくことに対して何かできないかと考えています。コロナ下の「ニューノーマル」もどこかに飛んでいきましたが、私はコロナ下でノーマルになったもので良いものを、コロナ後も残すことが大事だと思っているんです。たとえば、スマホで大学のオンライン授業を聴きながらキャンパスまで電車に乗ってきたりと、全員がバラバラの好きな場所からオンライン授業に出られる制度は良かったと思っており、私が研究室を持っているSFC(慶應義塾大学湘南藤沢キャンパス)では多少続けています。

――コロナショックはスマートシティ化を後押しするものだと言われていましたよね。本来はまちづくりを考える人間は、この3年間に結果として起きてしまった実験的なものをきちんと取捨選択して、次の時代に備えることを考えるフェーズに入ってなければいけないはずです。しかし、いまや何の検証もなく、機械的にコロナ前の状態に戻す動きの方が強い。人間が街に求める機能は、情報技術によっ

てかなり変わってしまっている気がするんです。たとえば、知り合いと話すのならオンラインで十分なことも少なくないし、街に求めるのは人と会うこととは限らず、別の何かで、むしろ孤独になることだったり、物を見ることだったりする。そんな中で、従来の街をいかにして便利で効率的にしていくのかは、表面的な問題に過ぎないのだろうと思います。

一人になるための場所が多様にある街というのは、目指すべき方向性としてけっこういいのではないでしょうか。自宅にいるとZoomにつながってしまうから、むしろ外にいる方が一人になれるという矛盾があるじゃないですか。ネットに履歴も残さずこっそり買い物したりと、どこにも属さないアジールみたいなものを確保するために、秘密の隠れ家のようなものが、もっと街にたくさんあってほしいですよね。

――身体的に自由になれる場所、言ってしまえば「デジタルからの避難所としての都市」という側面ですね。

私も、これからの都市にはスマートシティよりも、その逆側で補完する役割の場所が求められていくような気がします。おっしゃる通り、デジタル空間には、いつも人がたくさんいるわけです。なので、フィジカル空間には、逆に、人と出会わない、孤独になれる自由のようなものがほしい。あるいは「一人で楽しむ」余地のようなものがほしい。

もう一つ大事だと思うのが「都市をハックする」という視点です。デジタル空間では、オープンソース活動や、2次創作などが当たり前となりましたが、これらはむしろ「集団性」や「社会性」や、「前進的改良」が規範となっており、個人的な観点を投入しづらくなってしまっている。他の人には理解されない、むしろ理解されなくてもいい個人の独特のこだわりのようなものは、むしろ物質性を伴ってフィジカルな世界で発露しやすいし、それを「都市」のような舞台と接触させることで、ある意味、犬のマーキングのような方法で、人間の新たな隠れ家のようなものがつくれるのではないかという予感がしています。

やっぱり、そういう猥雑さや混沌を許容することこそが、本来の意味の「都市性」なんじゃないかと思うんですよ。最近、慶應SFCの研究室の名前を「Urban Fabrication Lab（マチモノツクリ研究室）」に変えたのですが、「都市をハックするためのものづくり」といった方向を学生と一緒に探求していきたいと考えています。

DISCUSSION

井上岳一×宮﨑雅人×柳瀬博一

「地方創生」のその次へ。

2010年代以降の「地方のまちづくり」を総括し、2020年代への展望を描く

画像：PhotoAC

井上 岳一 TAKEKAZU INOUE

日本総合研究所創発戦略センター エクスパート。1969年神奈川県藤沢市生まれ。林野庁、Cassina IXCを経て2003年から日本総合研究所。豊かな山水の恵みと人の知恵・技術を生かした多様で持続可能な地域社会をつくることをミッションに研究・実践活動に従事。著書に『日本列島回復論』（新朝選書）、共著書に『MaaS』『Beyond MaaS』（共に日経BP）等。南相馬市復興アドバイザー。内閣府規制改革推進会議専門委員・地方創生推進アドバイザー。武蔵野美術大学客員研究員。

宮﨑 雅人 MASATO MIYAZAKI

埼玉大学大学院人文社会科学研究科教授。1978年生まれ。長野県須坂市にて育つ。博士（経済学）。2021年より現職。専門分野は財政学・地方財政論。著書に四方理人・宮﨑雅人・田中聡一郎編著（2018）『収縮経済下の公共政策』慶應義塾大学出版会，宮﨑雅人（2018）『自治体行動の政治経済学』慶應義塾大学出版会，宮﨑雅人（2021）『地域衰退』岩波新書などがある。

柳瀬 博一 HIROICHI YANASE

東京工業大学リベラルアーツ研究教育院教授。1964年、静岡県生まれ。日経BP社で雑誌、書籍、webメディアの編集・広告プロデュースを経て2018年より現職。著書に『国道16号線：「日本」を創った道』『親父の納棺』、共著書に『インターネットが普及したら、ぼくたちが原始人に戻っちゃったわけ』『「奇跡の自然」の守りかた』『混ぜる教育』。

2010年代は「地方」のまちづくりへの注目度が高まった時代でした。「地方創生」の看板のもと、官民ともに地方への人の流れを創出するための取り組みに注力。しかし2020年代に入ると、パンデミックによってその流れも一気に減速しました。リモートワークの普及もあいまって地方移住者が増えることも期待される中、これからの「地方のまちづくり」はどこへ向かっていくのでしょうか？

この記事では、「地方」復活の当事者としてその推進に携わってきた井上岳一さん、財政学者として「地方」の現状を研究・提言してきた宮﨑雅人さん、メディア論などユニークな視点で「地方」を論じてきた柳瀬博一さんの3人をお招きし、2010年代以降の「地方のまちづくり」を総括。その現在地を踏まえ、2020年代に向かうべき方向の見取り図を描きます。

■聞き手―宇野常寛

■構成――石田哲大

インバウンド偏重で、外需依存だった「地方創生」

――この座談会では2010年代以降、東日本大震災から「地方創生」への流れ、そしてコロナ禍を経たこの十数年間の、「地方のまちづくり」の成果と課題を総括したいと考えています。まずは自己紹介も兼ねて、皆さんがこれまで地方におけるまちづくりにどのように関わってきたのか、お話しいただけますか？

宮﨑　埼玉大学の宮﨑と申します。私は財政学が専門で、地方自治体の財政活動、つまり公共事業や医療・介護などに関する研究や、地域経済がどのように動いているのかに関する研究を、約20年にわたって行ってきました。近著の『地域衰退』（岩波書店、2021）では、製造業・リゾート・建設業といった基盤産業の衰退後に地域が辿ってきた「衰退のプロセス」を詳細に検証し、国の政策誘導が逆に危機を深刻化させている実態を論じています。

井上　宮﨑さんの『地域衰退』では、地域衰退を招いた原因の一つとして、「国費を減らして自治体の運営を自主財源で行わせる」という国の方針が挙げられていましたよね。私も、自民党政権下で約30年かけて地盤沈下した日本の地域をいかに立て直すかを考えてきていまして、いまは日本総合研究所で、人口減少時代を生きのびるための地域社会のデザインについて研究・実践しています。もともとは農林水産省林野庁の役人として、地方分権一括法や省庁再編などの行政改革を担当していた時期があり、それ以後、中山間地や森林活用の観点から、これからの国の形のデザインや地方分権の問題などに取り組んできました。2019年に出版した書籍『日本列島回復論』（新潮社、2019）では、森が豊かで、川や海や湖などに恵まれ、古くからの技能が伝承されてきた場所を〝山水郷〟と呼び、その可能性を再検討しています。

また、最近はモビリティ関連のトピックも研究しており、自動運転やデジタルテクノロジーを活用して地方をいかに再生できるのかにも関心があります。近著の『Beyond MaaS 日本から始まる新モビリティ革命 ―移動と都市の未来―』（日経BP、2020）でも、今後の地域においてモビリティの話が欠かせないということを繰り返し書きました。

柳瀬　東京工業大学のリベラルアーツ研究教育院でメディア論を担当している柳瀬と申します。私はもともと日経BPで記者や編集者として働いていたのですが、地方のまちづくりに関わる話でいえば、近著の『国道16号線：「日本」を創った道』（新潮社、2020）で、いま東京郊外だと認識されている16号線沿いの歴史について論じました。16号線のエリアは、日本の経済・文化・政治において現代に至るまで大きな地位を占めてきたにもかかわらず、なぜか今日まで中心には据えられてこなかった、その理由につ

いて読み解いた本です。この本を執筆するために、国道や街道沿いの都市再編の話や、コロナ禍における都市周辺の自然環境について取材を重ねてきたので、今日は主にそうした観点から地方のまちづくりについてお話しできるかと思います。

また井上さんが話されていた"山水郷"に関連する文脈では、私はかねてより「**流域思考**（※1）」を説いてきた岸由二先生の弟子筋にあたりまして、三浦半島の小網代や鶴見川流域の自然保護などにも関わってきたというバックグラウンドもあります。

――ありがとうございます。まずは、宮崎さんに、2010年代の地方における国土利用と都市開発の大きな流れをお話しいただくところからはじめたいのですが。

宮崎　2010年代の大きな動きとしては、民主党政権から第一次安倍政権に変わり、「地方を大事に」というキーワードのもとで**地方創生**（※2）の政策が打ち出され、自治体に対して地方創生交付金が配られるようになりました。それ以降、自治体の歳出のうち「観光費」が顕著に増加しはじめます。つまり、自治体は外国人観光客向けのインバウンド施策に予算を使うようになったわけです。

では、実際にその「観光費」という品目が何に使われていたのか。各県のデータを見ると、主に「ホテルに安く宿泊できます」といった一時的なキャンペーンに使われていたとわかります。そうした短期的なインバウンド施策を打てば、ひとときは街が賑わって見える。そして政治家は「私たちがインバウンド施策に力を入れたことで、仕事や雇用が増えました」と言えるので、政治的なアピールとしても有効です。そうして2010年代の各地方都市では「観光によるまちづくり」が強調されるようになり、その結果、具体的にどの程度の効果があるのかは不透明なまま、「とりあえず観光客が来る

KEYWORD #01

流域思考

進化生態学者で、三浦半島小網代や鶴見川流域でNPOの代表として理論・実践活動も行っている岸由二が提唱する概念。日本では、流域ではなく「里山」に準拠した自然保護、河川という自然公物を管理する河川法と下水道という都市施設を管理する下水道法に立脚した治水が進められてきた。しかし、岸は「流域」を枠組みとして環境を保全し、治水・防災を進めていくことを説き、1976年以来、保全活動と啓蒙・言論活動を続けている。

から」という理由でインバウンド施策が続いたのだと理解しています。

井上　インバウンド旅行者を積極的に受け入れようという目標が立ったのは、2013年の東京オリンピック開催決定が契機でしたよね。当時、1000万人に満たなかった訪日外国人観光客を2020年までに2000万人にするとしましたが、2016年に策定された観光ビジョンでは、「2020年までに年間4000万人、2030年までに年間6000万人」を目指すという目標に上方修正されています。日本と国土面積が近いイタリアでは、当時年間約6000万人の旅行者が訪れていましたから、イタリアと同程度を目指そうという目標です。ちなみに、この観光ビジョンでは、「地方創生のためのインバウンド観光」が強調されています。

柳瀬　2010年代のインバウンド旅行者数の推移を調査したデータを見ると、2012年までの訪日外国人観光客は多くても年間800万人台だったのが、その7年後、コロナ直前の2019年には3188万人まで急増している。この背後には、2013年に安倍政権下で当時官房長官だった菅義偉氏が旗振り役となって実施した、**訪日観光客のビザ要件の緩和**（※3）があると考えられています。ここで興味深いのが、ビザ緩和と円安傾向以外に、観光客を呼び込むための大きな施策は特に実施されていなかったということ。フランスやスペイン、イタリアのようなヨーロッパの観光立国と比較しても、ビザ緩和だけでこれだけ旅行者数が伸びたことは、日本の観光ビジネスの大きなポテンシャルを示しています。とりわけ日本の地方にとって、大きな追い風だったと言えます。

実は、日本は世界でもダントツに自然が豊かな先進国なんですね。巨大な米国を除くと、スキーとサンゴ礁でのダイビングのどちらも楽しめる国って日本しかない。火山列島なので、地形も風景もダイナミックで美しく、温泉も多い。地形や自然や気候は、人間がどんなに頑張ってもつくれない。それが日本には最初からあるわけです。その上に日本の文化がある。大都会である東京もあれば、京都のような古都もある。アニメやゲームなどサブカルチャーはダントツに発達している。治安もいい。物価も安い。食事も美味しい。日本人にとっては「当たり前」だった日本の地形と気候と自然と日常が、外国人観光客にとっては非常に魅力的だった。それが証明されたわけです。

宮﨑　ただ、私はインバウンド施策は課題のほうが大きかったと思います。観光業は熟練労働者を必要とせずに幅広い人の雇用を創出できるし、女性も活躍しやすい重要な産業です。製造業中心の地方にとって、次世代産業のように見えても不思議ではありません。しかし、コロナ禍以後の全国旅行支援の補助金と同じように、それだけに頼るモデルが持続不可能であることは明らかです。また、地方

創生交付金が、結局は大都市の業者に流れているという問題もあります。補助金を使って東京の業者に依頼して、一時的に地方が盛り上がっているように見えるイベントを開催しても、たしかにその地域のホテルなどは短期的に儲かりますが、肝心の地域産業にはお金が回りません。つまり、自民党は地方創生により「賑わいが生まれた」とアピールをしていましたが、結果的には「ないよりはいい」程度だったと思います。本来解決すべきだった課題を考えると、焼け石に水、「やっている感を出していただけ」とすら言えるでしょう。

そして、さらに追い打ちをかけるように、コロナ禍が訪れた。インバウンド需要を見込んでつくったものが次々とダメになり、これからどうすべきかを真剣に考えなければならない段階に、いよいよ差し掛かっているのだと思います。

井上　結局、外需依存の経済構造となってしまったのが問題で、「観光だけに頼らず、内需をいかにして高めるか」という点が重要なのだと思います。観光もまだまだ伸びしろのある産業ですが、水物でありリスクもある。観光以外でも持続可能な経済構造をいかに作るかが、いま問われているのではないでしょうか。

インバウンド施策の流れと時を同じくして2010年代の地方で起こった、リノベーションまちづくりブームにも、同様の課題があると言えるでしょう。地方の空き家をリノベーションしてカフェやゲストハウスにする動きが全国各地で急速に増加し、簡易宿所の規制緩和も伴って、一気に客室が増えていった。その結果、「とりあえず地方移住して空き家をゲストハウスにすれば、なんとなく食っていける」という構造が完成し、若者の地方移住の受け皿にもなったわけですね。しかし、コロナ禍が改めて明らかにしたのは、それが外需依存の経済構造であるということ。ゲストハウスの多くが営業停止に追い込まれ、地方移住した若者は一気に経済的ダメージを受けることになりました。

地域産業に寄与しなかった、「サブカルチャー」としての観光業

——要するに、2010年代は地方創生交付金のバラマキにより観光産業が推進されてきたけれども、コロナ禍で観光産業が外需依存の水物だという事実に直面し、「地方に観光に代わる基盤産業が育っていない」という問題が表出したのだということでしょうか？

宮﨑　もう少し遡れば、変化の潮目となったのは、2002年に成立した**「都市再生特別措置法」（都市再生法）**（※4）でしょう。2000年代前半の小泉政権の都市再生政策では、地方で公共事業を推進するのではなく、羽田空港の再拡張工事など大都市圏で公共事業が行われました。また、観光立国路線が掲げられ、外国人観光客が来やすくなるように整備

が進められてきた。その流れを継承した安倍元首相が、観光立国路線を地域振興策として定着させて、2010年代のインバウンドブームが花開いたという流れだと見ています。

井上 もともと都市再生法の構想は、1998〜1999年の小渕政権下で生まれていますよね。バブル崩壊により塩漬けになった湾岸の土地と不良債権を処理し、「失われた10年」を挽回するために、都市再生という大きな絵を描いた。要するに、東京・大阪をピカピカにして、トリクルダウンで国全体が豊かになる絵を描いたわけですね。

しかし、その結果として都市部は豊かになったとしても、地方は豊かにならなかった。1962年にはじまった全総（全国総合開発計画）では**「国土の均衡ある発展」**（※5）というスローガンを掲げるようになり、それが、公共事業を通じて地方にお金をばら撒く自民党の土建国家モデルを支えてきたわけですが、2000年代にはじまった都市再生は「国土の均衡ある発展」をやめようという宣言でした。地方へのばら撒きが否定されたのです。お金が一気に絞られたことで、地方経済が干上がりました。

もちろん地方にも問題は大いにありました。たとえば、観光産業はうまく仕組みを設計すれば、地域を〝掛け算〟のように豊かにする効果を生みます。訪れた観光客がその地域のものを食べたり買ったりする構図を生み出せれば、地域内で外貨を循環させられるからです。それにもかかわらず、たとえば大手のホテルでは地域の食材を使わないことが多く、地域の外から安い食材や物資を調達してくるため、地元にはお金が落ちないことがほとんどです。ある有名な温泉地では、旅館業界と農協の仲が悪く、地元の食材を旅館で使ってもらえないという構造があると聞きました。本当に地産地消になっているのは〝こだわりのオーベルジュ〟ぐらいで、観光客を受け入れても豊かにならない構図が全国各地に存在し

KEYWORD #02

地方創生

2014年、第二次安倍改造内閣は、地方の人口減少対策や雇用創出などを狙って「地方創生」のスローガンを打ち出した。そうして2010年代は、内閣府に設置された「まち・ひと・しごと創生本部」が舵を取り、地方部へと移住した都市部出身者なども加わりながら、「地方創生」が推進された。

ているのです。

他方、観光と地域産業をうまく結びつけて、地元の第一次産業と〝手仕事〟のような第二次産業にお金を回すことに成功したのがイタリアです。その結果、観光によってイタリアの地方は豊かになりました。しかし、日本の地域産業はイタリアのようにはならなかった。ですから、2020年代はその構造をつくり直していく必要があります。とはいえ、農業もクラフト系産業も高齢化し、残っている人たちの数は少ない。本当に地域を豊かにする外貨呼び込みの構造がつくれるかどうかは、ここからの数年間にかかっているとも言えるでしょう。

――製造業など地方の基盤産業が崩壊しつつある中で、観光産業はその代わりになれるのか、という話ですね。しかし、観光やイベントなどで地方を盛り上げる地方創生は、言ってみれば、良くも悪くも意識高い系の好きな「サブカルチャー」のようなものです。だからこそ魅力的なプロジェクトも生まれたのかもしれませんが、その反面として期待されていた、もしくは喧伝されているような、その土地の経済構造を変えるようなインパクトのあったものがどれだけ存在したかというと、疑問に感じるところも多いと思うのですが。

井上 おっしゃる通りです。基盤産業の崩壊という構造的な問題から政府側が目を背けて、観光による地方創生を「サブカルチャー」として割り切ることができず、メインカルチャーに据えてしまった。

宮﨑 一時的なつなぎとして観光産業はあってもいいですが、井上さんがおっしゃるように、それはあくまでサブカルチャー。これからはメインカルチャーをどうつくるかを考える必要があるのだと思います。とはいえ、かつてのように製造業の会社が外からやってきて工場をつくり、良質な雇用を創出するというモデルは立ちゆかなくなっているのもまた事

KEYWORD #03

訪日観光客のビザ要件の緩和

第二次安倍政権は、2020年に向けて「年間訪日外国人数2000万人」を目標に掲げて観光立国実現を推進。その一環としてインドネシア、フィリピン、ベトナムにはじまり、インド、ブラジル、さらには中国など、訪日客増加に大きな効果の見込まれる国に対して、訪日観光客のビザ発給要件の緩和を進めた。

実です。少子高齢化により地方で働く人材が減少しているため、工場を建てても人が集まらなくなっていますし、そもそも工場が撤退するケースも増えています。

近年、産業政策の領域において「企業家としての国家」という概念が提唱されています。マリアナ・マッツカートという経済学者が代表的な論者で、国や地方自治体が前面に出て指揮を執るべきだという主張をしています。先ほどのイタリアの事例のように、地域の資源を生かして経済を循環させる仕組みを、地方自治体が主体となって協議することが提唱されている。

しかし、日本の地方はそうならなかった。『地域衰退』にも書きましたが、例えば私の地元の長野県須坂市に富士通の工場が出ていった際、市長は「あくまで行政は黒子だ」という立場で前面に出て対応しなかった。本来は、地方自治体も一緒にどうすべきかを考えなければならない状況だったと思うんです。地域のさまざまな主体が関わって、自分たちで地域産業を振興する方法を考える。市町村と都道府県のどちらの自治体レベルでやるかという問題はありますが、コンサルに任せるのではなくて、自分たちで考えなければ、いずれ地域は立ちゆかなくなるでしょう。

柳瀬 「観光」は、地方にとってサブではなく、十分メインになり得ると私は考えています。ただし、この場合の「観光」というのは、従来の「温泉地」や「海水浴場」的な観光の範疇ではありません。その土地その地域の地形と自然と歴史と文化そのものを商品化し、ブランディングする。農林水産業も、地元の伝統工芸も、場合によっては教育機関なども「観光業」の範疇に入る。要するにかけがえのない「地域ブランディング」です。

そのためには、長期的な視座を持った産業と観光資源の育成とブランディングが欠かせません。トスカーナや南プロヴァンスなど、欧州での地域ブランディ

KEYWORD #04

都市再生特別措置法（都市再生法）

2002年、バブル経済の崩壊に伴う土地不良債権の処理、不動産証券化の導入などによる不動産市場の回復を図る目的で、小泉純一郎政権下で制定。即効性を重視した都市計画事業法で、金融機関などの大規模事業者が主体となって推進する、首都圏や大都市圏の都心機能の高度化を主な目的としていた。

ングのストーリーは日本でも2000年代に流行したと思います。しかし、その後に日本が続けなかったのは、大きなビジョンを持った上での地域ブランディングができていない地方が多かったからではないでしょうか。

いま必要なのは、地方都市をつなぐ「商圏」の再構築だ

柳瀬 また、日本の場合、悪い意味で東京を中心とする鉄道を軸にした放射状の経済と社会構造が発達しすぎて、地方都市や郊外都市同士が、中核の東京を介さない、網の目状のネットワーク型の文化圏を形成できなかったことも問題です。これは、「国道16号線」沿いを取材すると痛感します。あくまでも東京を中心に考えているがゆえに、「街同士をつなげる動線をつくる」という発想がなく、地方都市同士をネットワーキングして相乗効果を生む「まちづくり」ができていない。たとえば、私が調査している国道16号線沿いには元気のいい街が並んでいますが、16号線というメジャーな国道でつながっているにもかかわらず「16号線沿線」でブランディングされていたり、一緒にまちづくりをしたりするというケースはあまりない。一方、首都圏や京阪神圏では、東急電鉄沿線や阪急電鉄沿線の街並みには連なりやネットワークがあり、独自のカルチャーが醸成されています。小林一三や渋沢栄一、五島慶太が鉄道でつくった放射状の鉄道都市、の構造だけがある一方で、江戸時代の街道のように国道などが街のネットワークに寄与できていないのです。

井上 東急電鉄沿線のまちづくりに影響を与えた、1898年出版のエベネザー・ハワードの『明日の田園都市』では、都心と郊外を結ぶだけでなく、郊外同士をつなげて有機的なネットワークを形成する「ソーシャル・シティ」の概念が提唱されています。しかし、東急、小田急、京急……こうした鉄道会社同士が競合となり、路線が都心から郊外へと放射状になりながら沿線まちづくりが進んだ東京では、郊外同士がお互いへの動線を作って相乗効果を生むような構造にならず、沿線に住む人々を都心へ移動させてそこで消費させるという動線だけになってしまった。

柳瀬 日本においては、経済問題、社会問題が、「東京と郊外」「中央と地方」という放射状をしています。ヨーロッパのように都市国家が並列して存在し、アウトバーンなどでネットワーキングされた網の目状をしていない。結果、都心部と郊外、東京とその他地方都市、という中央集権的な関係だけが残ってしまっている。

また1990年代から2000年代にかけて急速に進行したモータリゼーション、現在の地方都市間の関係性にも影響を与えていると思います。まちづくりの中心が鉄道の駅から、自動車で行ける場

所へと移動するという変化が全国で同時多発的に起こったんですね。地方都市や郊外都市の実質的な中心が駅前からエリアの幹線道路沿いに移った。結果として、駅前商店街ではなく郊外型巨大モールがまちづくりの主流となる時代が到来した。私の地元の浜松は人口約70万人の政令指定都市ですが、駅前の中心街は1990年代にさびれ、10年のタイムラグを経て2000年代に、駅から遠く離れた複数の幹線道路沿いにショッピングモールを核とした「街」が生まれています。首都圏近郊でいうと、小田原などでも同じで、駅から離れた古い街道沿いのショッピングモールが地元民の流通の拠点になっている。この構造が一気に可視化されたのが2000年代でした。

宮﨑　興味深いのは、こうした巨大モールの乱立が、製造業の衰退と大きく関わっていることです。2000年代以降に小売店舗の大規模化がはじまった際、広大な商業用地を取得しやすかったのは、「工場の跡地」だったケースが多いんです。地域産業が衰退して工場がなくなり、代わりに巨大モールが建設されたわけですね。小売販売員のように新しい雇用がそこで創出されるというメリットもあったのですが、郊外型モールの利益は基本的に本社のある都市部へと流出し、ますます地方経済が衰退する循環が強化されていったわけです。

井上　また、モータリゼーションの拡大により、地方都市の郊外での住宅開発も広がりましたよね。2000年代以降に国交省は「コンパクトシティをつくりたい」と言っていましたが、結局は人口減少下の地方でも、短期的な利益を求めて、土地が余っている郊外に新築分譲住宅がどんどん作られるという現象が起こってしまった。

宮﨑　子どもの頃に祖父母が農業をやっていた耕作放棄地に、綺麗な新築住宅がバンバン建ちはじめている、といった話

KEYWORD #05

国土の均衡ある発展

1962年に始まった、国土の有効利用や社会環境の整備に関する長期計画である「全総（全国総合開発計画）」にて掲げられたキーワード。当初「地域間の均衡ある発展」を目指して掲げられ、高度経済成長期以降、日本の国土開発における中心的な指針の一つとなった。公共事業を通じて地方にお金をばら撒く自民党の土建国家モデルの基盤になったと、本座談会においては指摘されている。

ですよね。

柳瀬　郊外のショッピングモールについては、誤解されている部分があるんです。まず、「郊外のショッピングモールによって駅前が衰退した」というのは、順番からいうと不正確です。浜松などが典型ですが、地方都市の駅前が衰退したのは1990年代前半のバブル崩壊から。一方、米国からの圧力で**大店法**（※6）が改正され、自動車の保有台数が一気に増えたのは1990年代半ば。モールが郊外の幹線道路沿いに多数進出するようになったのは90年代後半から2000年代にかけてです。自動車の保有台数が少なかった80年代までは、地方の人は不便でもエリアの中心である駅前に行くしか買い物する場所がなかった。他に選択肢がないから駅前に集まっていたわけです。そんな駅前商店街の多くが、バブル崩壊後の不景気で自壊した。2000年代にはすでに駅前の商店街はシャッター街になっていたわけですね。

――僕（宇野）は被災から数ヶ月後に石巻を訪れたのですが、そこでタクシーの運転手さんから「津波が来る前から、この街はもう死んでいたんだ」と言われたことを思い出しました。当時から「復興」が単なる被災前の「復旧」ではいけないという議論はあったはずだと思うのですが、2011年以降の「震災復興」から「地方創生」に至るスローガンは、結果的に、地方を沈没させた構造的な欠陥から目を逸らさせる役割を担ってしまったということでしょうか。

井上　そう思います。震災が起こる前から、地方はすでに非常事態だったんですよ。衰退の歯止めがきかない状態に陥っていた。その現状を、「震災復興」のドサクサに紛れてはじまった**国土強靭化基本計画**（※7）や、より頑なな土建政策などのバラマキによって覆い隠したと言えるでしょう。そうした復興の現場で起きていたのは、「地方分権」への〝諦め感〟です。1999年に成立した地方分権一

KEYWORD #06

大店法

中小小売業者の保護を目的として、1973年に制定された法律。大規模小売店舗法。スーパーなどの大規模小売店舗の出店を調整――事実上の規制――するものだった。しかし、1980年代以降、輸入品を多く販売する大型店への市場開放を求めるアメリカからの圧力が強まると、1990年代以降は出店規制を緩和する方向性での改正へと舵切り。いわゆる「ロードサイドの大型ショッピングモール」が日本国内で急増するようになった。

括法により、まちづくりの権限などを地方自治体に委譲する形で地方分権を進めてきたのですが、被災地では、復興プランの作成やまちづくりを自治体に任せたところ、進まなかったんです。一方で、津波の被害を繰り返さないためにと、景観を破壊する巨大な防潮堤や河川の「三面コンクリート張り」化が進んだ。国交省の役人が「そこまでやらなくても」と思うような工事が進んでいったわけです。震災のドサクサに紛れた、公共事業によるバラマキの復活です。宮崎さんの『地方衰退』の中で、地方の衰退を止める方法として「規模の経済の論理から脱して、範囲の経済へと移行すること」が提案されていましたが、まさにそれに失敗したというわけです。本来は産業構造の転換に合わせて、地方でもサービス業を育てなければならなかった。

それができなかった理由は、柳瀬さんが先述した東京と「その他の地方都市」という関係性のように、地域同士のネットワークが弱かったからだと思います。地域ごとに商圏を確保すれば、BtoB向けのサービス業という、今世紀になって大都市圏で伸びた産業を地方でも育てることができたかもしれません。イタリアは80年代以降にそれを一生懸命やってきたんです。自治体の枠を超えた経済圏を作り、ブランディングする。そこにスローフード運動も加わって、農林水産物やその加工品が地域の中で消費される流れができる。地域でお金を回す仕組みをつくる一方で、そこに観光を組み合わせて外貨を獲得できるようにする。このムーブメントを、建築史家の陣内秀信先生が『イタリアのテリトーリオ戦略：甦る都市と農村の交流』（白桃書房、2022）という本にまとめていますが、テリトーリオとは、都市も田舎もひっくるめて一つの商圏とする考え方ですね。

しかし、この考え方の実現を阻む障壁がいくつかあります。まず、基本的に公共交通は基礎自治体単位で最適化されるため、自治体に任せておくと、商圏をベースに最適化された交通網を作るのが難しいことが挙げられます。基本的に隣接する自治体同士は仲が悪く、お互いの関係性が分断されがちなことも障壁になっています。

柳瀬　隣り合った自治体同士がネットワークのあり方を見直し、ひとつの「商圏」を形成することで生まれるビジネスチャンスはたくさんあると思います。瀬戸内海では香川県の直島にコロナ禍直前は70万人の島外客が訪れていました。この直島の入り口・宇野港があるのは岡山県玉野市です。一方、直島は香川県。直島に行く人の大半は新幹線で岡山駅まで行き、在来線で玉野の宇野港に向かい、そこから船で直島に渡ります。玉野市は、鉄道と船のターミナルなんですね。ところが、実際に宇野港を訪れると、閑散としている。港にはたくさんの海外からの旅行客がいるのですが、カフェも買い物エリアもほとんどないのでコンビニで飲み物を買って、駅のベンチに座っているだけ。ワゴン車でカフェやご飯屋さんを

出したら、それだけで大賑わいになりそうなのですが。自治体が違うだけで、せっかくの目の前のビジネスチャンスを何もしないで逃している。人の流れを見ていない。こういったケースが地方には散見されるので、横の都市間をつなぐ商圏の考え方はやはり大事だと思いますね。

井上　イタリアでも隣接する自治体同士は基本的に仲が悪いですが、それでも協力しあう体制をつくれたのは「このままじゃダメだ」という危機感を共有できたからだといいます。黒船のような大きな危機が、自治体の枠を超えたつながりを生み、経済が変わる流れを起こしたわけです。一方で日本の現状はというと、既存の枠を超える動きを自ら作ろうとはせず、東京から送られる地域おこし協力隊や地方創生コンサルティングを手掛ける企業に任せるだけ。いずれも自分たちの懐を痛めずに一発逆転のホームランを狙っている形だからうまくいくわけがない。そういう中で補助金に頼りながら事業を立ち上げ、中途半端な社会起業家を大量に生み出すような歪んだ経済構造が生まれているわけです。

「豊かな地方」という幻想を捨て、〝豊かな30万都市〟を目指す

――ここまで議論してきた見取り図をまとめると、国からの「バラマキ」に「頼った」土建と、20世紀的な製造業を中心とした地方産業の「発展」モデルはバブル崩壊とともに終わった、インバウンドや地方創生も基本的に一時的なカンフル剤である、となるでしょうか。そうなると、次世代の地方のモデルとしては、どのようなかたちがあり得ると思いますか？

宮﨑　次の基盤産業を考える、ということですよね。それだけで本が一冊書けるくらい難しい問いですが……情報産業は大都市中心ですし、いくつもの地域に外資系の半導体の工場を誘致するのも難しい。いま言えることとしては、エネルギーや食品加工など、自分たちができることをやるしかない、ということくらいです。行政主導で産業政策の試行錯誤をしていくべきだとは思いますし、そう主張しているのが先に触れた「企業家としての国家」論なのですが、そもそも地方自治体にその能力があるのか、という問題もあるでしょう。

井上　私が理想だと考えているのは、東京に集積している情報産業が地方に分散して、東京の代理店を通さずに地方で仕事を回していくモデルです。編集やデザインなど付加価値をつくるような事業を手がける会社が各地域に分散し、その地域内にある一次産業や〝手仕事〟系の企業から仕事を受注し、地域内でものづくりが完結する体制を敷く。そうすれば、地域内で仕事が循環して経済が膨らむはずです。

ただ同時に思うのは、もしかするとそもそも、「地域ごとに基盤産業がある」

という考え方がファンタジーなのかもしれないということ。地域産業を再び盛り上げて「高度経済期に戻ろう」という考え方には明らかに無理がありますし、「どんな地方都市も福岡のように活気ある大都市になれる」という考え方も現実的ではありません。

柳瀬　ある特定の世代には「地方はもう一度『昔のように』豊かにならなければならない」という共同幻想が強く根付いているのだと思います。それを裏付ける証拠として、1950年代の「キネマ旬報」の誌面の「新・盛り場風土記」という連載がある。地方都市の盛り場のルポが毎号載っているんですが、どんな地方都市の駅前にも賑わいがある。たとえば青森の八戸にはかつて映画館が10軒もあったそうです。1953年にテレビ放送がはじまる前は、全国各地の人口10～20万の地方都市そのものにそれぞれ独自の街のメディア、映画館や劇場があった。駅前の「〇〇銀座」を中心に映画館や地方新聞の本社があり、盛り場が栄えていたんですね。これはしかしテレビ誕生の前の風景であり、自動車が普及する前の風景であり、インターネットが普及する前の風景です。「地方創生」という言葉を考えるときに重要なポイントは、いま70代以上の方々は、青春時代の10代前半をそうした世界観で過ごしていたということ。だから、キネマ旬報に描かれるテレビでつながる前の地方のイメージを再現しようとする。しかし、それがそもそもの間違いなのかもしれません。

井上　おっしゃる通り、団塊の世代やその上の世代の「発展」への幻想が、さまざまなものをおかしくしている事例は少なくないと思います。そうではなく、例えばドイツやイタリアの地方都市のように、数十万人規模の都市を形成し、そこで文化的に豊かに楽しく暮らせる構造をつくる方向性で考えることが必要なのではないでしょうか。

KEYWORD #07

国土強靭化基本計画

2011年の東日本大震災の教訓として、インフラ整備などのハード対策、わかりやすい防災情報の発信や避難訓練などのソフト対策を組み合わせた総合的な対策の必要性が認識されたことを背景に、政府によって推進されている計画。大規模自然災害に対応する「強さとしなやかさ」を備えた国土、経済システムの構築を目指し、防災・減災施策やインフラメンテナンスが進められている。

柳瀬　誰もが名前を知っているようなヨーロッパの有名な都市は、人口が100万人に満たない街が多いですからね。たとえばドイツのハノーファーのように、その規模の街でも東京や日本の地方中核都市よりも立派な石づくりの建物やオペラの会場が当たり前にあります。

井上　ドイツでは「人口30万人以上に都市を大きくしない」という不文律があるのだと現地の方から聞いたことがあります。そのサイズを超えてしまうと、市民による街の自治がきかなくなり、街がだんだん汚れてくるそうです。

柳瀬　10万人規模の細かく分かれた単位で都市を考えず、かといって100万都市は目指さず、たとえば30万人ごとの商圏を構想する。そのとき重要なのは、江戸時代のような街道で街同士をつなぐ道路の動線と、デジタルテクノロジーを活かしたまちづくりだと思います。現代では、みんながスマートフォンを持ち、インターネットに接続できる状態ですよね。かつ、地方では自動車が圧倒的に交通手段の主流であり続けます。さらにこれからは自動運転やドローンのような技術も発達するでしょう。そう考えれば、かつての藩ぐらいのサイズで街を再検討した方が、経済的にもうまく回るのではないかと思うんです。

井上　柳瀬さんは岸由二先生の思想を継いで「流域思考」の研究や実践に取り組んでこられたそうですが、藩の境界として流域は大きな役割を持ってきました。こうした「水路」をベースにした思想も、いまこそ地方社会は再検討すべきだと思います。現在の高速道路や新幹線などを中心とする動線は、せいぜいここ100年未満の歴史しかありません。江戸時代まで遡り、川の上下流でモノや人の動線が生まれていた時代を思い出すと、元々の地域のネットワークのあり方が見えてくる。日本には海民の文化がありました。瀬戸内なんかも海から見ると全然違うものに見えてくる。水運や海に着目すれば、日本人と国土のオルタナティブなあり方が見えてくるかもしれません。

「コロナで地方の時代が来る」という虚構を乗り越える

――最後に直近数年の地方のまちづくりの動きと今後の見通しについて、みなさんの考えをお話しいただけますか？

井上　「コロナ禍以降は地方の時代が来る」と語る人もいましたが、私はそれは間違いだと思います。みなさんの周りにもコロナ禍をきっかけに移住した人がいるかもしれませんが、マクロなデータを見ると移住ブームが起きているわけではなく、むしろ結局は東京周辺に人口が集まっています。コロナ禍で地方経済が立ち直れないほどガタガタになった地域も多いので、この傾向はしばらく変わらないでしょう。

柳瀬　コロナ禍での人の動きを注視すると2種類あって、ごっちゃに語られています。一つは、首都圏から地方へ移住して、リモートワークするという動き。こちらは限定的でした。一方で、首都圏や京阪神、福岡などで今も継続的に起こっているのは、中核都市の都市部から郊外へ周辺へと分散して移住する流れ。これは子育て世代を中心に継続しています。16号線エリアを調査してデータを見てもはっきりわかるのは、コロナ禍以前も最中も以降も、継続的に子育て世代人口が増えているのは、都心ではない。柏、流山、印西、木更津、八王子、町田などはずっと人口が増えています。実際に、子どもが多くて活気に溢れていますよね。また、物理的な距離ではなく交通手段を活用した時間的な距離が近くて魅力的な街には、首都圏からの移動は続いています。飛行機ですぐに行き来できる福岡や新幹線で1時間ほどでの通勤も可能な軽井沢、熱海などは、不動産価格もどんどん上昇しています。交通手段とインターネット。二つのレイヤーを重ねたうえで便利で住みたくなる場所。それは必ずしも、東京の中心ではなく、東京の「郊外」都市。福岡も、軽井沢も、ある意味で東京の新・郊外都市という側面がある。こうした「適度な東京周辺の都市」に地元の文化や自然や歴史と、東京的なものが混じり合って、新しいカルチャーが生まれて、面白くなっていく時代が来ている、と思いますね。

宮崎　コロナ禍以降の2020年代は、オフィスやアミューズメントが充実している、かつ子育て支援策が充実している大都市周辺の郊外に、暮らしやすさを求めて子育て世代が移住する流れが続いていますよね。これは東京だけでなく、神戸市に対する明石市の立ち位置なども同じでしょう。

その反面、基盤産業がない地方では今後も厳しい状況が続くと思います。無理矢理にでも観光で盛り上げようとすると、その利益を嗅ぎつけた都市部から人がやってきて、地方経済を本質的に再興させる施策からは程遠い、表面的な施策が繰り返されてしまう。この構造をいかに乗り越えるかは、やはり今後の課題になってくるのだと思います。

井上　ただ、先ほど私は「地方はもう終わっている」的な話をしましたが、実はこれからまだまだ面白くなると思っているんです。これまでの「規模の経済」で回っていた工業化の時代は、いわば「群れて集団の力で戦う」時代で、「製造業で一生懸命に工場生産すれば豊かになれる」という世界観が支配的でしたが、ようやくそれが終わるのだと思っています。次の時代は、網野善彦が語る「海の民」「山の民」のような、狩猟採集的な個人の力が重視される世界観に戻るのではないでしょうか。「群れの時代の終わり」と積極的に捉えれば、人口減少もポジティブに認識して、新しい国土論や社会論を展開できるはず。海に囲まれて山の豊かな資源もある日本列島の地理性を

活かして、うまく自然資源をブランディングに結びつけることで、富を生み出していく構図が今後の主流になると思います。

柳瀬　最近、日本のブランド果実の種子や苗木が持ち出され、中国や韓国などで量産される問題が起きています。中でもぶどうのシャインマスカットは、すでに韓国産が日本産の数倍流通しています。種子や苗木さえ手に入れてしまえば、コピーし放題。「産地」でブランディングしているわけではないので、世界のどこでも日本で苦労して開発したブランド果実を生産できてしまう。どうすればいいか。一つの方法は、ブランドの概念を「品種」だけではなく、「生産地」「生産農家」「生産方法」まで広げることです。茨城に一本５０００円から5万円のレンコンを生産する野口憲一さんという先進的な農家があります。野口さんのレンコンは贈答需要から一流レストランなどで引っ張りだこなんですが、このレンコンのブランディングは、野口さん自身と彼の蓮田で育てることでブランディングされている。5万円のレンコンを別のところで育てても、野口さんのレンコンにはならないわけです。土地や生産者のブランドに紐づいた農業生産品は、より高い価値を持つ。そう考えれば、ブランド化を指向する農産物はファッションブランドと一緒とも言えるでしょう。ジョルジオ・アルマーニ、グッチ、カルティエ、ディオール。これらはすべてもともと個人や家の名前です。農産品でいえば、ワインやシャンパンなどは、全部個人名と場所と生産方法がセットではじめてブランドとなり得ます。「シャトー」などの名前がつくヨーロッパのワインは、個人名と場所が紐づいて桁違いのお金を生むブランドになっているんです。

観光産業も同様です。地域内で協力して、その地域に桁違いの個人ブランドを生み出す。そして、そのＩＰを持つ生産者やデザイナーを機軸に、地方創生や地域のビジネスをマーケティングしながら展開する……この動きがうまくいけば、今後も一気に豊かになる地域が生まれる可能性があります。少なくともイタリアやフランスやスペインは、村をブランディングして豊かになったのですから。スペイン・バスク地方のサン・セバスチャンは、世界一グルメな街として知られてますが、人口は20万人未満です。マドリッドからもバルセロナからも遠い。東京以外の地域が苦しくなる時代が来たとしても、日本の観光産業にはまだまだ余力があり、伸びしろが十二分にあります。現状に向き合った上で、自分たちの地域の地形や自然や歴史といったかけがえのない価値を再認識し、継続的にその魅力を地域の人と外から来た人とで商品化し、ブランディングを推進していければ、地方にもきっと明るい未来が訪れるはずです。いま私たちは、その分岐点に立たされているのだと思います。

DISCUSSION

川田十夢×山縣良和

「そこにある植木鉢」のように風景から東京を変革するための方法

川田 十夢 TOM KAWADA

10年間のメーカー勤務で特許開発に従事したあと、2009年から開発ユニットAR三兄弟の長男として活動。芸能から芸術、プラネタリウムから美術館、六本木ヒルズから日本橋に至るまであらゆる領域を拡張している。J-WAVE『INNOVATION WORLD』が放送中、開発密着ドキュメンタリー『AR三兄弟の素晴らしきこの世界』がBSフジでたまに放送。WIREDで巻末連載、書籍に『拡張現実的』『AR三兄弟の企画書』。

山縣 良和 YOSHIKAZU YAMAGATA

writtenafterwards代表coconogacco代表。1980年鳥取生まれ。2005年セントラル・セント・マーチンズ美術大学ファッションデザイン学科ウィメンズウェアコースを卒業。2007年4月自身のブランド「writtenafterwards（リトゥンアフターワーズ）」を設立。2015年日本人として初めてLVMH Prizeにノミネート。デザイナーとしての活動のかたわら、ファッション表現の実験と学びの場として「coconogacco」を主宰。2019年にはThe Business of Fashionが主催するBOF 500に選出。2021年第39回毎日ファッション大賞鯨岡阿美子賞を受賞。

都市開発、国土開発、オリンピック、コミュニティ……東京のまちづくりについての議論では、システムや人といった観点から検討がなされることが主流でしょう。しかし、この対談では「風景」という少し変わった視点から、東京という都市について考えます。

東京という街の風景は、いかにして変わっていくべきなのか。ユーモラスなアプローチでテックの敷居を下げ、アートとエンタテインメントの間隙をつく開発ユニット「AR三兄弟」長男の川田十夢さんと、都市や生命といったマクロな系との循環的な関係の中でファッションを捉え、さまざまな実験的な試みを続ける「writtenafterwards」、またファッションの学びと実験の場である「coconogacco」代表の教育者でありファッションデザイナーの山縣良和さんの2人が、テクノロジーの進化によって都市における身体感覚が変わりつつある現状も踏まえて、これからの東京の「風景」について議論しました。

■聞き手―宇野常寛

■構成――鷲尾諒太郎

「都市の解像度が上がった」いま、いかにして街にデジタルのレイヤーを重ねるか

——この対談では「風景」という視点から、メディア論的に東京のまちづくりについて議論していきたいです。お二人の共通点といえば、2021年に開催された「東京ビエンナーレ2020／2021」に共に参加し、川田さんはAR三兄弟として、身体に経験を宿した人間の動きとフォルムをデジタル化して東京に配置するAR作品「都市と経験のスケール」を、山縣さんは江戸時代まで御茶ノ水周辺に存在していた神田山をARで再出現させる「Small Mountain in Tokyo」を制作・発表しました。2021年当時から約2年が経ち、社会的な状況もかなり変化したのではないかと思いますが、東京ビエンナーレでの経験も踏まえつつ、お二人に「都市とアート」について聞いてみたいと思っています。

川田　「都市とアート」というテーマにおいて、2021年から2023年の間に起こった変化としてまず挙げられるのは、データインフラが整ったことによって「都市の解像度が上がったこと」ではないでしょうか。たとえば、国土交通省が主導する、日本全国の3D都市モデルの整備・活用・オープンデータ化を目的とした「PLATEAU（プラトー）」というプロジェクトがあります。プロジェクト自体は2020年からはじまっているのですが、ここ数年でかなりデータの整備が進んだ印象があり、このデータを活用すれば都市を生かした、よりダイナミックな作品がつくれるのではないかと思っています。僕は東京ビエンナーレ2020／2021では、山縣さんのプロジェクト「Small Mountain in Tokyo」の開発を担当し、共に「東京で山を見上げる」という体験を提供しましたが、今であれば、さらに「大いなるものを見上げる」体験を提供できる気がしますね。たとえば、東京を舞台に巨人がモデルとなるファッションショーをやってみるとか。

山縣　面白いですね。僕はファッションブランド「writtenafterwards」を立ち上げてから、何度か神様をテーマにしたファッションショーをつくってきました。西洋において、神様はある意味でアンタッチャブルな存在だからなのか、神様をテーマにしたファッションショーって、僕が知る限りではほとんどないんです。日本で生まれ育ち、「西洋的ではない感覚」を持っている僕だからこそできる表現があるのではないかと思って、神様をテーマにしたショーを何度か開催してきました。たとえば、2012年には「七服神」というテーマのコレクションを発表しましたが、その発展型として、『進撃の巨人』に登場する巨人

「Small Mountain in Tokyo」
東京ビエンナーレ 2020/2021 にて発表。2021 年の夏に、江戸時代に消えてしまった神田山をまずは AR によって再出現させる試み(アーティスト:山縣良和、開発:AR 三兄弟)

たちのような〝大きな存在〟をモデルにファッションショーをやってみるというアイデアはとても面白いと思います。

川田　「何を巨大化するか」あるいは「矮小化するか」というテーマには、その時代時代の「いま」が反映される気がするんですよね。技術的な進歩も影響するでしょうし、神様との向き合い方も、時間の流れと共に変化していると思うんです。それにファッションはその名の通り、その時代の流行を映し出すもの。そういった意味で、巨大な神様をモデルとしたファッションショーをやってみるのは面白いのではないかと思います。

あとは最近、アクリルスタンドとARを組み合わせた作品を発表したところ、とてもバズったんですよね。カメラを通して見ると、アクリルスタンドから人がぐにゅーっと出てきたり、戻っていったりする作品なのですが、この作品に対する反響が予想以上に大きかった。「なぜこの作品だけこんなに話題になったのだろう」と考えている中で思い至ったのが、「これまでのAR作品は『質感』にこだわっていなかった」ということなんです。ARで表現されるものには、アクリル樹脂のようなぐにゃっとした質感が宿っていると思うのですが、その質感のことがあまり考えられてこなかった。だからこそ、アクリルスタンドという対象と、ARの質感がマッチしたからこの作品が、大きな話題

になったのではないかと思いました。ARとは「Augmented Reality」の略語であり「拡張現実」を意味しますが、もしかするとこれまで僕は「現実」をなかば無視していたのではないかと。現実の質感を丁寧に拡張することが、大きなインパクトを与えることにつながるのではないかなと感じたんですよね。

山縣　ファッションにおいても、「質感」はとても重要なテーマだと思います。これまでデジタル上では布の質感をうまく表現できませんでしたが、この1〜2年でテクノロジーが進化し、かなり表現が豊かになってきていて、この変化を取り入れた表現も増えています。たとえば、イギリスのファッションデザイナーであるマルセラ・バルターレテの作品。この人はトランスジェンダーで、元々はリアルな服のデザイナーだったのですが、「男性用」や「女性用」の服をつくることに違和感を持ったことを理由に、表現の場をデジタルに移しました。そして、デジタルな人間——といっても、男性とも女性とも言えない〝人間〟ですが——を用いた『A Journey of Digital Introspection and Relief』という映像作品を2021年に発表したんです。

これまでファッションも含めた身体表現、あるいは身体拡張は、「現実的な身体」にとらわれていたのではないかと思います。デジタルで身体や衣服の質感を表現するには限界があったから、どうしても現実的な身体をもって表現せざるを得なかったわけです。しかし、技術が進歩し、デジタル上でリアルな質感を表現できるようになったことによって、身体表現は「身体性」から解き放たれることになった。そして、バルターレテは先ほど挙げた映像作品を指して「この作品は、ある種のセラピーとして存在している」と言っているんです。

川田　デジタルの力を利用して身体を拡張し「いつもと違う自分」になるということ、ないしはそんな自分を想像することが「癒やし」になる可能性は大いにあると思います。現実には存在しないような、あるいは存在したとしても絶対に身につけられないマテリアルの服のNFTを購入するカルチャーができつつあると思うんですよね。

僕自身、実際に着ることができない、よくわからない素材でできたダウンジャケットのNFTを買ったことがあります。実際に着られない服を欲しいと思ったこと自体が面白いなと思って、買ってみたんです。それを購入してみて思ったのは、そういったアイテムを持っていることを誇示するわけではないけれど、他者から「あ、こういうものが好きな人なんだな」とわかる空間があったらいいなということ。僕自身もさまざまな自治体などからまちづくりに関する相談を受ける中で、物理的なものをつくるのには限界

があることを感じています。だから、現実世界にデジタルのレイヤーを重ねていくことがまちづくりにおける一つの選択肢になると思っているんです。「デジタルの価値を輝かせる街を、どうつくるか」は、まちづくりにおける重要なテーマだと思いますね。

「変身できる」都市を設計したい

山縣　僕は「デジタルの力を活用して『変身』できる都市」の可能性について考えてみたいなと思っているんです。日本におけるファッションは、「人間以外のものをまとうこと」から発達していると言われています。西洋における衣服というのは、理想のシェイプを持った身体、言い換えれば「身体のイデア」があり、それを取り巻くものとしてデザインされている一方、日本の衣服は人間の身体から離れてデザインされている。つまり、衣服のシェイプが人間のそれから逸脱しているわけですね。さまざまな動物、あるいは妖怪の類いのような「人ならざるもの」をまとうという発想から、そういったシェイプを持つ衣服が発達したと言われていて、この発想はいまや世界中のデザイナーに影響を与えています。

日本の衣服は、ある意味で人を「変身」させるものでもあるわけですよね。この考え方を、デジタルにも持ち込むことができるのではないかと考えているんです。つまり、川田さんが言ったように、現実の都市にデジタルというレイヤーを重ねることができれば、人々は現実の身体という制約から解き放たれ、デジタル空間で日常的に「変身」できるのではないかと。そういった「変身性が高い都市」があり得ると思うんですよね。

また、そういった都市を考える上でも「質感」が重要な要素になる。「Kemocon」という海外発祥のイベントがあって、そのコンセプトを簡単に表現すると「みんなでケモノになる」というもの。実在の動物や、動物をモチーフにした想像上のキャラクターの着ぐるみを着て、人としての素性は明かさず、参加者同士の交流を楽しむイベントなのですが、ここで大事になるのが、着ぐるみの「毛」なんです。普段、僕たちの身体は空気なども含めた「外部」と常に触れ合っていますよね。ところが、着ぐるみを着ると、身体と外部との間に距離が生まれる。この「間」の存在によって、自己を解放できると言われています。そして、その距離を生み出す着ぐるみを覆う毛の質感がリアルであればあるほど、普段の自分との距離感が生まれ、「変身実感」が得られるといった話を聞いたことがあるんです。

こういったことが、デジタル上でも実現できるのではないかと考えています。最近ではメタバースが登場し、デジタル空間に身を置くことができるようになりました。「自

「都市と経験のスケール」
東京ビエンナーレ 2020/2021 にて発表。身体に経験を宿した人間の動きとフォルムをデジタル化し、東京に配置。持ち主とは異なる動きと身体を交錯させることで、都市と経験のスケールを図るし、測る（アーティスト・開発：AR 三兄弟、協力：THEATRE for ALL）

分自身のままデジタル空間に存在したいか」と問うと、「自分自身ではない方がいい」と答える人は多いと思います。まだ答えは出ていないのですが、デジタル上でKemoconにおける着ぐるみの毛のように、「現実世界の自分」との距離を生み出し、変身をもたらす何かがあり得ると思っているんですよね。

川田　仮面ライダーって、変身した後も変身ベルトを着けているじゃないですか。変身ベルトの存在が、仮面ライダーに変身するその人に、「変身後も自分は自分だ」という保証を与えているようにも思えるんですよね。つまり、自己同一性の根拠になっている。現実世界におけるデジタル上での「変身」においても、そういったアイテムが重要なのではないかと考えています。そのアイテムを持っていることによって、デジタル空間でメタモルフォーゼできるし、現実世界で「自分」に戻ることもできる。そんなアイテムと、そのアイテムが機能する都市、ないしは都市の中の一空間が必要になるのではないかと。

2022年にソニーが「mocopi」というモバイルモーションキャプチャーを発売したんですよね。スマホと連携し、簡単にモーションキャプチャーを利用した動画を収録できるプロダクトで、その価格は約5万円と、これまでのモーションセンサーとは比較にならないほどの安さなんです。リアルな身体と仮想の身体を同期させるためのコストを、大きく下げたと言ってもいいでしょう。もし、これがさらに小型化し、ボタンやアップリケのようなファッションアイテムの一部になったとしたら、現実の身体と仮想の身体が一気に近づくことになるのではないかと思っているんです。

僕も実際にmocopiを付けさせてもらい、自分の身体の動きと女の子のキャラクターの動きを同期させてみたら、ちょっと現実の身体の挙動が少し変わったんですよね。少し女性らしく振る舞おうとする自分がいて。この体験をしたとき、現実世界の「自分」という人格を離れ、仮想世界で「別の自分」になることのハードルはかなり下がっているし、その「変身」に必要な時間もかなり短くなっていると感じました。まだ都市の中では「自分」と「別の自分」を自由に行き来することはできませんが、もし、何らかの技術によって「変身」が可視化され、別の自分としても生きられる都市や空間があったら行ってみたいなと思いますね。

山縣　ジェンダー間に存在する壁を、都市とデジタルの力を利用することで乗り越えられる可能性はあると思っています。先日、ファッションデザインを学ぶためにロンドンの大学に留学していた学生と話す機会があったんです。そ

の学生いわく「クラスのほとんど全員がLGBTQで、その空間にいたら自分のジェンダーもよくわからなくなってしまった」と。その感覚はすごくよくわかるんです。僕自身、かつてジョン・ガリアーノの下で働いていた時期があって、彼は男性や女性、あるいはLGBTQといったジェンダーに関するカテゴライズを拒絶し、「男性のための服」と「女性のための服」の垣根を越えるようなデザインをしていました。彼の下で働いたのは短い期間だったので、僕自身、決定的な変化があったわけではありませんが、僕も自分のジェンダーがよくわからなくなる感覚をたしかに覚えたんです。

つまり、ジェンダーに関するカテゴリーが否定され、それらが曖昧に表象される環境や空間に身を置くことによって、自分自身も知らなかった「新たな自分」を知ることは大いにあり得るし、多くの人のジェンダー観を大きく変える可能性がある。先ほど、川田さんが言った「リアルとデジタルが交差し、『変身』が可能な都市」は、そういった可能性を秘めたアイデアなのではないかと思うんですよね。

川田　ジェンダーに限らず、ありとあらゆるカテゴリーから自由になれる空間を備えた都市を設計できれば、とても面白いと思うんですよね。さまざまなテクノロジーと、ファッションをうまく組み合わせることで、それができるのではないでしょうか。

山縣　衣服は自らの振る舞いを変える装置でもありますからね。和服を着ているときと、洋服を着ているときでは所作は全然違いますし、「カテゴリーから自由になれる空間」というアイデアも、衣服が持つそういった作用の延長線上にあるような気がします。

東京を変えるための「皇居開放計画」

――ここまでの都市空間と身体に関する議論も踏まえて、日本で最も大きな都市である「東京」のこれからについても、お二人の意見を聞いてみたいと思います。

山縣　僕は鳥取県の出身で、東京に住んでいるのはのべ10年ほどなのですが、その間ずっと自分にフィットする街を探し続けている感覚があるんですよね。今は谷中近辺で落ち着いているのですが、なぜここに落ち着いたんだろうと考えたことがあって、そのときに思い至ったのは「歴史との接続性があるから」という理由でした。谷中あたりは空襲を免れた土地なので、昔の町並みがそのまま残っているんですよね。大きな寺や神社、霊園も残っており、歴史と

のつながりを感じられるからこそ、落ち着きを感じられるのではないかと。

僕が東京ビエンナーレ2020／2021で発表した「Small Mountain in Tokyo」も、ある意味では現在の都市とそこに眠る歴史をつなぐためのプロジェクトです。さらに言えば、都市に高低差を取り戻すためのプロジェクトでもある。思想家の中沢新一さんが、「東京」の成り立ちを紐解いた『アースダイバー』（講談社、2005）の中で、「土地の高低差があるからこそ、立ち上がるものがある」といった趣旨のことを指摘しています。僕も谷中を歩いている中で、高いところと低いところがあるからこそ、街に輪郭が生まれるのではないかと感じたんですよね。神田山を蘇らせた「Small Mountain in Tokyo」は、都市にとっての高低差の意味を再考するためのプロジェクトでもあったんです。

また、これは少し違う話ではあるのですが、僕がロンドンで生活をしている中でいいなと思っていたのが、緑がたくさんあるところ。同じ大都市ではありますが、街を歩いていて視界に占める緑の割合が東京とは大きく違うと感じていました。東京の街を歩いていると、あまり緑を感じることがないじゃないですか。都市として、そこをなんとかしなければならないような気がするんですよね。

川田　たしかにそうですよね。個人的には、「土地に占める緑の割合を何パーセントに保たなければならない」といったような形で、開発のルールを決めるべきなのかなと思います。都市開発を進める中で森林を伐採するなら、別の場所に伐採した分と同じ面積の森をつくらなければならないとか。

山縣　そういえば、兄にロンドンの緑の多さについて話をしたとき、こんなことを言っていました。僕が「あれだけの大都市のど真ん中に、ハイド・パークやセント・ジェームズ・パークがあって、市民の日常の中に公園が自然に入り込んでいるのがすごい」と言うと、兄が「いやいや、東京の真ん中にも大きな緑があるじゃないか」と。

つまり、皇居のことですよね。たしかに、航空写真を見ると、東京のど真ん中は森なんです。そこは都市としてすごく面白いと思いますし、「都市の真ん中に大きな森がある」という意味ではロンドンと同じなのですが、生活を送る中でその緑の存在を感じるかと言うとそうではない。なぜかというと、ロンドンの公園は「ひらいていて」、皇居は「閉じている」。皇居だけではありません。東京には新宿御苑や代々木公園といった大きな公園がありますが、いずれもどこからでも入れるわけではなく、入り口が決まっているじゃないですか。だから日常との接続性が弱く、意識的に「公園に行こう」と思わなければ、そこに入ること

はないと思うんですよね。

一方、ロンドンの公園は基本的にどこからでも出入りできるようになっているので、日常生活を送る中で自然に足を踏み入れることができて、いつの間にか足が公園に向いていることがしばしばあるんですよ。同じ「大都市の真ん中にある緑」でも、「閉じている」限り、日常生活と接続したものにならないのではないでしょうか。比喩的に言えば、ど真ん中にある皇居が開放されたら、東京は大きく変わるのではないかと思うんです。

——僕（宇野）も比喩的に言えば、皇居を開放することが東京を最も大きく変える方法だと思っています。もちろん、皇居は天皇をはじめとする皇族のみなさまのお住まいなので、現実的には難しいとは思いますが、「都市の真ん中にある大きな緑地に、どこからでもアクセスできるようにする」という発想は有効なはずです。

山縣　イギリス王室は「開かれた王室」と呼ばれているじゃないですか。もちろん、そのままイギリス流を取り入れるべきだとは言いませんが、日本流の「開かれた皇室」を考えてみてもいいのかもしれませんね。

——もっとシンプルに、「皇居が市民に開放されたときの東京」をイメージさせるようなバーチャルアートがあってもいいのかもしれませんね。たとえば、XRを活用した「皇居散歩」とか。セキュリティ上、撮影してはならないところはたくさんあると思いますが、そういったエリアを避けてドローンで森や池を撮影し、その映像をベースにバーチャルな皇居を自由に歩き回れるようにするイメージです。

川田　それは面白そうですね。XRを活用して皇居を〝開放〟することから東京が変わっていくかもしれない。

山縣　ファッションって、空間と連動して生まれ、変化していくものなんですよね。だから、もしバーチャルだとしても皇居が〝開放〟され、多くの人が自由に巨大な緑地にアクセスできるようになったら、ファッションも変わっていく可能性は十分にあると思います。それに、皇居の敷地では養蚕や稲作が行われているじゃないですか。たとえば、都心に水田が広がり、日常生活と「自らが口にするかもしれないもの」が隣接するようになると、食に対する意識も変わるのではないでしょうか。皇居を開放することは、緑だけではなく、皇居の中で行われている行為そのものを都市に広げることになるかもしれない。そういった意味でも、皇居開放には大きな可能性があると思います。

「そこにある植木鉢」のように、都市を変容させる

川田　先ほど話題に上った新宿御苑って、環境省が管理しているんですよね。そして、山縣さんが指摘したように「閉じた」公園になっている。あるアニメーション監督が、新宿御苑を舞台にした映画作品を発表したとき、作品に対して大きな反響があり、舞台となった新宿御苑も大きくフィーチャーされ、聖地として多くのファンが訪れるようになりました。そのことに対して、管理をしている環境省からお礼を言われるかと思ったら、「御苑の名前を出してくれるな」的なクレームがあったらしいんですよ。その監督さんもうっかり、ちゃんと許可を取っていなかったらしいんですけど（笑）。

ただ、ようやく最近になって御苑側が聖地であることを認めて、積極的に聖地巡礼を受け入れるようになったそうです。これは、アートあるいはエンターテインメントをテコにした、一つの開放事例だと言えるのではないでしょうか。「閉じていたもの」が、文化の力によって「ひらかれた」。ここに希望があるような気がしますね。

僕はまた山縣さんとプロジェクトをご一緒できるとしたら、都市の中にあるアンタッチャブルな領域――最もわかりやすいのは皇居ですが――に入るためのユニフォームを考えてみたいと思っているんです。「進入禁止」の境界線そのものをランウェイにして、その境界を越えるためのユニフォームを披露するようなイメージですね。どのようなアプローチでもいいと思うのですが、「アンタッチャブルなものに触れてみること」を繰り返すことによって、都市は変わっていくのではないかと思っているんです。

山縣　たとえば、『あつまれどうぶつの森』のような感じで、『あつまれこうきょの森』みたいなVRゲームとかがあったら面白いかもしれませんね（笑）。

――皇居の中に広がる自然を国民に知ってもらうための施策として、宮内庁も巻き込みながらそういった取り組みができたら面白いですよね。さすがに実際に立ち入ることはできないでしょうから、あくまでもバーチャルで「皇居の自然を知ってもらう」というアプローチがあってもいいのではないかと思います。天皇制うんぬんの話ではなく、あくまでも「東京に住む人々が、自らの街を見直すきっかけ」として、皇居を開放することはとても有意義なことなのではないでしょうか。

山縣　あるとき、海外のジャーナリストと話している中で、日本の風景の面白さに関する話題になったんです。いわく、

「TOKYO BUDDHA」
東京ビエンナーレ 2020/2021 にて発表。横浜トリエンナーレの会場に突如として出現したバッタの作品など、社会に対しユーモアとアイロニーを込めたインパクトの強い作品で知られる現代美術家の椿昇が、東京のオフィスビルにブッダを出現させた（アーティスト：椿昇、開発：AR 三兄弟）

道端に置いてある植木鉢が面白いと。ヨーロッパを生活の拠点にしている方だったのですが、ヨーロッパでは絶対に目にしない光景だと言うんですね。公共の場所に、私的なものが置かれているなんてあり得ないと。そして、植木鉢を置いた人も、そこを通る人も、その存在を楽しんでいるのを知って、びっくりしたそうです。

ここから、日本的な「自他の境界の曖昧さ」が見て取れるなと思いました。特に谷中は道が狭いので、公道に植木鉢が溢れかえっています。僕たちはそれを当たり前の風景として受け入れていますが、違う視点から言えば「明らかにNGな状態」。でも、この「自他の曖昧さ」に都市を変容させるヒントが眠っているのではないかと思います。「緑のアナキズム」とでも言いましょうか、徐々に私的な緑が公共を侵食していくような形で都市を変えることができるのではないかと。

かつて、赤瀬川原平らが結成したハイレッド・センターという団体が、1964年の東京オリンピック開催中に「首都圏清掃整理促進運動」を行いました。この運動の内容は、ゲリラ的に銀座の公道を清掃するといったもの。「個人が勝手に公的なものを変えてしまう」というと、抵抗感を持たれるかもしれませんが、赤瀬川たちの運動のように「それだったらいいか」と思われるくらいの程度と速度で、少しずつ都市を変えていくしかないのではないかと思いま

す。そして、ファッションもまた、プライベートな行動によってパブリックを少しずつ侵食し、世界を変えていくための手段だと思っているんです。

——ファッションというのは、特定の服やアクセサリーを身につける運動の一種であると。そして、それらのアイテムを身にまとった人たちが都市の中で暮らし続けること自体が、公道に並ぶ。植木鉢のように、じわりじわりと都市に介入する力になるのではないかということですね。

山縣　その通りです。いま、東京は変わらなければならないタイミングに来ていると思っています。現在、山梨県であるプロジェクトを進めているのですが、山梨県立美術館はたくさんのミレーの作品を所蔵していることで有名なんです。ミレーは、フランスのバルビゾン村の周辺で自然主義的な風景画や農民画を描いたバルビゾン派の代表的な画家ですが、ミレーをはじめとする画家がパリからバルビゾン周辺に移ったきっかけは、パリにおけるコレラの流行だったと言われています。つまり、疫病が渦巻く都市を逃れ、多くの人が農村に移住したことで新たなムーブメントが生まれたわけですね。

　新型コロナウィルスが流行し、東京から郊外に移住した人は少なくないですが、その中には流行が落ち着いたタイミングで東京に戻ってきた人もいると聞きます。そういった方々は、東京を離れた場所で、そこでしか得られない経験をして、東京に戻ってきているはずです。そのフィードバックも、東京が変わるきっかけになるのではないかと思っています。

——東京という都市が持つポテンシャルの高さは誰もが認めるところだと思います。しかし、地価の上昇によって一般的な勤め人は東京に住めなくなる、あるいは大きな災害に見舞われるといったネガティブな予測も存在します。

**　そして、山縣さんがおっしゃったように、コロナ禍をきっかけに東京を去った人たちも数多く存在するわけですよね。今一度、東京が持つ魅力や、そのポテンシャルについて再発見しなければならないタイミングが来ているのでしょう。再発見を企図したさまざまな取り組みを通して、これまで検討すらされてこなかったような、まったく新しい東京の可能性にも光を当てるべきだと、僕（宇野）は考えています。今日はその意味でも、刺激的な議論ができたと思います。ありがとうございました。**

DISCUSSION

岸本千佳×本瀬あゆみ

建築と不動産をかけ合わせたアプローチが「地方のまちづくり」を後押しする

「地方のまちづくり」を進めていくにあたって、官公庁や大企業がトップダウンで構造的なメスを入れていくだけでは不十分です。実際にその地域で暮らし、街を変えていくプレイヤーの存在なしには、まちづくりは成し得ないでしょう。

この記事では、人と建物の関係を結び直す"建物とまちのプロデュース業"＝不動産プランナーとして京都を拠点に活動する岸本千佳さん、富山と東京の二拠点生活をしながら建築設計事務所を営みまちづくりに携わる本瀬あゆみさんが対談。地域で暮らしながらまちづくりに携わってきたプレイヤーの視点から、地方のまちづくりの現在と可能性を展望します。

本瀬 あゆみ AYUMI MOTOSE

長野県生まれ、青森県出身。隈研吾建築都市設計事務所勤務などを経て、2015年より富山市の中心市街地商店街にて、本瀬齋田建築設計事務所（サモアーキ）を主宰する。以降、富山県を主として東京との2拠点にて活動し、消滅集落のオーベルジュや、畑の中のこども園、街中で行われた写真展の会場構成など、大小様々な建築に携わりながら、地域ならではの建築を模索している。その他、金沢工業大学、東京電機大学で非常勤講師を務める。

岸本 千佳 CHIKA KISHIMOTO

不動産プランナー　株式会社アッドスパイス代表取締役。1985年京都府生まれ。滋賀県立大学環境建築デザイン学科卒業後、東京の不動産ベンチャーにて、シェアハウス等の遊休不動産の活用実務を経験した後、京都でアッドスパイスを設立。不動産の企画・設計・仲介・管理を一貫して担うことで、時勢を捉えた建物と街のプロデュースを行う。京都芸術大学非常勤講師。著書に『不動産プランナー流建築リノベーション』（学芸出版社）、『もし京都が東京だったらマップ』（イースト新書）。

「スター建築家 or 地元の匿名事務所」ではない、第三の選択肢を

――この対談では、「地方創生」を標語に進められた震災以降の十数年の「地方のまちづくり」の成果と課題について、実際に地方に移り住んでまちづくりに携わってきたプレイヤーであるお二人の視点から振り返っていただきたいと思います。まずはお二人がこれまでどのように地方のまちづくりに関わってきたのか、お話しいただけますか？

本瀬　建築家の本瀬です。現在は富山市でパートナーの齋田武亨と「本瀬齋田建築設計事務所（通称：サモアーキ）」を経営しています。もともと1980年生まれの青森県育ちで、上京して隈研吾建築都市設計事務所に所属していました。東京時代はとても楽しく働いていましたが、齋田も私も地方の案件を手がけることが多く、長野県へと新幹線で毎週出張するような生活を送っていました。そんな中で「現場のそばで腰を据えて仕事をしたい」という気持ちが強まり、齋田が隈事務所スタッフとして富山市での仕事をしたことをきっかけに、2015年に移住したんです。東京の拠点は残していたのですが、設計事務所の登録も富山市に移しました。人口約30〜40万人の都市であれば、東京ではできない経験が得られそう……というビジネスチャンスを感じたことも移住のきっかけになりました。

――人口約30〜40万人の都市ならではのビジネスチャンスとは、どういったものでしょう？

本瀬　30万人ぐらいいると、「他とはちょっと違う感じにしたい」というような、付加価値を求める需要が継続的にあるように感じました。また、「顔の見える関係で地元らしいものをつくりたい」という思いがある人もいて、そのあたりにチャンスがあるのかなと思っていました。たとえば、地域の食材を使った料理を出す山奥のレストランを設計するときには、やはり地域と調和したデザインにしたいということになります。我々が設計したレストランの敷地は合掌造りが有名な地域にあり、率直に考えると、なんとなく合掌造りの屋根の形がモチーフになってしまうのかなと思います。しかし、近接する集落にはもはや合掌造りはないんですよね。その代わりに、今の集落でもよく見かける「雪割り」という一見地味な屋根形状をデザインに取り込みました。そうして、従来ただの機能として見られていたものを、我々なりの工夫でデザインに取り込むことができたのかなと思っています。

　また、敷地に水道が来ていなくて、岩盤地質で井戸も掘れなかったんです。東京のようにアドバイスをくれる設備

「消滅集落のオーベルジュ」（設計：本瀬齋田建築設計事務所）
かつての集落の石垣を活かした敷地の中に建つ、この地域特有の形をした屋根のレストラン

設計者も地方にはいませんので、結局、地元の人に湧水の管理を教えてもらいながら、DIY的に水の問題を乗り切りました。こういうのも、顔が見える関係で責任を持ち、県内に住んで、山奥の現場に何度も通える立場でないと難しかったと思います。

――そうした地域密着の建築プロジェクトを手がけるにあたって、特に心がけているポイントを教えていただけますか?

本瀬　地方では他所から〝スター建築家〟を連れてきて依頼するケースも多く、その傾向は特に住宅以外の公共的な建築に顕著だと感じています。地元の匿名組織設計事務所に依頼するか、スター建築家に依頼するか……建築においてこの二つしか選択肢がなかった地方において、両者のどちらにも見出せないような、より地方の特性を活かした建築やまちづくりを価値として提示したいと思っています。

　ただ、「本当に地域密着で街に関われているか?」と尋ねられると……もちろん悩みもあります。街に関わる建築の代表格は、コミュニティセンターのように行政が発注する公共施設だと思いますが、その設計者は「指名入札」といって、行政に指名されたいくつかの設計事務所が設計料を入札して決定します。指名されるためには実績が必要で、地元で長くやっている組織設計事務所でないと、ほぼ指名されません。設計プロポーザルについても、設計案を提出するので指名入札よりは良いのですが、やはり実績重視なのでスター建築家に有利なシステムになっています。

　もちろん、公共建築の設計ができないからといって、街に関われないと思っているわけではありません。たとえば地区センターをつくるときに、自治会から依頼を受けて、地元の声や要望を整理した図面を作って設計者に渡す業務も行いました。図があると要望が出やすいこともあって、かなり貢献できたのかなと思っています。また、公共空間を仮設的に使うイベントの会場をデザインしたり、地域の人の話をまとめた地元マップを作ったり、私なりに街に関わっている感覚はあります。

　とはいえ、それらは仕事の範囲が広がる面白さはあるのですが、建築家としては、やはり公共建築に素材レベルまで関わって設計したいなとも思います。地方で独立した小規模事務所の街の建築家にとって、いわゆる公共建築の設計ができるルートは狭いのかなと感じています。

地域との丹念なすり合わせにより、「一つの建物の活用相談」からエリアの波及へ

――建築家として地方で独立したからといって、個別の住

宅ではなく地域全体をより豊かにするような仕事に、必ずしも関われるようになるわけではないと。その点、不動産プランナーとして活動している岸本さんはまた見える景色が違うと思うのですが。

岸本　不動産プランナーの岸本千佳と申します。1985年生まれ、京都の出身です。大学では建築を学んだのですが、設計よりもプロジェクトを動かす方に興味を持ち、建築設計の道には進まず、新卒で東京の不動産ベンチャーに入社しました。東京の会社で働いていた2009年から2014年頃は、リノベーションやシェアハウスがちょうど盛り上がりはじめたときで、それらがマイナーなものから市民権を得てきた時期に、勤めていた会社でたくさん案件に関わらせてもらえたのはラッキーでした。ただ、東京ではすでにリノベーションプレイヤーが数多く存在しているけれど、京都ではプレイヤーが少ないように思い、また扱う素材（建物）が魅力的だったこともあり、京都で独立することにしました。「京都に帰りたい」というより、京都のほうが活躍できる余地があるかもしれない、という気持ちが大きかったですね。2014年に独立してから、京都拠点で仕事をしています。

　具体的な仕事内容としては、建物を所有する個人や法人から相談を受けて、使い方の企画・設計から、借り手を見つけてきて物件を仲介し、管理・運営するところまでを業としています。また、複数の建物を所有する地主さんから相談を受けて、エリア全体のプロデュースを手がけることもあります。日本各地でプロデュースを請けていますが、事務所のある西陣では地域によりコミットし、企画案件と一般的な仲介を含め、20件ほどに携わっています。

――想像以上に地元密着の仕事に聞こえますが、ローカルな仕事ならではの課題に直面することはありますか？

岸本　ありますね。たとえば西陣は、伝統産業である西陣織の街として古くから栄えてきましたが、産業自体は衰退傾向にあります。古くから暮らしている人の多い街ゆえ、「誰にでも入ってきてほしいわけじゃない」という住民意識もあるんです。たとえば、民泊が急増した時期には、町内中に「民泊お断り」という反対の張り紙を目にしていたこともあります。おそらく、自分たちの大切な街が外部に消費されることを拒んでいることの表れなのだと思います。

　そうした状況を踏まえて手がけた西陣での弊社のプロジェクトとして、長屋群をリノベーションし、「あたらしい職住一体群」というコンセプトを掲げ、個性的なショップやアトリエ兼住居に入居してもらった、「つれづれ

「つれづれ nishijin」(企画・プロデュース：アッドスパイス)
西陣のあたらしい職住一体群として、北野商店街沿いと路地の一体の7軒の木造戸建てをリノベーション。オープンに際しては、地元への認知のため、入居者＋地元作家によるマーケットも開催した

「中宇治 yorin」(企画・プロデュース：アッドスパイス)
宇治の町家兼建具工場だった建物を、小商い3店舗とイベントスペースの小商い複合施設へとリノベーションした

nishijin」があります。完成お披露目会を兼ね、共用部の芝生で、入居者さんや西陣の作家さんと一緒にマーケットをしたのですが、裏テーマは、「地域の方に、皆さんと同じものづくりの作家さんが入居しますので安心していただきたい」というものでした。新しい人が街で商売をしたり暮らしたりする際には、街の文脈に合った人なのか、逆に起爆剤的な人に入ってもらうのか、街を捉え、人を見極めることがとても重要です。仲介と管理の実務を企画に反映していて、プロセスまでを含めて業としています。

――街や地域の文脈をしっかり踏まえた上で、その時々に合った手法を採られているのですね。

岸本　2016年頃に携わった京都府宇治市の歴史的まちなかエリアである中宇治のリノベーション案件でも、似た課題に直面しました。有名な平等院のある参道は観光客で賑わっていますが、地元の商店街は閑散とし、宿泊は京都市内か奈良方面に戻ってしまう状況でした。中宇治も、京都市内中心部と同様、市場に不動産の情報が出回らず、商店街は賃料が高止まりしている。この状況をなんとかできないかと、空き家の所有者さんが、私に話を持ちかけてくれました。そこで私は、まずはオーナーと相談しながら、中宇治の5カ年計画を立案しました。まず1年目は、「通いたくなる店」を作る。2年目からは「行きたくなるエリア」を目指す。3年目は「泊まりたい場所」として想起される場所に。4年目からはエリア的な面の開発を広げて、5年目にはエリアマップが作れるぐらい、自分たちが開発せずとも店が広がっていく……そんな構想をプレゼンテーションしました。

建物は比較的大きな2階建ての町家兼建具工場でしたので、4分割して、3区画を小商い店舗、1区画をレンタルスペースとする「小商い複合施設」とし、「中宇治yorin」と名付けました。中宇治エリアには当時、地元の人が夜に外食する文化があまりなかったので、1区画は地元の人が気軽に利用したいと思える飲食店に入居してもらうことを目指しました。小商いの募集をすると、たくさん応募がありましたが、オーナーと私の面談や試食会を経て、高円寺から移住した方のフレンチビストロに入っていただきました。他2区画は、地元のお母さんの焼き菓子店とヘアサロンになりました。この3組のおかげで、「中宇治yorin」はエリアの象徴になり、計画よりも早く3年目には周囲に店ができはじめました。さらには、中宇治の物件が市場に流通しはじめ、それを若い人が借りてお店をはじめるという好循環が生まれていったんです。一つ好事例ができると、一気に街が動きはじめるのだと学びましたね。一つの建物の活用相談から、地域とのすり合わせを丹念に重ねていく

「フォトキト 2022」（什器デザイン：本瀬齋田建築設計事務所）
2017年から「グランドプラザ」で毎年開催しているフォトイベント。「フォトキト」の「キト」は新鮮な状態を表す富山の方言から来ており、撮れたての写真を展示するために廃棄された漁網を利用している。会場は一般ボランティアによって準備されるため、保管・運搬・組立が容易なデザインとした

と、エリアへの波及に至るという手応えが生まれました。

30万都市に共通する「停滞感」

——西陣や宇治では、移住者を巻き込んだまちづくりのモデルケースが生まれているのですね。他方、本瀬さんは富山で移住の当事者として街で暮らし、関わってきた中で、どのような手応えがありましたか？

本瀬　富山市では、森雅志元市長が市民からの厚い理解や支持のもとで進めたコンパクトシティ構想のおかげで、首都圏からの移住もしやすいように思います。コンパクトシティは車がなくても暮らせる街のことで、図書館などの施設が集約されており、閉鎖的なイメージがないんです。その流れで２００７年に中心市街地にできたのが「グランドプラザ」で、私たちが移住してきた２０１５年頃は特にその機運が盛り上がっていて、おかげで自分たちも移住者としてすぐに受け入れてもらえた感覚があります。グランドプラザはつくって終わりではなく、イベント開催の相談に乗ってくれるような事務局整備室のようなものもあって、それがただの箱モノではなく、市民に受け入れられた理由なのかなと思っていますね。

ただ、２０２１年に森市長が退任し、さらに近年では地

「SOSAK KYOTO」（企画・プロデュース：アッドスパイス）
京都駅発クリエーターのためのプラットフォーム。京都駅の線路沿いの木賃アパートと住居を、「クリエーターのためのプラットフォーム」シェアアトリエとしてリノベーションした

域振興などに長年携わってきた人たちが「全然成果が上がらない」と疲れてフェードアウトしているようにも見えて、少し状況が変わってきているようにも思えます。

岸本　どこの地域でもあると思いますが、「第一次まちづくりブーム」の終焉の後にどうするか、というのは難しい課題ですよね。富山でも、先行きが不透明な状態になったのでしょうか。

本瀬　まさにそんな感じのイメージで、特にコロナ禍以降はその傾向が加速している印象があります。たしかに市街地へ行くとさまざまな公共施設ができて、地価だけは上がっているのですが、今度は若い世代が値段の高い中心市街地や駅近くの市街地に住みづらくなって、街に停滞感が生まれはじめているんですよね。

岸本　私も以前、和歌山市に2年ほど住んでいた時期に、停滞感を感じたことがありました。和歌山市は人口約36万人で、人口約40万人の富山市と近い規模感の都市です。初めは、大きすぎない規模感の県庁所在地の街だからこそできることに取り組みたいと考えていました。しかし、実際に和歌山で暮らしてみると、想像以上に多くの課題に直面しました。「まちなかで歩いて暮らして、職住近接で豊か

な暮らしをしよう」と、中心市街地の駅近にオフィスビルのワンフロアをリノベーションした住まいをつくっても、そもそもまちなかに集積して住みたいという思想がない。そして、大学や社会人の人の流動性が少なく、街の権力者も固定化されてしまっている。それにより、新しい職能が受け入れにくく、そもそも女性・移住者が前に出ることへの抵抗が強い。街が家父長制的な雰囲気であることが、一番つらかったです。

――地方の人口30万人前後の都市は見た目が現代的でも、それ以上にそこに暮らす人々の意識や生活文化が古いままのケースが多くて、しかもそういった現実はキラキラとした「地方創生」のイメージではきれいに隠されてメスが入らないわけですね。

岸本　現状の地方都市では面白いコンテンツが育ちにくい。結果として、その30万都市の環境に満足できない若者たちは、近くの大都市に週末に車で行って遊ぶ生活になります。本当はもう少し自分たちの街の中で、楽しめるものがあれば良いのですが。住宅も、ハウスメーカーがつくったような画一的な建物が立ち並ぶことが多く、街の個性は生まれづらい。「お母さんが店舗併用住宅で、子育てと並行して小商いをする」といった、ライフスタイルの個性が住環境にも取り込めると良いですよね。質の高い娯楽や仕事を兼ねた趣味といった日常を楽しむコンテンツが地方につくれると、ここで暮らしたいマインドが上がるのかなと思います。

本瀬　とはいえ、先ほどのように、私は30万都市にポジティブな側面も見出しています。たとえば、富山市の職員はみんな生き生きしながら仕事しています。これはコミュニティの繋がり方とも関連していると思っていて。人口が100万人を超えると、仕事と地域のコミュニティがそれぞれバラバラになる印象があるのですが、30万都市はそれがちょっとだけ重なる感じがします。仕事相手が友人の友人だったなど、「予期せぬ関係」のようなものが生まれやすいと思うんですよね。そうした会話の中で、自分が手がけた仕事の反応が見えてくる。これは規模が大きすぎず小さすぎないからこそ、成立しているのではないでしょうか。

岸本　たしかに住民と行政とが近く、プライベートでも遭遇するといった、大都市にはない〝近さ〟がありますよね。京都でも私は、信用金庫などの金融機関にも、気軽に相談に行っていますし。立場を超えて定期的に接点があることは、まちづくりにおいても、私のような仕事においても重要だと思います。

いま必要なのは、建築と不動産をかけ合わせたアプローチだ

本瀬　先ほど岸本さんがおっしゃったように、私も郊外にハウスメーカーの建物で新築をつくる以外の住宅の選択肢を増やしたいと考えていて、それができるのが街の建築家の仕事ではないかと思うんです。我々の一世代上の街の建築家は、良質な地域密着型の住宅を提供して、街の住人の困りごとに対応していくというかたちが多かったと思います。しかし、いま地方では設計事務所が住宅を受注するのが価格面で厳しく、ハウスメーカーに仕事が取られてしまう状況が続いています。かつリノベーションの文化もあまりないので、住宅の選択肢に建築家が関わることが難しくなっているんです。先ほど、岸本さんが和歌山の駅近で住まいをつくるチャレンジをしたというお話がありましたが、いまはあまり上手くいかなかったとしても、不動産の視点ならではの先進的な試みだなと思いました。私も街に対する提案として、いつかは中心市街地にリノベーションで自宅をつくりたいと思っています。

また、郊外駅から離れた場所でも工夫の余地があります。富山のとある新興住宅地で、もともとある実家の隣地に子世帯の住宅を新築したのですが、両者の敷地を一体的に利用するために、新築住宅の向きを東にしたんです。そうし

「アッドスパイスビル」(企画・プロデュース：アッドスパイス)
企画から設計・リーシング・管理まで一貫して行う不動産のプロデュースを10年以上業としてきた岸本さんが、独立後拠点としてきた西陣の街で、不動産を購入して自ら実践

たら二つの家のリビングが見合うことなく、庭も広くなって、風通しや日当たりも確保することができました。みんなが似たり寄ったりの南向きの建売住宅がずらっと並ぶ中に、建築設計を介して、街区の成り立ちそのものに一石を投じてみる。同時に、現役世代も引退世代も納得できる近居の形を模索する。こうした工夫が、街の建築家であればできると思うんですよね。

岸本　いまのお話にはとても可能性を感じますし、そうした建築家が地方都市に求められていると思います。パターン化された同じような家が並んでいるのは、どこの都市も抱える共通課題です。本瀬さんのような考え方の建築家が地場の不動産開発業者と開発地の選定あたりから組めたら、たとえば地域をもっと魅力的にする路地や公園のようなものも含めて住宅開発ができるかもしれない。需要も可能性もあると思います。街を俯瞰して構造にメスを入れて、さらに自分の仕事をつくることって、建築家でも、不動産屋でも、ハウスメーカーでも、おそらく難しいことなんです。本瀬さんと私はまさに、地方でそれにチャレンジしているところなのですが。業界を横断してチームを組み、街や建物をプロデュースする活動が日本各地で発生していけば、まだまだ地方都市を面白くできる余地はあると思います。

また、私は京都芸術大学の非常勤講師で、まちづくりについて教えているのですが、確実にいまの20歳前後の人たちのほうが不動産をポジティブに捉えています。一昔前の不動産にはマネーゲーム的な高圧的なイメージが定着していましたが、R不動産などのおかげもあり、いまはもっと公共的で自由なまちづくりの一領域として捉えられています。かつ、私のような仕事は、建築のように何年も専門教育を受けなくてもはじめられますし、別の専門性があっても活かせる。個性を活かし、街を開発して仕事をつくっていけるポテンシャルがある。この活動がもっと広がり、次世代の不動産プランナーが活躍しはじめれば、全国の人口30万都市ももっと魅力的になっていくのではないでしょうか。

DISCUSSION

加藤優一×平松佑介

銭湯から考える、「適度にひらき、閉じる」公共性のあり方

２０１０年代以降、まちづくりの文脈において「いかにして人と人とのつながりを強め、コミュニティを形成するか」という議論が活発になされるようになりました。しかし、まちづくりには本当に、人と人の強いつながりで支えられたコミュニティが必要不可欠なのでしょうか？

そんな問いに対してヒントを与えてくれる実践が、「銭湯」という地域に根ざした商業空間をベースに、「パーミッション（許容）」によって成立する程よい中距離的なつながりを実現している、東京・高円寺の老舗銭湯「小杉湯」です。銭湯のような街の中の小さな私有空間を介した公共性のあり方について、小杉湯・三代目の平松佑介さん、隣接する銭湯つきシェアスペース「小杉湯となり」の運営を担う建築家の加藤優一さんと議論しました。

■聞き手―宇野常寛・小池真幸
■構成――長谷川リョー

加藤 優一 YUICHI KATOH

建築家、銭湯ぐらし代表取締役、最上のくらし舎共同代表理事、東北芸術工科大学専任講師。1987年山形県生まれ。デザインとマネジメントの両立をテーマに、建築の企画・設計・運営・研究に携わる。近作に「小杉湯となり」「銭湯つきアパート」「佐賀城内エリアリノベーション」「旧富士小学校の再生」など。近著に『多拠点で働く』（共著・ユウブックス）、『都市を学ぶ人のためのキーワード事典』（共著・学芸出版社）、『銭湯から広げるまちづくり』（単著・学芸出版社）など。

平松 佑介 YUSUKE HIRAMATSU

小杉湯三代目。1980年、東京生まれ。昭和８年に創業、国登録有形文化財の老舗銭湯「小杉湯」の三代目。空きアパートの活用プロジェクト「銭湯ぐらし」共同主宰、オンラインサロン「銭湯再興プロジェクト」主宰、街と企業との様々なコラボレーションを通して、銭湯を中心に広がる社会関係資本を構築中。2020年３月に『小杉湯となり』がオープン。2024年４月には『小杉湯原宿（仮称）』を開業予定。

現代における〝精神の〟公衆衛生を担う銭湯

——この対談では、「銭湯」という少し変わった角度から、公共性について考えていきたいと思っています。まちづくりにおいて、銭湯のような地域に根ざした商業空間がどういった役割を果たしうるのか。地元の人々の生活に根づき、約90年にわたって癒やしを提供し続けているのはもちろん、ここ数年は銭湯の枠組みを超えるさまざまな取り組みも展開している東京・高円寺の老舗銭湯「小杉湯」と、隣接する銭湯つきシェアスペース「小杉湯となり」の運営に携わるお二人と一緒に考えていきたいです。まず初めに、お二方がどのように銭湯と関わっているのか、お話しいただけますか?

平松　僕は2016年より、高円寺で90年の歴史を持つ老舗銭湯・小杉湯の三代目を務めています。そもそも小杉湯は昭和8年に創業した銭湯を、戦後に新潟から出てきた僕のおじいちゃんがお金を貯めて買い取ったものです。自分は小さい頃から銭湯が遊び場であり、地域の人たちと交流しながら育ってきただけで、ゼロから小杉湯を立ち上げたわけではありません。あくまでも先代から受け継いできたたすきを、次の100年につないでいくのが三代目としての自分の役割であり、この場所を所有しているというより、「これまでの100年」と「これからの100年」という長い時間軸の中での管理人をしているような感覚があります。

そして僕が家業として銭湯を継いでから4ヶ月後の2017年2月、お客さんとして小杉湯に通ってくれていた加藤と出会ったんです。当時、小杉湯の隣には、誰も住んでいない解体前の風呂なしアパートがあったのですが、彼との出会いをきっかけに、そのアパートを1年間活用して、銭湯と暮らしの可能性を探る「銭湯ぐらし」というプロジェクトを一緒にはじめました。このプロジェクトの延長線上で「小杉湯となり」のアイデアが生まれ、小杉湯が建主、企画と運営が法人化した銭湯ぐらしという役割で事業を進めることになり、2020年にはアパートの解体跡地に「小杉湯となり」がオープンすることになったんです。

加藤　僕はもともと学生時代、建築と都市について学んでいました。その中で、建築と都市の考え方に隔たりがあったり、運用まで考えられていない計画があったりすることに違和感を覚え、その打開策を模索した結果、東北大学の博士課程で「計画実装」という領域を研究することにしました。

すると程なくして3・11が起こり、自分も被災自治体に出向して復興事業を支援しながら、復興計画のプロセスを

研究することになったんです。そこで気づいたのは、計画の進め方や組織のつくり方が、都市や建築の計画に大きな影響を与えるということ。企画から設計・運営まで一本軸を通さないことには良いものはつくれない。そうした意識を強めていたとき、この思想を実践していると思える設計事務所オープン・エーに出会い、入社することにしました。

入社後、『CREATIVE LOCAL：エリアリノベーション海外編』（学芸出版社、2017）という本を執筆するために海外へリサーチに行ったのですが、そこで当事者意識を持って建築や都市をつくっている人々に出会い感銘を受けました。そうして自分も当事者として場づくりに関わりたいと思っていたときに、小杉湯の番台で平松と出会ったんです。何度か会話するうちに「隣にあるアパートの活用に悩んでいる」という相談を受けました。そこで思いついたのが、実際にアパートに暮らしながら、次の建物の企画を考えるプロジェクト「銭湯ぐらし」です。さっそく銭湯好きのメンバーを10人集めてアパートでの生活をスタートしました。

1年間ほぼ毎日銭湯に入ることで学んだのは、身心の力を抜いてホッとできる時間の大切さや、街に暮らしをひらく豊かさでした。その後アパートは解体されましたが、メンバーの中で「この体験を多くの人に伝えたい」という思いが募り、「小杉湯となり」の構想が生まれたんです。そして約2年の計画期間を経て、2020年に「小杉湯となり」をオープンしました。

先程平松が小杉湯を私有している感覚が薄いと言っていましたが、だからこそ小杉湯はお寺や教会のような公共性を帯びているのでしょうし、僕たちに「小杉湯となり」を任せてくれたのも、平松自身がたとえるならば銭湯のような公共的なスタンスだからなのだと思います。

平松　僕の根底にあるのは、圧倒的な危機感です。僕が生まれた1980年から、銭湯はすでに斜陽産業でした。36歳のときに覚悟を決めて継いだのはいいものの、危機感の大きさは変わらず、斜陽産業での孤独な戦いが待っていると感じていた。でも、蓋を開けてみたら、斜陽産業だと思っていた銭湯に価値や可能性を感じてくれる人が、加藤をはじめたくさんいたんです。小杉湯の価値を後世に残すためにいろいろな人たちがこの場所に集まってくれたことが、自分にとって希望になりましたね。

――お二人が小杉湯や「小杉湯となり」の運営に携わる中で、街における銭湯は、どのような役割を担っていると感じていますか？

平松　銭湯を受け継いでから約7年が経ちますが、銭湯は

小杉湯の入口

小杉湯に隣接する「小杉湯となり」

社会に必要だという思いが年々強くなっています。銭湯という形式が江戸以前から存在していることを考えると、日本人は元来家の外でお風呂に入るのが好きなのだと思いますが、そもそも東京における銭湯は、関東大震災や戦後の復興の中で、戦後1000万人に達する東京の人口の公衆衛生の受け皿として機能してきました。戦後に公衆浴場法が発令されると、行政ではなく民間が都市の公衆衛生を担う形になり、東京では戦後の20年間で年間約150軒のペースで増えていった。ピーク時には2687軒まで増え、これは現在の東京のセブン・イレブンの軒数とほぼ同数です。そうした公衆衛生を支えるインフラとしての成り立ちがあるため、純粋なビジネスというよりは、代々受け継がれる家業的な性格が強いのだと思います。ただ現代では、徐々に家風呂率が上がり、公衆衛生としての役割も弱まってきました。とはいえ、あくまでも身体的な意味での公衆衛生機能が減っているだけで、精神的な面での公衆衛生の機能は、いまだに有効ではないかと考えているんです。公衆衛生の中身の比重が、身体から精神へと変わってきているといいますか。

メンバーシップではなく「パーミッション」

——銭湯が持っている「精神的な面での公衆衛生」の機能

には、具体的にどのようなものがあると思いますか?

加藤　他者との程よい関係性があることだと思います。銭湯では、一人になることもできるし、会話をしなくても人とのつながりを感じられる。それを「サイレントコミュニケーション」と呼んでいるのですが、そうした人との程よい距離感を保てる場所が都市空間に求められていることを感じます。だからこそ、銭湯の必要性は増しているのではないでしょうか。

――コロナ禍以降、都市が持つべき価値として再び「人と会うこと」に注目が強まっています。もちろんそれが都市の重要な機能の一つであることは否定しがたいと思う一方、第一義的な目的なのかどうかは、立ち止まって考えるべきではないかとも思っています。「人と会う場所」の理想として想起される場所の例に、公共性を育み、民主主義の基盤として機能していたと語られる19世紀のパリのカフェ文化があります。ただ、現代の技術・社会情報的にそうした場所が復活することは考えづらく、むしろ現代はSNSをはじめとしたインターネットによる過剰接続のほうが問題になっています。たとえばスターバックスは「サードプレイス」を標榜していますが、実際にはみんな各自でMacBookを広げ、その場にいない誰かとつながっている。そうした過剰接続の状況に対してどうすれば一人になれるのかのほうが、重要な問題になっているわけです。

社会学者の南後由和さんは『ひとり空間の都市論』(筑摩書房、2018)の中で、近代都市は個人というフィクションのためにあったと指摘しています。「孤食」のような文化は、高度に発展した都市でしかあり得ない。ある程度家族からも仕事仲間からも解放される商業空間のような場所は、一人であるために存在するのだと南後さんは指摘するわけです。その意味で、過剰接続の時代だからこそ都市が担わなければいけない役割を、銭湯は果たしているとも言えるのかもしれません。

加藤　その役割は大きいと思います。一方で僕は山形県出身で、人との距離感が近すぎる環境から離れてみたいと思っていましたが、上京後にその関係性が失われたときに寂しさを覚えたんです。だからこそ、程よい距離感が保たれた人との関係性を求めて銭湯に通いはじめたのだと思います。銭湯には、場を介したコミュニケーションがあることで、個人と共同体が程よくハイブリッドされた性質を感じるんです。一人でもいやすく、他者との接点もある状態が、安心感や居心地の良さを与えてくれるのではないでしょうか。

——震災以降、「里山ブーム」に代表されるように、地域コミュニティを復活させようとする動きが強まりましたが、こうしたムラ社会的な「近すぎる」関係について具体的な対策が取られているものよりも、都合の悪いものには蓋をして共同体回帰を主張するようなものが多かったように思います。都市部においてもさすがにいま、『ALWAYS三丁目の夕日』で描かれる人情下町商店街的なものを支持できるかというと、そうすることで具体的な権益が確保できたり、立場的に／コミュニケーション力的に共同体の中心にいられたりする「強い」人たち以外には難しいように思います。だからこそ、2020年代に街の銭湯を中心にどのような場が生まれていったのかをもっとリアルに語っていくべきだと思うんです。

こうして考えたとき銭湯という場におけるうまい具合の中距離の関係性が、メンバーシップではなく「パーミッション（許容）」によって成立している点が重要だと思います。コミュニティに所属するのではなく、その場所にいることを許されるということ。そしてそうした関係性は、対人や対コミュニティではなく、都市や空間、あるいは土地や場所に対してのコミュニケーションだからこそ成立するのだと思います。この共同体に入るにあたっては、特定の誰かからメンバーシップが確認されるのではなく、その場に根ざした豊かなコミュニケーションのあり方を、他の共同体の成員たちの背中を見て学んでいく。この点は、これからの都市を考える上でも重要な示唆を与えてくれるのではないかと考えています。

加藤　確かに、場所や行為を介したコミュニケーションが、それを可能にしているのかもしれません。同時に、銭湯には「顔の見える関係性」という適度に閉ざされた状態があることで、安心して利用できるという側面もあります。それは、強すぎないメンバーシップがあることで、パーミッションが成立していると捉えることもできます。この話は、公共空間を捉え直すことにもつながると考えています。入浴という行為を自宅以外の場所で行うことは、ある意味で街に私的空間を持ち寄っているような状態です。そこで19世紀のカフェのような議論は生まれませんが、自分の暮らしを開くことで個人が現れ、他者の存在を認め合う。その上で、会釈をしてみたり、番台でしゃべってみたりと、コミュニケーションを選択する余地が生まれてくると思うんです。実際に小杉湯の浴室では、早い時間帯には洗い場で常連さんの井戸端会議が行われ、遅い時間になると若い人でも顔見知りの人がいれば挨拶を交わします。これは共有空間が現れては消えるような状態であり、この状態を可能にする空間として、公共空間を捉えるべきだと考えています。最初から開かれた場があるのではなく、程よく閉ざさ

れることで成り立つ私的空間の集合から公共性が生まれるという視点です。「小杉湯となり」でも、顔の見える関係性があった上で、一人になることも許されるし、交流の接点もある状況をつくろうと考えました。

心地よい〝顔の見える関係性〟がある場所

――そうした考えのもとでつくられた「小杉湯となり」は、オープンしてから約3年が経ちました。実際に運営して試行錯誤する中で見えてきたことについても、お話しいただけますか？

加藤　「小杉湯となり」は2020年3月にオープンしたのですが、その2週間後にコロナによる緊急事態宣言が発令されました。当初は誰もが使える飲食店として営業していたのですが、コロナ禍では少しでも多くの人が安心して使えるように、会員制のシェアスペースに切り替えました。現在もシェアキッチン・リビング、コワーキングが混ざり合うような場として運営しています。つまり本来はひらかれた場所をつくるつもりだったのに、意図せずメンバーシップ型の運用を取り入れざるを得なくなったんです。場を閉じることに対して葛藤はあったのですが、その際も参考になったのが銭湯におけるコミュニケーションでした。

「小杉湯となり」の1階。「食堂のような場所」として、シェアキッチンとテーブル席を自由に使える

ポイントは「常連さん」です。銭湯のような場所は地域の常連さんがいることで、場の秩序や安心感が保たれていると考えています。「小杉湯となり」も初期に会員制を敷くことで、将来的な常連さんをつくれるのではないか、という考えに至ったんです。まずは特定のお客さんと一緒に環境の土壌を作り、コロナの様子をみながら会員以外の人も使えるようにしていけば、銭湯のようにひらかれた場になるのではないか。そうした仮説をもとに、悩みながらも会員制として再スタートしました。

結果的に、完全にオープンではなく、「顔の見える関係性」という適度な関係性がベースにあることで、逆にひらかれた場に近づいている実感があります。具体的には、顔見知りの人がいることで安心して暮らしを持ち寄る人が増えたんです。実際に、自炊や食事、作業や昼寝など思い思いに使われていて、個人で集中する人もいれば会員同士で交流する人もいます。さらに最近は土日に会員以外も使えるカフェとしてオープンしたりイベントを開いたりして、「顔の見える関係性」が少しずつ広がっているんです。メンバーシップからパーミッションへ、時間軸を見据える必要性を学んだ三年間でした。

平松　前提として、加藤が実際に高円寺に住みながら事業を行っていることは大きいのではないかと感じていました。加藤の土台に、高円寺と小杉湯のある暮らしがあり、「小杉湯となり」と加藤自身の暮らしとが完全に重なり合っているので、長期的な思考を取りやすいのではないかと。

加藤　たしかに、暮らしの延長線上で考えているので、短期思考にならないのかもしれません。「小杉湯となり」は、小杉湯と同じように長く続けることを目指していますが、そのためにも運営者自身がこの場所を通して暮らしを充実させることを前提にしています。僕もほぼ毎日銭湯に入り、「小杉湯となり」を使っているので、時代の変化やニーズを肌で感じフィードバックすることができているのかもしれません。コロナ禍では、多くの商業都市やオフィスエリアにおいて街から人がいなくなりましたが、高円寺では住民が自然と困っている商店を助けようとする動きが広がっていたことを思い出します。当事者として街に関わる人が増えることが、持続可能なまちづくりにつながるのだと思います。

あとは、銭湯のような地域資源を活かして場をつくることも大切ですよね。銭湯以外にも、その土地特有の資源があるので、それらを見出し・組み合わせることに可能性を感じます。たとえば現在、高円寺と地元の山形の二拠点で活動しているのですが、山形では、銭湯つきアパートならぬお米つきアパートをつくろうというプロジェクトもある

「小杉湯となり」の軒先で開催されたマルシェ

んです。共有部にお米が補充されたり、一つの田んぼをみんなでシェアしたりと、新しい暮らしのあり方を模索しています。

——「小杉湯となり」の3年間と偶然重なってしまったコロナ禍が与えた影響は、小杉湯にとっても小さくなかったと思うのですが。

平松　おっしゃる通り、とにかく銭湯は外部環境の影響を受けやすいんです。コロナはもちろん、エネルギーの高騰にも左右されます。物価統制で定められている520円の入浴料金のままビジネスを続けるのは、正直なところ非効率です。小杉湯のビジネスモデルは入浴料金に完全に依存しているので、コロナ禍のようなことが起きるともろに打撃を受けてしまう。しかしそれでも小杉湯は、同じ場所、同じ建物で、人の寿命よりも長い90年もの間、同じ商いを続けてきました。時代が変化しても、この場所で人々が気持ちよくお風呂に入る風景が変わらないことが重要だと思うんです。小杉湯の建築は、開業当時、関東大震災からの復興のシンボルとして、宮大工さんが縁起の良い建物である神社仏閣のようにつくってくれたもので、2年前には有形文化財に登録していただきました。小杉湯から生まれてくる現象の根底には、どこまで行っても、この場と建物が

ある。仮に小杉湯がビルに入っている銭湯だったら、「小杉湯となり」のような試みも行われていないと思います。なので、今後もこの場所、この建物のまま銭湯を続けていきたいと考えています。

Xにはなく、小杉湯にはあるもの

――完全にパーミッション型の小杉湯に対して、メンバーシップ型の「小杉湯となり」。基本思想は同じでありつつも、そのアプローチに微妙な違いがある両者が共存していると。

平松　そもそも、まずは小杉湯の隣に空きアパートがあって、そこに人が集まり、共に暮らしはじめた。そして、空きアパートで共に過ごしたメンバーが「株式会社銭湯ぐらし」をつくって、自分たちの体験を企画に込めたのが「小杉湯となり」なんです。そうして関わってくれる人が増え、その人たちが小杉湯にも来てくれると同時にまた別の人に紹介してくれて、人の輪が広がっていきました。「小杉湯となり」という別の点が打たれたことで、その場に人が集まり、つながっていくことがわかったんです。加藤を含めて、今でも「小杉湯となり」は、その当時のメンバーと一緒に運営しています。これはどれだけ資本を投下しても、二度とつくれないモデルだと思います。

加藤　小杉湯は昔から流行っていると思われがちですが、ちょうど平松と僕が関わるようになってから現在までに、お客さんの数が約1・5倍に伸びているんです。さまざまな要因があると思いますが、アパートで共に暮らしたメンバーのような、新しいタイプの常連が増えたことが、その一助になっているのではないかと話しています。というのも、メンバーは小杉湯の常連になっただけではなく、1人あたり実に100人以上に小杉湯を紹介してくれているんです。仮にそのうちの1割が常連になれば、自ずとその数は連鎖して広がっていきます。不特定多数にプロモーションを行うだけではなく、本当にこの場所が好きな人を少しずつ増やしていき、その人たちに支えられていくことは強みだと思います。

――それが成り立っている背景には、やはり小杉湯という場所がある種の公共性を帯びているという側面があるのだと思います。冒頭で平松さんが「引き継いだものの、自分のものという所有感はない」とおっしゃっていましたよね。これは実質的に世界的なコミュニケーションプラットフォームになっているX（旧Twitter）が、イーロン・マスクが買収して以降、完全に私物化されてしまっているこ

と対照的だと感じました。一方で公園のような公共物はよっぽどうまく運営しないと、完成されたものとしてトップダウンで降りてくるので人々はそこに公共性を感じることは難しい。なので、皮肉な話ではあるものの、現代においては私有物をその所有者が自主的に開いたものがまずあり、それが街の人々に支持されたときにはじめて公共性が立ち上がる、というジレンマがあるのだと思います。結果的に選ばれるもの以外、公共的に振る舞えないという現実に対して、所有者はどう対応するべきなのか。このことを抜きにして、これからの都市設計や公共性は議論できないとすら考えています。

加藤　小杉湯の場合、そもそも100年先を見据えている射程の長さが大きいのではないかと思います。また、小杉湯だけで頑張るのではなく、私たちのような新しいプレイヤーに事業の一部を任せていただくという役割分担はヒントになるかもしれません。小杉湯の資源を自社だけで所有するのではなく、共有することで可能性が広がり、結果的に小杉湯に返っていく。

——個人のプレイヤーとしては、50年前と現在では銭湯の社会的位置づけが変わっている中で、公共的な銭湯を一種の武器として扱うビジネススキルが短期的には必要になる。一歩間違えると補助金ビジネスになってしまうので、お上の支援や保護とのバランスを保ちながら持続的に成長し続けられるかが重要だと思いました。哲学者の鞍田崇さんが、民藝の良さとして「インティマシー（いとおしさ）」という観点を指摘していました。要するに職人が手仕事でつくるからこそ、それは人間が土地と関わる感覚を共有できるものになるのだと。この話を踏まえ、カフェと銭湯の違いに思い至りました。お茶を飲んで帰る空間と、裸になって湯船で温まってから帰る空間では、距離感に違いが生まれるのではないかと。たとえるならば、関わりの余地も含めて、スターバックスにはインティマシーがないけれど、銭湯にはあると思ったんです。そもそも、どこまでの範囲を自分の街と思えるのかは、身体感覚に根ざす部分が大きいと思います。僕（宇野）はランニングするようになってから明確に自分の生活圏が広がりました。走ることや裸になることは確実に、場所への愛着を喚起するのだと思います。

加藤　物理的に裸であることに加え、精神的に裸になれることは重要だと思います。銭湯では、スマホから離れ、普段の肩書から解放されることで、自分や他者と向き合うことになる。自分を受け入れ、他者にも思いを馳せられるようになる。お互いにこの状態になるからこそ、場所や時間

を共有している感覚が生まれるのだと思います。それから距離感の問題は大きいですね。小杉湯はそんなに広くないので、物理的に顔の見える関係性があります。だからこそ、顔見知りの人に気づいたり、人が桶を片付けているのを見て、「自分もやってみよう」と思えるわけです。「小杉湯となり」でもそういった居心地や距離感を空間面・運用面からつくれるように心掛けています。

また、これは都市スケールでも同じことが言えます。最近、「小杉湯となり」の周辺で、空き家を再生したサテライトスペースやレジデンスを増やしているのですが、立地をマッピングすると、半径500m圏内に収まるんですね。小杉湯が街のお風呂であるならば、「小杉湯となり」が台所、サテライトスペースが書斎、レジデンスが寝室、というように、街全体を家のように使える距離感です。場所や街を自分ごと化できるスケール感は大切だと感じています。

平松　多くの人が来てくれるからこそ、顔の見える関係性でありながら、他者でいられるのだとも思います。小杉湯は銭湯としてのキャパに対して、かなり多くの人が行き交っています。平日は1日平均400～500人が来て、土日祝日は900～1000人にものぼります。もし小杉湯のお客さんが少なすぎると、訪れる人々の存在が認識され過ぎてしまい、居づらさが出てしまうと思うんです。

「小杉湯となり」の前身として行われていた「銭湯ぐらし」プロジェクト

「関わりしろ」から暮らす街を選ぶ

——公共空間でもある程度狭くて、顔が見える距離感が心地よいという指摘は面白いですね。たとえば、雑多に人が行き交うストリートの歩行者天国も公共空間として捉えられますが、実はそれでは環境としてはインターネットやSNSとさして変わらない。むしろストリートからは視覚的に覆われている、20人ほどしか同居できない半閉鎖的な公共空間こそ、実は必要とされているのかもしれない。

加藤　そうですね。まずは個人の行為を持ち寄れる場所があって、そこからどう外にひらいていくのかの順番で考えていかないと、本当に使われる場所をつくるのは難しいと感じています。これまでは空間から行為を規定しようとしていた時代もありましたが、風呂なしアパートや「小杉湯となり」の実践を通して見えてきたのは、先に行為があって、そこにあるべき場所をつくっていくというプロセスです。その地域や時代に合った関係性や距離感を無視して、場づくりは実現できないと思うんです。加えて、小杉湯や「小杉湯となり」は、入浴・洗濯・食事・仕事など個人の暮らしに関わる場所です。公共空間と私的空間を完全に分けるのではなく、私的空間ありきで公共性を考え直すべきなのだと思います。それはどんなに規模の大きな施設でも同じ話です。

——他者とのつながりを求めて常時LINEやSNSに張り付いている人は少なくありませんが、人が本当に求めているコミュニケーションが言語的なつながりなのかどうかは疑わしい。実は意外と、自分が街の一員だと思える場所が近所にあるだけで、寂しさは解消できるのではないかと思いました。

平松　場所を自分ごと化するためには、関わりしろがあることも重要ですよね。小杉湯の場合、番台と掃除をする番頭のツーオペで1日1000人のお客さんに対応しています。それが銭湯として人を雇用できるギリギリなのですが、この体制で常に施設を万全に綺麗な状態で保つのは、自分たちだけではほとんど無理です。なので、桶を元の場所に戻してもらったり、お客さんに協力してもらわざるを得ない。これだけのことでも十分、関わりしろは生まれていると思うんです。

加藤　場を介してつながりを感じられることは大切ですよね。僕ら以降の世代は、場所と時間の感覚、すなわち地域と歴史への感覚が同時に見えづらくなっている気がします。けれども深層心理では、地域に根ざす、歴史のある場

所に関わりたいと思っているのではないでしょうか。それは、直接的な交流だけではなく間接的な交流でもいい。だからこそ、小杉湯にこれだけ人が集まるのだと思います。

平松　実際、小杉湯があるからという理由で、小杉湯から徒歩圏の場所に引っ越してくる人もいるんです。お風呂は小杉湯、キッチン・リビング・ダイニングは「小杉湯となり」と、我々の施設を暮らしの前提に含めながら生活されている方もいらっしゃいます。入浴料金に依存したビジネスモデルの難しさにはすでに言及しましたが、今後の小杉湯の持続可能性を考える上で、このような点ではなく線、あるいは面で行き交う人たちの暮らし自体を不動産業に転換していく方向性は一つあるのかもしれません。

加藤　公共空間だけでなく、住宅のあり方がネットワーク化しつつあるのを感じます。コロナ禍やリモートワークの普及を経て、自宅だけで住環境を完結させることの限界が見えてきた。だからこそ街全体を家として捉えたり、暮らしを分散させたりするニーズが生まれているのではないでしょうか。

――住む物件を選ぶとき、一般的には会社への近さとか駅からの距離、あるいは建物の間取りを判断材料にすることが多いですが、「小杉湯があるから」だって十分住む理由になり得るということですね。以前、住宅情報サイト「HOME'S（ホームズ）」を運営するLIFULLの創業者・井上高志さんにインタビューしたことがあります。彼が機能として打ち出したかったのは「フリーワード検索」だったのですが、結局、誰も使わなかったと言っていました。日本人がいかにお決まりのパラメーターでしか場所を選ばず、自分の住みたい場所をイメージしていないのかを痛感して、挫折したと。しかし、いまお二人が言っていたように、特定の場所や施設があることは、その場所に住む理由に十分なり得る。本来はお気に入りの銭湯に通うために住む場所を選ぶことがあってもいいはずですよね。

平松　文化として広げていくという話だと、2024年春に原宿に新しくできる商業施設の地下1階に「小杉湯原宿」がオープンする予定です。小杉湯は長い歴史を持った銭湯を受け継いだ形になるので、自分でゼロから生み出したわけではありません。今回原宿にゼロから銭湯をつくるチャレンジは、社会に銭湯の必要性を訴えることにもつながりますし、90年積み重ねられてきた思いを受け継ぎつつ、今後小杉湯を続けていく上でも大事な挑戦だと思っています。

加藤　小杉湯を求心力の中心に、「小杉湯となり」は遠心力の役割を担って、銭湯の可能性を広げていきたいですよね。先程話した空き家再生も、空き家単体では活用が難しいところを銭湯と連携することで再生が可能になりました。同様に、他の地域でも地域資源を生かした暮らし方を提案していきたいです。銭湯つき商業施設や銭湯つき高齢者福祉施設など「銭湯つき〇〇」が増えることで、暮らしの中から文化が広がっていくと思います。そういった場所で個人の生活が現れることに可能性を感じているので、暮らしを持ち寄れる場を街につくっていきたいんです。

また、今回の議論で一つの主題として浮かび上がってきた「公共性」に関しては、「与えられるもの」ではなく「自らつくるもの」に考え方を変えていく必要があると思います。その気概を持った人が、実験的にでもいいので場所をつくってみる。そこに程よいメンバーシップを重ね、少しずつパーミッション型の空間にひらいていく。誰かに与えられるのを待つのではなく、自分が欲しい暮らしや街を実現するための小さなアクションが、公共性のある空間づくりにつながっていくのだと思います。

DISCUSSION

坂本崇博×若松悠夏

これからの街に必要な「働く」環境とは？

オフィスからコワーキングスペース（そして自宅の作業部屋）まで

坂本 崇博 TAKAHIRO SAKAMOTO

兵庫県出身。2001年にコクヨ株式会社へ入社。営業時代に自らの働き方改革を進め、その後新事業として働き方コンサルティング事業を立ち上げ。生産性を「成果÷時間（コスト）」と捉えて単なる時短に目を向けるのではなく、生産性そのものを3つの要素（やること、やりかた、やるちから）に分割し、それらを自らまたは周囲に働きかけて高めることを提唱。著書に『意識が高くない僕たちのためのゼロからはじめる働き方改革』（PLANETS, 2021）。

若松 悠夏 YUKA WAKAMATSU

株式会社STORYコミュニケーション・デザイナー。大学卒業後、一般社団法人企業間フューチャーセンター代表理事に就任。ワークショップ企画運営、ファシリテーションを行う。2014年よりエコッツェリア協会（三菱地所）の交流施設「3 × 3Lab Future」のコミュニティ運営に従事。2016年株式会社STORY設立に参画。場の運営や人材育成の仕組み化、場・イベント・まちづくりの連関性構築を模索している。個と個の関係性を紡ぎ、人・場・情報を繋ぐことが得意。おいしいごはんとお酒が好き。

2010年代には、全国各地で「共創」を掲げたコワーキングスペースやシェアオフィスが続々とつくられていきました。そして2020年のコロナ禍でリモートワークが一気に普及したことで、少なくない人々にとって、自宅が新たに「働く」場所になりました。一方で、昨今はその揺り戻しとしての「オフィス回帰」の流れも生まれており、さまざまな人や企業が、「働く」環境をどう確保すべきなのかを試行錯誤している状況だと言えます。これからの街には、いかなる形で「働く」環境が確保されるべきなのでしょうか？

自分自身、そして社内外における周囲の働き方改革を多数推進・支援してきた坂本崇博さん、コミュニケーション・デザイナーとして東京・大手町のサードプレイス「3 × 3Lab Future」をはじめとするイノベーションや事業創出の拠点づくりに携わってきた若松悠夏さんに登壇いただき、いま必要な「働く」環境について徹底討論します。

■聞き手―宇野常寛・小池真幸

■構成――石堂実花

「働く」ことは「作業」ではない

――まずは自己紹介もかねて、お二人がこれまでどのようなかたちで「働く」環境づくりに関わってきたのか、それぞれお話しいただけますか?

坂本　私が2001年から働いているコクヨという会社では、働く場を「ワークプレイス」と呼び、そこに対してさまざまな価値を提供しようとオフィス家具をつくったりしています。そこで私は主に「働き方改革」のコンサルティングを手がけており、残業の削減ややりがいの向上、生産効率についてのコンサルティングに加えて、オフィス環境の改善提案も行っているんです。オフィス環境が社員の働き方の変化を妨げることは珍しくありません。たとえばオフィス空間って、部長が一番端にいて、課長から順番に座るというピラミッド型の構造でつくられていることが多いですよね。しかし、その形態ではチームの活発な情報共有やフラットなアイデア出しは困難で、どうしてもヒエラルキーを意識して言いたいことが言えないなんてことが起こりかねませんので、私はさまざまな改善提案を行っているんです。具体的には、某省庁の調査研究事業でこれからの働く空間についてのコンサルティングを行ったり、本業以外でも、琵琶湖に「生きる場」という民宿の離れを改造したコワーキングスペースをつくるプロジェクトに参加して、実際に壁を塗ったり、率先して利用したりしています。

そもそも私は昔から、オフィスのあり方に疑問を持っていたんです。2002年頃からずっと、「オフィスはなぜ必要なのか?」を探るべく、オフィスではない場所で働いてきました。まず公園のベンチや御堂筋の道路脇のポストの上にパソコンを置いたり、トイレで働いたりしてみると、「どうやら電源がある場所ならどこでもオフィスになるようだ」とわかりました。そうしてオフィスビルのゴミ捨て場で仕事をはじめたら、今度はネットワークがないと困ることに気付いて……と試行錯誤を繰り返してきたんです。最近だと、設備環境だけでなくオフィスに必要な要素として〝人〟にも注目しています。ただ、〝誰でも人がいればよい〟というわけではありません。何かアイデアを出したいときの壁打ち役や切磋琢磨したくなるライバル、尊敬するロールモデルなど〝刺激・気づきをくれる人〟が必要なのかもしれないと思うようになりました。これはオフィス環境だけで解決できる問題ではなく、人材育成やナレッジマネジメントなどソフト面の働き方改革が欠かせませんが、オフィス環境面でもふとした相談を持ち掛けるタイミングを見計らいやすい環境やクリエイティブな気分で語り合う環境など〝人の細やかな気持ちや心の機微に影響を与える環境づくり〟がますます必要になると感じています。

若松　私は東京・大手町のサステナビリティをテーマとするサードプレイス「3×3Lab Future」（以下、3×3Lab）でネットワークコーディネーターを務めておりまして、前身である「3×3Lab」（2014～2016年）の頃から関わってきました。3×3Labはもともと、取り壊すことが決まっていたビルの一角を有効活用し、ビジネス交流拠点をつくろうという実証実験としてはじまっています（編集部注：現在は別ビルに移転）。ですから設立当初は、コミュニティのコアメンバーになりそうな方たちと一緒に、みんなでカーペットを剥がして新しいものを貼ったり、黒板塗料を塗ったりすることで、場に対する愛着を持ってもらうという試みもしていました。

　今でこそコミュニティや交流施設にはコミュニティマネージャーのような役割が不可欠である、という認識が広く浸透していますが、プロジェクトが生まれた当初はまだ担う役割や業務内容が明確ではなくて、「運営事務局」という肩書きで「机を置いてあげるから、毎日来たら？」とお声がけいただき、「これは何の仕事なんだろう？」とわからない状態でジョインしたんです。ただ、手探りで試行錯誤するうちにだんだんと、そこに集う人たちとにかくコミュニケーションを取って、「この人とこの人をつなぎ合わせると面白そう」とつなげることが私の役割なのだなとわかってきました。そうするうちに、「なんか3×3Labに行くといつも面白い人に会えるよね」「面白い情報があるよね」と足しげく通ってくださる方たちが増えていったんです。

――お二人は「働く」空間の整備のみならず、その先にある「価値を生み出す」ための仕組みをデザインされているという印象を受けました。

坂本　おっしゃる通りです。本来、「働く」って「価値を生むこと」であるはずですよね。でも、今ほとんどの企業における「働く」は、パソコンを打ったり、ホワイトボードに何かを書いてみたり、要は「作業」であることが多いんです。これからの「働く」における価値の源泉は、「作業」ではなく、もっと大事なことを「思いつくこと」「つながること」「気づくこと」であるべきです。そういう意味で、これから先は3×3Labのような場所が「働く」場になっていくと思います。

若松　ありがとうございます。実際、3×3Labでは利用者の方に「ここはコワーキングスペースではありません。作業することもできるけれど、CSV（Creating Shared Value）ビジネスを創発するための共創拠点です」ということを明確にお伝えするようにしていまして。「3×3Lab

のメンバーになるということは、面白いことを起こしていくプロジェクトのメンバーにジョインするということである」という考え方で運営しているんです。もちろん机と椅子、Wi-Fiや電源といった基本的な設備はあるのですが、利用者はご自身のオフィスが他にある方たちも多いので、オフィス以外の場で働くことで、自分の仕事が面白く広がることを期待していらっしゃっています。そういう方々にどういう価値を提供できるかを考えるということが、私が一生懸命やってきたことになるのだろうと思っています。

人ではなく「場」に目を向けてもらう

――「作業」ではなく「価値を生む」ための場をつくるには、どういった点がポイントになるのでしょうか?

若松 「この場は〇〇のための場です」ということを主催者がきちんと決めて、使う人に伝え続けることがとても大事だと思っています。先程もお話ししたように、3×3Labは「コワーキングスペースではありません」と言っているので、たとえば混雑していて席を譲り合って利用いただく場合があっても、スムーズに協力いただける関係性ができていて。逆に、設備がしっかりしていても、コンセプトが曖昧だと、使う側にとってそこが何を売りにしている場なのかわからないのではないでしょうか。自分が使う側だったら、「集中して作業したいならこの場所」「人と出会いたいならこの場所」というように、いくつか登録して使い分けできたらいいなと思いますから。

坂本 私も「3×3Labは作業をしに行く場所ではない」という切り分けをしているので、よくわかります。ああいう空間に似た場所に、経営者しか入れない「サロン」的なものもあると思いますが、3×3Labはメンバーがより多様だと感じますね。何かコミュニティメンバーの基準を設けているのでしょうか?

若松 明確な基準はありません。ただ、作業場として使うためだけの人や、「アクセスが良いから」「安いから」というだけの理由で登録する方は場のコンセプトと合わない可能性があるので、登録時の面談で「まずはイベントに参加してみるのはいかがでしょうか?」とおすすめすることはありますね。ただ、3×3Labは10時から18時までしか開いていないので、必然的にフリーランスの方や個人で事業をされている方の割合が多くはなっていて、「作業」をしに来ている方もある程度はいらっしゃいます。ですから現実には、「誰か面白い人いるかな?」と期待していらっしゃったものの、「今日は誰もいないな」と帰っていくケースも

「3 × 3Lab Future」で行われたワークショップの風景

ありますね。

――そもそも「人と人をつなげる」というのは簡単でも、ただ名刺交換をするだけで終わってしまうケースもありますし、実際にそれを機能させるのはとても難しいことですよね。若松さんはコミュニティマネージャーとして、「人と人をつなげる」ためにどのようなことを意識しているのでしょうか？

若松　感覚的にやっているので説明が難しいところではありますが……社会に価値を届ける事業を一緒につくる仲間を、いかにして「カタマリ」にできるかという視点は大切にしています。たとえばAさんが「今度イベントに登壇するので宣材写真を撮らなければいけない」と思っている会社員だとして、そこにフリーのカメラマンのBさんがいるとベストマッチで、案件が1個発生する……という話は、クリエイティブ系の人たちが多く登録しているコワーキングスペースなどでよくある例だと思います。しかし私はつなげる人同士のベクトルがお互いにではなく、あくまで3×3Labという場やコンセプトに向いている、というつながりのつくり方を意識しているんです。「この人とこの人は気が合いそうだな」というお二人をつなげるとしても、たとえばヘルスケア領域で活動している方だったら「3×

3Lab の中でヘルスケア倶楽部をつくろうよ」という動きにつなげたりする、という具合にです。
「セレンディピティ」という言葉でも表されたりしますが、同じ空間にいても、私が話しかけなければ一生名刺交換することもなかったであろう人同士が、話してみたら盛り上がっちゃって……というつながり方に喜びを感じるんです。そういう出会い方をする人たちがたくさん増えれば、社会が豊かになると思っていますし、「いかに個人や社会が豊かになるか」という視点で人と人をつなぐのが好きなのだと思います。

人だけでなく「街とのセレンディピティ」を生み出す

――単純なニーズに支えられた関係性ではなく、「カタマリ」としての関係性をつくることを目的に「人と人をつなげて」いるのですね。

若松　それから単純に、その場にいる人の数が多いときの方がセレンディピティが生まれやすいので、「3×3Lab に行こう」と思ってくれる人を増やし続けることも大事だと考えています。ですから最悪どなたもご紹介できなかったとしても、「最近こういう人が来てたんですよ」とか、「〇〇さんに気が合いそうだから、今度紹介しますね」とか、何かしら新しい情報をお渡しできるようにはしていますね。

坂本　お金を払ってでも会員になる人は好奇心が強いと思うので、自分で動いた限りは必ず満足して帰ろうとする性質があると思うんです。たとえば私なんかは、3×3Lab に行ったけど、誰とも会えなかった。場合によっては、コミュニティマネージャーすら他の人と喋っていて、誰とも話ができなかったとしても、帰り道で有楽町駅に行ったら、パン屋にとんでもない行列ができていて面白くなって写真を撮るとか、それだけで得した気分で帰れるんですよね。ですから人間とのセレンディピティに加えて、そういう街とのセレンディピティのようなものが重なると、よりいっそう嬉しくなると思います。
私はコワーキングスペースで働くようになってから、街をよく歩くようになりました。たとえば三越前から日本橋、大手町、八重洲は電車で移動するものだと思っていたのですが、実は歩けるということに最近気がついたんです。一気に歩くのではなくて、途中にあるコワーキングスペースに寄って、ちょっと作業してからまた移動する……というかたちで、いわばクモの巣状によく歩いています。今まではオフィスか駅が目的地でしたが、その中間地点の、あまり人が行かないような場所にコワーキングスペースがある

ことが多いので、よく街の裏道を通るようになりました。その点3×3Labは、元から人の往来が多い立地ではありますが、今までこのエリアに来なかった人が来るようになったという影響はありそうですよね。

若松　おっしゃる通り、3×3Labがなかったら大手町に来ないという人たちも多いと思います。ですから運営としても、大丸有がつながっていることを実感してもらえるようにしたり、エリアのイベントに会員さんと一緒に行ったりと、街とのつながりをつくる視点はとても大切にしていますね。

コロナ禍はコワーキングスペースをどう変えたか？

――ただ一方で、2010年代以降、全国各地で増えていったコワーキングスペースやシェアオフィスは、必ずしもそのように「価値を生む」ための場所として機能していない印象も受けます。

坂本　昨今はコワーキングスペースが次々とつくられたことで「働く環境が大きく変わった」と言われていますが、実際には「不動産価値の低いスペースの有効活用」という新しいビジネスが生まれただけというケースも多いですよね。特にコロナ禍以降は職場を追い出された多くの方がWi-Fiと電源を求めてコワーキングスペースを利用するようになり、ビジネスとしては大きく軌道に乗ったのではないでしょうか。

若松　そうですね。ただ、3×3Labのような「価値を生む」ための場所をビジネスとして見たときに難しいのが、そこで「思いつく」「つながる」といったことが起こったとしても、3×3Labに何か直接的な価値が収益という形で返ってくるわけではないということ。そもそも「そういえば私たちあのとき3×3Labで出会ったんだよね」と振り返って価値を評価するのは、ある程度時間が経って、結果が出てからじゃないとできません。これはおそらく多くのコワーキングスペースやシェアオフィス、コミュニティが直面する課題だと思います。そういう意味では3×3Labのように、資金力のある企業が先行投資として場やコミュニティをつくることは非常に重要だと思います。

――コロナ禍によって需要が増してビジネスチャンスが生まれたからこそ、単なる「作業」場所としてのコワーキングスペースが増えたということですね。ただ一方で、2023年には感染対策の緩和や「5類移行」もあいまっ

て、またオフィスへの出勤へと回帰しはじめている印象もあります。

坂本　おっしゃる通り、今は多くの組織でリモートワークを求める従業員ニーズはある程度許容しつつ、週に数日はオフィスに出るように指示を出すなどして、リアルオフィスへの回帰をはじめている段階ですよね。背景には、この数年の転職事情があるのだと思います。私自身は、オフィスで刺激・気づきを得られる〝人〟との出会いを求めて出社することも多いので、完全出社ではなくある程度の比率でのオフィス出社への回帰は悪くないと考えています。

しかし、そうした「クリエイティブな思考・成果の支援のための出社指示」とは別に「離職防止のために出社させる」という経営層の声を耳にすることもあります。私はこれには若干違和感を覚えます。たしかにコロナ禍の期間中に若手の離職率は高まったと思います。しかしそれは「出社して（家族的な）一体感を得られないから」という昭和的な働き方の考えにもとづく理由ではなく、「早い段階でやりがいある仕事を任せてもらえないな。このままではマズイ」という考え方によるものだと推測しています。なのに昭和の価値観で育った経営層がそこを勘違いして、「若手を出社させよ。そして管理職（親）はしょっちゅう1on1をして若手（子）のメンタルをケアせよ」となっているケースもあるのかもしれません。

若松　管理職の人たち、胃に穴があいちゃいますね。自分の人生もあるのに……。

坂本　本当にそうです。コロナ後にたまたま離職が増えたことと、リモートワークが増えたことをあえてクロスさせて、リモートワークをやめさせようという流れになっているんですよね。そうして本来どこでもできる作業すらも〝オフィスでやるべし〟となっていくことで、これからのコワーキングスペースは「作業場の代替スペース」という機能だけでは生き残りが厳しくなっていくと思います。

逆に3×3Labのような、仕事でなくても行きたくなるような場所が残っていくのではないでしょうか。やっぱり、リアル空間でたまたまそこにいた人が、コミュニティマネージャーを介して出会うと、運命というか、縁を感じますよね。オンラインだと、あらかじめアポを取って「会わされる」わけですが、ちょっと予定調和的ですから。

「リアル／オンライン」の二項対立を超えて

若松　そうですよね。ただ一方で、コロナ禍を経た実感として、「コミュニティにとってリアルな場は本当に必要な

のか?」という問題意識も持っていまして。個人的な話になってしまいますが、2021年に育休から戻ってきた身としてはリモートワークの恩恵をかなり受けましたし、子どもがいる働き手世代に、同じことを感じている人は多いと思います。とはいえ、やはり人と人をつなぐ仕事はリアルじゃないと厳しいと思っていますし、リアルな場での出会いに期待する人が多いのも事実でしょう。いま、100社ほどの会員企業の方たちがいるコミュニティの運営をご一緒してるのですが、ここでもリアルとオンラインの葛藤があるんです。たとえば交流のきっかけづくりの場として担当している「ランチ会」があるのですが、それぞれの会員さんが何を目的にこのコミュニティに入って、どういう温度感で喋っていい人なのかわからない中で、外部の私が「こんにちは、コミュニティマネージャーです。ランチ会に登壇してくれませんか?」とメールを送っても、返事のしようがないと思ってしまうんですよね。まずは実際に会って関係性をつくった上で「ランチ会に参加してもらえませんか?」という流れだったら、めちゃくちゃスムーズだろうなというイメージがあります。

ただ結局、その人との関係をちゃんと築けてるかどうかが大事で、そこさえ担保できていれば、最初の入口は別にオンラインでもいいのかなという気もします。2021年に、東京都の事業で女性アントレプレナーを発掘するプログラムを企画運営する機会があったのですが、リアルで集客しつつ、オンライン配信も同時に行うハイブリッド形式で開催したことで、本当に全国の方が興味を持ってアクセスして参加してくださって。選択肢が増えた今、どちらかに寄せるのではなく、うまく目的に合わせて組み合わせていきたいなと思っています。

坂本　いまは企業で働いている人のほとんどが、「リアルかオンラインか」というより「家か会社か、コワーキングスペースか」しか選べないんですよね。となると、コワーキングスペースも家も許さないとした方が、会社としては管理がしやすい。ただ、もっと技術が進歩して「どこでもいい」となった途端に、セキュリティ用語で言う「ゼロトラスト」というやり方へと管理の仕方が変わってくるはずなんです。これまでは「このPCを使っている以上は信頼する」というセキュリティの組み方をしていましたが、ゼロトラストはモバイルツールやマルチデバイスなど、いろんなものを使っていいけれど、安全性についてはあえて何も信じず、アクセスしようとするたびごとにきちんと認証しましょう、という発想ですね。私たちの働き方もある意味ゼロトラストになっていければ、人も企業もすごく自由になって変われるのではないかと思っています。

波打ち際を背にした「背水の陣ワーク」（坂本さん）

セレッソ大阪のホームスタジアム「ヨドコウ桜スタジアム」の一部をコワーキングスペース化するプロジェクトに参画。
試合がない日にここでweb会議するととても戦略的な思考が刺激される（坂本さん）

若松　コロナ禍でオンラインで授業を受けた子どもたちが大人になって、彼らが早々に辞めてしまわない環境をどう提供するかも求められるようになっています。その流れで管理の仕方も変わるといいですね。

坂本　そうですね。そもそも家で働くのも「リアル」だし、道端のポストの上でPCを開いて働いてるのも、私にとっての「リアル」なんですよ。つまり大事なのは「どういう『リアル』を選ぶか」なのだと思います。私にとっては、自然と触れ合うとか、なんかちょっといい気分になれるとか、無関係な人の中にいることが、すごく嬉しい「リアル」です。もちろん、職場にも「知っている人と触れ合う」という「リアル」があります。結局は「自分は何と生で触れたいか」だと思うんです。

「タテ」と「ヨコ」に加えて、「クモの巣」状のコミュニケーションを

――昨今のオフィス回帰の傾向には、マネジメント側の意向が強く反映されているのですね。そうした現状を踏まえ、今後2020年代のまちづくりにおいては、「働く」環境を構築していくために、どのような点がポイントになってくると思いますか？

若松　今日はかなり「人」に寄った話をしましたが、どのコワーキングスペースもまず大事なのは「空間」だと思っています。簡単に言うと、いつ来ても机がきれいで、椅子の座面も汚れていない、といったハード面の管理は、場をマネジメントする側が常に気をつける必要があります。「コミュニティマネジメント」というとソフト寄りの話をしているイメージが強いと思うのですが、そうした運営管理の重要性をチームで共有しつつ、どう業務スコープに落とすかということもかなり大事だと思っています。なかなか伝わりづらいことなのですが。

そうした空間の運営があった上で、最初に坂本さんがおっしゃったような「社会に価値を生む」という目的に対して場やコミュニティがどれくらい貢献できるのかというテーマは、これからも引き続き重要であり続けると思いますし、私自身も取り組んでいきたいと思っています。

坂本　日本にはいわゆる「共創空間」の成功例が少ないですが、いま「共創」が平面的にしか語られていないことが課題なのかもしれません。コワーキングのプロジェクトにはだいたい「共創」という言葉が入っていますが、言葉だけが一人歩きしている気がします。今日は「一つの場だけではダメで、街の周りに何があるかも大事だ」という話も出ましたが、たとえば過去の誰かがつくったものを使って

新たなものをつくることも、「共創」の一つとして捉えることができますよね。空間に「時間」という軸も加えることで、新しい「共創」が定義できるのかもしれません。

そもそも「共創」って、うまい仕掛け人たちがいれば、「場」がなくたってできるんです。人と人が出会うために「場」は必要かもしれないけれど、「出会う場」と「共創する場」は別でもいいはずです。出会ったあとにそのままプロトタイピングして事業をまわすとなると、そこが「作業場」になってしまうという難しさがあると思うんですよね。「共創」をもっと分解して、ここの部分はコワーキングでいいけど、ここから先は別にオフィスでいい、と切り分けて考える必要があるでしょう。

若松　そうですね。以前ワークショップを通じて企業間連携を促進する団体の代表を務めていたときは、ワークショップを開催するための場所探しからはじめる必要があったので、物理的な場を持つことの強みはよくわかります。ただ、そのリアルな「場」が「共創」にどれくらいの影響があるのかという話は、コロナ禍を経てなお検証されるべきテーマだと思います。3×3Labは多様なジャンルや層の人たちが常に集まっているので、「こういうプロジェクトをやります」と種を投げたときに反応してくれる人が、どのテーマに対しても必ずいるんです。これはかなり価値のあることだと思っていて、これまで多種多様なプロジェクトと連携したり、一緒に応援する仲間づくりを地道に行ってきた結果だと感じています。

坂本　先ほど、コロナ禍をきっかけに街をクモの巣状に歩くようになったという話をしましたが、それと同じように、人間関係においてもクモの巣状の横道が増えると充実するような気がしています。サラリーマンって、人間関係が「上司」や「同僚」といった「タテ」と「ヨコ」の関係性しかないと思うんですが、クモの巣的なコミュニケーションに価値を感じるサラリーマンも増えてきています。その人たち向けの場として、改めて3×3Labのようなスペースは重要になってくるのではないでしょうか。

おわりに アフターコロナの都市と地方に必要なことは何か

宇野常寛

2011年、石巻にて

2011年の6月、僕は友人と二人で宮城と福島を中心に東日本大震災の被災地を歩いた。当時は津波に襲われた地域は、まだ土砂と瓦礫の中に埋まっているところも多く、「復興」というよりはどうにか後始末をつけなければいけない、という雰囲気が現地には濃厚だった。対して、僕が関わっていた東京の、特にメディアの世界はまるでこの日を待っていたかのような興奮状態に陥っていて、この未曾有の大震災を経てどうにかして自分の株を上げ、敵視する同業者を蹴落とそうと考えている人がとても、とても多かった。

僕はそういった卑しい同業者たちのことが本当に嫌で嫌で仕方がなかった。だから、被災地に足を運ぶときにも、ほとんど誰にも告げずに向かった。このとき宮城で僕と友人はタクシーを1日チャーターして、主に石巻と女川を回った。印象的だったのはその年配の運転手が、津波の爪痕の生々しく残る石巻の市街地を回りながら「この街は、津波が来る前からもうダメになっていた」と話していたことだった。曰く、商店街の店たちは軒並みシャッターを降ろし、休日でも街には人が歩いていない。ぽつりぽつりと見かけるのは老人ばかり……それは、容易に想像がつく光景だった。なぜならばそれは、日本中の「地方都市」に生まれているありふれた風景だったからだ。僕は運転手の話を聞きながら、震災はスイッチのオンとオフを切り替えたのではなく、すでに存在しているものを顕わにしたのだ、と強く思った。

東京の「躁」と地方の「鬱」

あれから12年と、少し。この国の風景はどう変化しただろうか。僕はこの10年余り、この国は「東京」と「それ以外」に分断され、前者は躁病、そして後者は鬱的な状況にあったように思う。

被災地に限らず、「それ以外」、つまり地方の経済構造はとっくの昔に破綻し、国から流れてくる税金由来の金銭をどう懐に入れるか、というゲームが支配的な空間が相も変わらず存在し続けている。若い知性と情熱は東京に、あるいは海外への流出が止まらず、前近代的なムラ社会の息苦しさと、ツーバイフォーの建売住宅から軽自動車でイオンモールに通う平成初期のライフスタイルがいまだに支配的だ。そこには現代的なジェンダー平等も、障害は個人の身体ではなくそれを受け入れられない社会の側にあるという認識も、人種的、民族的な多様性も、新しい働き方も存在しようがない。そこは基本的にただ壊死を待つだけの空間だ。あの震災も結局何も変えなかったのだ。

対して東京はどうか。この国の経済的衰退と政治的な後退を直視せず、事実上無内容な文脈が情報空間を舞台に短期間で入れ代わり立ち代わり消費される。その象徴が「うっかり誘致してしまったダメージコントロール」に終始した東京オリンピックだろう。たとえパンデミックがなくとも、このオリンピックが「大規模な国際イベントを招致すれば景気が浮揚する」といった数十年遅れの知見に基づいて、事実上ほぼ無策に進行されたことは明らかだ。しかし、このオリンピック「が」問題だったというのは間違いだ。あのオリンピックは、この街の現在の象徴だ。産業形態も生活文化もその中心は前世紀のまま足踏みを続けながら、高い容積率を不動産事業的な効率化を求めて追求する巨大建築の乱立によって見た目だけを補う、この東京という街の空疎な狂騒を象徴する無惨な失敗例に過ぎないのだ。

「意識の高い」コワーキングと「エシカルな」リノベーション建築

しかし前述の東京（躁）と地方（鬱）――この双極的な空回りに支配された列島のなかで、それでも諦めずに何かを遺そうという取り組みは、決して少なくなかった。この本はそうした取り組みを紹介し、そこで新しく生まれた論点からこれからのまちづくり、国土開発について問題提起を試みることが狙いだ。

たとえば、東京都心では、オリンピックと駅ビル化の代表するオールドエコノミー的なイデオロギー――20世紀的な重工業での成功体験を忘れられず、労働集約と生産性をいまだ等号で結び、複業もリモートワークも若者たちのサブカルチャーとして軽蔑し、認めない昭和のイデオロギー――へのカウンターとして、現役世代のニューエコノミー従事者に対応したサービスやメディアが台頭した。産業界におけるスタートアップ文化の定着とそれと連動した雨後の筍のようなコワーキングスペースの乱立、NewsPicksなど新興ビジネスメディアの台頭などがこれに当たる。

対して地方では、前述したロードサイドのメガモールの象徴する画一的なライフスタイルに対抗して、その土地の特色を重視したスロー

フード的なアプローチによる新しい「地域おこし」が台頭した。その主役はこの言葉の持つイデオロギーに惹かれて集まってきた人々のコミュニティだ。経済的な非合理性は、そのイデオロギーに「共感」して集まってきた人々の善意、もしくは税金で埋められた。

前者の象徴が都心のビルの1フロアに設けられ、スタートアップ支援を標榜した「意識の高い」コワーキングスペースであるのなら、後者の象徴は古い街に残る古民家や近代建築をリノベーションした「エシカルな」カフェやセレクトショップということになるだろう。そして、僕はこれらの運動は相応の成果を上げ、そして新しい問題を生み出していると考える。そう、問題はすでに次のステージに移動しているのではないか。いま必要なのは「意識の高い」コワーキングと「エシカルな」リノベーションの「その先」にあるものなのではないか。

「排除の論理」を超えて

時にオールドタイプの昭和のビジネスマンがやっかみ半分に揶揄するようにこの国の「意識の高い」ビジネスの文化はそれほど実態の伴っているものではなく、規模的にも質的にも目標とされる諸外国のものとまともに比較することは現実的に難しい。彼らの揶揄の半分はたしかにやっかみだが、その半分は正確な批判だ。いま失敗していることがその可能性を否定する根拠にはならない。しかし、そのためにも「失敗の本質」を考える必要はあるはずだ。

たとえば、こんなエピソードがある。少し前にある「意識の高い」コワーキングの運営者と話したとき、彼は「意識の高い」人以外を直接で排除しているのだと得意気に語った。このとき、僕は僕のような怠惰で、競争が苦手で、「みんな」と一緒にいるよりは家でアニメを観たりプラモデルを作ったりするのが好きな人は、この場所にいてはいけないと宣告されたような気がした。

少なくともこうして人間を社会に対する距離感や進入角度のレベルで「排除」してしまうというのは、とても怖いことだと思う。戦時中に、戦争遂行に消極的な人々を非国民と罵り、いじめ抜くことで集団の秩序を維持し、多数派の安心を獲得していたメンタリティと、どこが違うのだろうか。僕はこのあたりにこの国の、東京という街の「意識の高い」文化の限界があるように思える。このケースで言えば、彼らは「JTC（Japanese Traditional Company）」的な同一性を批判しながら、自らもまた「同じようなメンタリティを持った人々」を集めてしまっているのだ。以前から不思議だったが、あの業界の人はインタビューを受けたときの話の構成や語調がなぜか「みんな同じ」だし、「Facebook のプロフィール写真の画角やポーズまで似通っている。ここまで「同じような」人たちが集まってイノベーションが生まれるはずがないという中学生でもわかる罠に業界全体がすっぽりハマってしまっているのだと、僕はこのとき強く思った。

あるいは「エシカルなリノベーション」についても考えてみたい。

2011年の東日本大震災は、災害など非常時における地域コミュニティへの再評価をもたらした。この再評価はかねてからの「コンクリートから人へ」の移行、そしてその前後に勃興した地方芸術祭による「地域おこし」のムーブメントなどと合流し、地域コミュニティが町おこしのリソースとして、再注目されていった。これらを支援したのが、都心のクリエイティブ・クラスのうちさらに「意識の高い」層によるエシカルな志向だった。スローフード志向の追求として地方に惹きつけられたこの層は、旧来型の地域コミュニティとともに今日の「地方創生」の当事者として期待された。

しかしその結果として、端的に言えば日本中どこに行っても、「筋の良い地方創生」の景色は似通ってしまっている。地方のロードサイドがどこへ行っても東京資本のチェーン店の大型店舗で画一化されているように、「筋の良い」「がんばっている」地方の風景も似通っている。島国らしい森と海の風景、和モダン建築の道の駅（的な何か）、おしゃれなパッケージにリニューアルされた地酒、廃校を利用して作られたコミュニティセンターとそこに東京の識者が招かれて開かれる環境問題と地方創生のワークショップ……。もちろん、「だからダメ」という話なのではなく、この成果を足場にどうやっていくのかが問題なのだが、ここで重要なのはそもそも僕たちが考えてるよりもこの国の地方の文化は画一化していて、そこに東京のスローフード趣味のクリエイティブ・クラスといったそれ以上に多様性を欠いた（同じような趣味の）人たちが出かけていっても、この両者の掛け算では同じようなものしか生まれない、ということだ。

僕は港区や渋谷区や目黒区や世田谷区の「意識の高い」「エシカルな」人たちがMacBookを片手に地方に農業体験に出かけて「新しい働き方」や「二拠点居住」を誇る姿に、どちらかと言えば疑問を感じる。彼ら彼女らは自分たちのシェアハウスが入居するビルの足元にある公園から再開発でホームレスが追い出されるのに無関心なのに、東北や九州の「第二の故郷」にいるおじいちゃんやおばあちゃんとのハートフルな交流をFacebookで自慢することには余念がない。この人たちの語る世界からは公園を追い出されるホームレスたちはもちろんのこと、東京の私鉄沿線や埼玉や千葉の住宅街から東京に出勤したり遊びに行ったりする人々が、地方の住宅地から軽自動車で職場かイオンモールに通うこの国に暮らす大半の人々のことが忘れ去られている。果たして、このような傲慢なアプローチが「意識が高く」「エシカル」だと言えるのだろうか。本当の問題は港区と農村の間にある「普通」の人たちの「暮らし」にあるのではないか。

「新しい生活様式」を再評価する

では、どうするのか？　ここで、僕たちの思考の手がかりになるのは、あの震災からおよそ10年後にこの国を、そして世界を襲ったコロナ・ショックだろう。コロナ・ショックは一方では情報技術を駆使し、可能な限り他人と「会わない」非接触な社会生活の実験を人類に強い、もう片方ではその例外状況で、家族やジェンダー、働き方など僕たちが自明のことだと考えていたものを問い直す機会を与えた。おそらく、東京のそして地方の可能性を考える鍵はここにある。

あの3年間——東京に暮らす一部の人々は、リモートワーク化を「前提」に地方に拠点を移す人が多く見られた。東京の住宅事情は厳しい。支払う家賃に比して手に入る空間は決して広くない。その上、地方に「逃げた」としてもいまだに昭和的な古い家族観、ジェンダー観、労働観に支配されたこの国の住宅の間取り（LDK）は、大人が昼間に家でデスクワークを、それも複数人行っていることをまるで想定していない。リビング以外の部屋は基本的に「寝室」と位置づけられ、しかも基本的に「個室」としての使用が想定されていない。キッチンは女性1人のオペレーションが想定され、リビングはよりにもよって「テレビ」を囲むように設計されている。

同じような「不自由さ」は家の外、つまり街にも溢れている。管理職が部下を監視するように設計されたオフィスを、フリーアドレスで解消しても結局は「空気を読んで」「なるべく同じ島に陣取る」ように指導が行われる。職場の上下関係を背景に忖度させられる時間が手放せなくて「飲み会」を事実上強制するオーナーや管理職は後を絶たない。こうした昭和的なイデオロギーとそれに基づいた制度に支配された街から、コロナ・ショックは僕たちの暮らしを一時的に解放した側面があったのは間違いない。

僕は「新しい生活様式」のすべてが素晴らしかったとは、当然考えていない。しかしこの時期に僕たちが体験したことから、しっかり持ち帰るべきものがあることは間違いないだろう。いま必要なのは、僕たちが「当たり前」だと信じてきた「暮らし」のアップデートなのだ。

MSDという「社会実験」から

僕は2020年から、MSD（Micro STARs Dev.）という「まちづくり」のプロジェクトに、プロデューサーの一人として参加している。これは有楽町を舞台に、「次の時代を担うスターが生まれる〝仕組み〟を有楽町で作り上げる」ことを掲げたプロジェクトだ。

従来の有楽町の持つイメージとは、言葉を選ばなければ「JTCの巣窟」だ。きわめて昭和的な、古い工業社会の論理に囚われた、男尊

女卑的で、集団主義的で、アナログな「古い日本」──その中心こそが有楽町を含む大丸有（＝大手町、丸の内、有楽町）のイメージなのは、疑いようがない事実だろう。

しかしというか、「だからこそ」ここに目をつけたのが、この「ＭＳＤ」と呼ばれるプロジェクトだった。この「古い街」に集まる人材は、現在の日本の中でも選りすぐりの潜在力を秘めている。しかし会社という「器」が古いために、その能力を十分に発揮できていない。会社の外に彼らの能力を刺激する他の人間や物事に「出会う」ことのできる「場所」があれば、この古い街から意外なかたちで新しい動きが生まれてくるのではないか──。これが僕をこのプロジェクトに誘うときに、「仕掛け人」である三菱地所の井上成氏が語った「ＭＳＤ」のコンセプトだ（p213〜223参照）。

「人」を変えるために、いや、変わるきっかけに出会えるようにするために「街」を変えていく。それがこのプロジェクトのポイントだった。それはコミュニティの中核となる路面店の開設、連動したコワーキングスペースの開設（p176〜187参照）、そこでのスタートアップ支援（p188〜199参照）、アートプロジェクト（p200〜212参照）など多岐にわたる。

しかし、一貫しているのは「人」をターゲットにするという考えだ。先んじている丸の内を中心とした「ウォーカブルな」再開発──渋滞する自動車の合間を灰色のスーツを着込んだサラリーマンが早足で取引先に向かう街から、歩いて「楽しく」「過ごせる」街への脱皮──それを第1段階とするのなら、その「成果」の上に次は「人」にアプローチする……これが第二段階（ＭＳＤ）なのだ。

しかし実際にスタートしたこのプロジェクトが直面したのは、コロナ・ショックという前代未聞のパンデミックだった。「大丸有」的なものをアップデートする「人」づくりを掲げてスタートしたこのプロジェクトは、結果的に「新しい生活様式」下の「街」の役割を問われることになったのだ。それは言い換えれば、あの震災によって「場所」から「人」へとその重心を移したこの国のまちづくりが、先の疫病を経てもう一度「場所」にも目を向けさせられた結果でもあったように思う。こう書くと、時代に望まれ、必然性のもとに進められたプロジェクトであったようだが、実態は前代未聞のパンデミックを前に緊急対応と試行錯誤の連続だった。次のページ以降のインタビュー3つと座談会3つは、その悪戦苦闘の記録でもある。うまくいかなかったこともあるが、予想外の成果を上げたこともある。失敗も成功も、そしてこれからその結果が問われることも含めて、２０２０年代のまちづくりの参考にしてもらえたらいいなと思う。

DISCUSSION
長谷川貴之
ブランスクム文葉
牧亮平

「次世代のスター」を生み出すためのまちづくり

東京の中心部・有楽町から考える

撮影：蜷川新

長谷川貴之 TAKAYUKI HASEGAWA

栃木県出身。大学卒業後、電機機器メーカーで営業を経験。元呉服店兼小さな商店を持つ実家の影響で、「自分の店を持つ」夢を追求。2019年からはインターローカルパートナーズが運営する「有楽町 micro FOOD & IDEA MARKET」で店長として携わる。

ブランスクム文葉 FUMIHA BRANSCOMBE

株式会社ゼロワンブースターコミュニティ開発部ディレクター。2020年2月より01 Boosterに参画。『有楽町 SAAI Wonder Working Community』の立ち上げ、運営、移転プロジェクトに関わり、起業家と対話・交流をしながら、新規事業・新産業創出支援を行う。また、女性起業家のスキルアップ・スケールアップに特化した起業家支援プログラムや、高校生の起業家教育事業などにも携わり、性別や年代を超えたコミュニティづくりが強み。毎年、『01 Community Conference』を主催し、エコシステム構築に注力している。グロービス経営大学院MBA。

牧亮平 RYOHEI MAKI

三菱地所株式会社 プロジェクト開発部有楽町街づくり推進室 マネージャー。新卒で東急不動産株式会社へ入社。社内新規事業として会員制サテライトオフィス事業「Business-Airport」の立ち上げを行う。同社退職後、1年間の海外修行を経て、SAYU MILANO現地代表に就任。イタリアミラノで日本をコンセプトとした複合商業施設「TENOHA MILANO」の開発、運営を行う。2020年帰国、三菱地所株式会社へ入社。現在、有楽町再構築を担当し、会員制インキュベーションオフィス「SAAI」や複合商業施設「micro」を起点としたソフト面からの街づくりを行っている。座右の銘は「すべては人から始まる」で、そこにいるリアルな「人」を大事にしたい。

東京の中心部、昔ながらのビジネス街としてのイメージが強い「有楽町」で、いま新しい動きが起こっています。その代表例が、事業創造インキュベーション施設の「有楽町『SAAI（サイ）Wonder Working Community』」とアイデアの実証実験店舗「有楽町 micro FOOD & IDEA MARKET」（2023年10月、ビル閉館に伴い閉店）という、「次世代のスター」を生み出すための施設です。

有楽町というエリアで、一体何が起こっているのでしょうか？　両施設を包含する有楽町再構築プロジェクトである「有楽町 Micro STARs Dev.」が2019年12月に始動してから4年が経過したいま、施設の企画・運営に関わる3名で、「次世代のスター」を生むためのまちづくりについて議論します。

■聞き手―宇野常寛・小池真幸
■構成――長谷川リョー

完成されたエリアでのチャレンジ

――まず初めに、みなさんがそれぞれ有楽町のまちづくりにいかにして関わっているのか、お話しいただけますか？

牧　私は「有楽町『SAAI（サイ）Wonder Working Community』」（以下、SAAI）、「有楽町 micro FOOD & IDEA MARKET」（以下、micro）の両施設を包含する有楽町再構築プロジェクトである「有楽町 Micro STARs Dev.」（以下、MSD）のマネージャーとして、プロジェクトの全体統括を行っています。「再構築」といっても再開発のようにハードが主ではなく、既存ビルや空きスペースを活用したソフト面からアプローチしています。まずはアイデアが生まれる場所として、事業創造インキュベーション施設の「SAAI」をつくりました。単なる場所貸しではなく、起業家や会社員など、働き方を問わず同じ想いを持った人たちが集まれるコミュニティになってほしいとの願いから「Wonder Working Community」と冠しています。そしてもう一つ、生まれたアイデアを磨く場所として「micro」があります。ここは簡単に言えば、アイデアの実証実験店舗です。この複合商業施設内には、カフェやレストラン、イベントスペース、物販コーナーがあります。

SAAIとmicroは隣のビル同士に位置しており、その関係性はたとえるなら「畑」と「市場」。まずは畑に種を植える。少しでも形になれば実った成果物を市場へ持っていき、一般の方々に手に取ってもらう。クイックにアイデアを試すためのテストマーケティング環境が最初から用意されているイメージです。SAAIで生まれたアイデアがmicroで磨かれ、やがて大丸有の街に実装され羽ばたいていく……そんな循環の過程で、次世代のスターを生んでいきたい。スターとは人に限らず、モノやコト、あるいはサービスや会社でもいい。とにかく有楽町を起点に、次世代のリーダーたり得る存在を生み出そうと試行錯誤しています。単なるインキュベーション施設や飲食店に終わらず、〝有楽町のまちづくり〟という視点から次なるスターを生み出すのが我々の狙いです。

――そうした〝スターづくり〟を、渋谷や六本木といったかねてよりスタートアップが多かったエリアではなく、大丸有というトラディショナルなビジネス街で行っている。

牧　おっしゃる通り、大丸有エリアは良くも悪くも、街として完成されていると思います。MSDのコンセプトに「街の輝きは人がつくる」とつけたのは、改めて街の関わりしろをつくっていきたかったから。今まではスタートアップ

や個人事業主、あるいは副業（複業）人材が新しいことにチャレンジするとき、このエリアがイメージされることは少なかったと思います。だからこそ、SAAIやmicroを基点にそうした方々のチャレンジのハードルを下げ、有楽町へアクセスしやすくなる関わりしろをつくることを意識しました。

――牧さんがMSDに関わるようになった経緯についても聞きたいです。

牧　紆余曲折はあったのですが、ある程度やっていることは共通している気がします。まずは新卒で他の総合デベロッパーに入社し、新規事業としてシェアオフィス事業を立ち上げ、このサービスは現在では20拠点ほどに成長しています。その後会社を辞めて、海外放浪に出かけました。その旅路でご縁があり、イタリアのミラノで日本をコンセプトとした複合商業施設を開発し、現地の代表として運営を行っていました。そして2020年に帰国し、また人のご縁があって三菱地所に入社したんです。

手がけてきた事業の共通項としては、多くの人々に活躍するチャンスを与えられるプラットフォーム・ビジネスであることでしょうか。イタリアで開発していた施設に関しても、インバウンド／アウトバウンド問わずビジネス拠点

になり得る仕立てになっています。ただ、私がイタリアで開発していた施設に比べて、MSDではより公共的な視点からまちづくりに取り組んでいる感覚があります。

なぜ有楽町には「変な人が多い」のか?

――そうした牧さんが統括するMSDプロジェクトの一翼を担っているのが、「SAAI」の運営に携わっているブランスクムさんですよね?

ブランスクム　はい。SAAIの立ち上げ初期から、コミュニティマネージャーとして、コミュニティのソフト部分を戦略的に形成する責任者として関わっております。「コミュニティマネージャー」とは言えど、施設によっては受付や施設管理に終始していることも少なくないと思いますが、SAAIのコミュニティマネージャーは事業の支援に重心を置いて動いています。多様な方々が集う場なので、コミュニティ運営のルールや方針を設計したり、SAAIの会員さんへヒアリングを行い、抱えている課題を一緒に解決したりしています。SAAIには「思いつきをカタチにする」というコンセプトがあるのですが、このコンセプトを実現するため、事業プランのブラッシュアップはもちろん、壁打ちをサポートしたり、事業展開で必要となるリソースの

SAAIでは廃材となった什器が再生利活用されている

SAAIにある和室スペース

調達に関わったりもしているんです。他にも所属するゼロワンブースターの中では、女性起業家の支援事業、高校生向けの起業家教育事業にも携わりつつ、そこで出会った方々をSAAIへ呼び込む形で動いています。

――SAAIにはどのような経緯で関わるようになったのでしょうか？

ブランスクム　もともとはオリエンタルランドで店舗運営やディズニーシーの立ち上げに関わっており、その次にカルチュア・コンビニエンス・クラブ（CCC）でのIRやCFO秘書、そして野村證券でのファイナンシャル・アドバイザーを経て現在に至ります。野村證券に在籍していたとき、MBAを取得するためグロービスに行ったのですが、そこでの学内活動が現在の仕事にもつながるコミュニティ運営だったんです。ただ、企業にしろ行政にしろ、コミュニティに直接的な成果を求めすぎているきらいがあるとも感じていました。そもそも人には多面性があり、属するコミュニティも1ヶ所ではありません。複数の居場所があるからこそ、幸せを感じられるはずで、必ずしも特定の場所で活躍し、成果を出す必要はないと思うんです。だから私は、ビジネス文脈で「コミュニティ」が語られることの多さに違和感を抱いていました。

――そうした問題意識を抱いている中で、SAAIで改めてコミュニティ運営に携わるようになったと。

ブランスクム　はい。実はSAAIに関わるまで、私は有楽町とは何の縁もなく、土地に対する具体的なイメージも持っていませんでした。ただ、最近は有楽町がビジネス以外の領域で雑多に混ざり合いながら、心地良さを保っていることに独自性を見出しています。特に三菱地所さんがアートに力を入れていることもあり、アーティストが盛んに集まる場所も生まれている。実際、私は新有楽町ビルの空きテナントを活用した「ソノ アイダ#新有楽町」で人生に影響を与えてくれるアーティストに出会う機会にも恵まれ、有楽町でビジネス以外の発見があることに驚きました。また、主観にはなりますが、SAAIを利用する方はいわゆる絵に描いたようなサラリーマンが少ない気もしています。それぞれ自由にキャリアを逸脱しているので、良い意味で「変な人が多い」といいますか。

牧　もともと大丸有エリアが抱えていた、就業者数約28万人から成る大企業群の母数は間違いなく強みとしてありそうです。ブランスクムさんがおっしゃる「変な人」は、会社員の型にとらわれることなく果敢に新規事業や副業に挑戦していて、SAAIにいる大企業の方々のほとんどは複数のキャリアを持っています。いままではそうした人々の受け皿がなかなかありませんでしたが、SAAIのような受け皿ができることで、そうした人たちが集い、新たな化学反応を起こすことができるようになったのではないでしょうか。

有楽町に、地域をつなぐ「ハブ」をつくる

――そして長谷川さんは、MSDのもう一つの拠点「micro」の店長を務められているんですよね。

長谷川　私はmicroの店長として、店舗運営、イベント、物販品の販売、そして飲食まで全体を見ています。もともと大手の電機メーカーの営業として8年半ほど勤めていたのですが、30歳になった頃、より地域と関われる仕事がしたいと思うようになったんです。

地元が栃木の田舎町にあるのですが、かつて自分の地元に対しては「何もない、つまらない場所」というイメージを持っていました。それでも、いざ地元を離れて違う土地で暮らしてみると、地元の良さを客観的に知ることができた。いま私の地元で暮らす中高生たちが当時の私と同じ印象を町に抱いているなら、私が地域に関わることでそのイメージを変えられるのではないか。そんな思いを抱くよう

になっていたときに、ｍｉｃｒｏと関わるご縁をいただきました。ある意味で「社会実験の場」と位置付けられるｍｉｃｒｏには、さまざまな地域からチャレンジングなプロジェクトや技術が集まり、積極的な発信が行われています。だからこそ、まずは東京の中心である有楽町に身を置き、ｍｉｃｒｏを通じてでしか出会えないであろうヒト・モノ・コトに触れる体験をしようと考えたんです。実際、その現場に自分が身を置き、日々運営に当たることでリアルなフィードバックを得られているので、その知見を将来的には地元に還元したいと考えています。

――ｍｉｃｒｏでは、まちづくりに関するどのような知見や気づきを得られたのでしょうか？

長谷川　一つの例として、２０２３年の３月に開催した屋久島のイベントを紹介させてください。山岳ガイドの方に店頭に立っていただき、一般のお客さんに屋久島の魅力を伝えてもらいました。イベントに集った山岳ガイドの方のファンや、すでに屋久島に行ったことがある人のほとんどが東京出身の方々で、雑誌『ソトコト』編集長の指出一正さんが言うところの「関係人口」を肌で実感しました。東京にいながらにして、別の地域と密につながる方々がこれほどいるのかと。ある場所を基点に、地域と地域をつなぐ。同じことを、地元である栃木でも実践したいと思いました。

牧　最近改めてＳＡＡＩ／ｍｉｃｒｏの価値として感じるのは、中間＝ハブとしての機能です。たとえば、東京から宮古島へ行ったとしても、多くの人は単なる観光で終わってしまいます。一方、ｍｉｃｒｏで事前にその地域の方々と交流するプログラムに参加しておけば、通常では開かないドアが開いたり、関係人口を持った状態でその土地を訪れたりすることができます。地方と地方の行き来に関しても同様のことが言えます。いきなり宮古島と札幌の人が仲良くなるのは難しいので、まずはハブとしてのｍｉｃｒｏで同じプロデューサーとつながったり、同じワークショップを受けることで関係人口を築いたりする。そうすることで、地域間の移動や交流が滑らかになるのではないでしょうか。

コロナ禍でも「場」の価値は変わらなかった

――２０１９年末にスタートしたＭＳＤ、そしてＳＡＡＩ／ｍｉｃｒｏは、オープン直後にコロナ禍に突入するかたちになりました。

牧　私はＳＡＡＩ／ｍｉｃｒｏを両面から見ていたからこ

そ、考えたことがありました。まず第一に、当たり前ですが、民間企業のプロジェクトなのでビジネスとして成り立たせなくてはなりません。コロナ禍の厳しい状況ではありましたが、プロジェクトを減速させないこと、そのために必要な人材を集めることに注力しました。もともとMSDはコンセプトに「街の輝きは人がつくる」を掲げていましたが、コロナ禍でのプロジェクト運営を通して、人々の「互いにつながろう」「つながりたい」という気持ちの強さに改めて気づかされました。たとえば、SAAIではコロナ禍でも利用率が大きく落ちることがありませんでした。大企業の方々の働き方がリモートへ移行したことで新規の入会率は一定程度落ちたりすることもあったのですが、スタートアップで働く方や中小企業のオーナーの方々は、街へ出て交流を続けていました。そのため、スペースの稼働率自体は高いままで保たれていた。コロナ禍でもコミュニティが停滞しなかったのは、人にフォーカスを当てたスペース、コミュニティづくりをブラさなかったからだと思います。

長谷川　microでは、コロナがはじまったことで、当初想定していた飲食×物販×イベントを複合的に機能させることが難しくなってしまいました。そのため、一時的にリアルの場に人を集めることは諦め、イベントをオンラインに切り替えるなどして対応しました。その後、街に人が

戻りはじめたタイミングで、展示をＰＲの場として活用していくことにも挑みました。たとえば、それまでオープンスペースで販売会を行ったことがなかった、タロットカードの販売展示会を行いました。もともとタロットカードに興味がなかったり、怪しいイメージを持っていたりしたという来場者のイメージを一新し、業界でも初めての取り組みができたことに、主催者さんも手応えを感じていただけたようです。

——コロナ禍があっても、リアルな場の価値は本質的には変わらなかったと。

牧　今後はオンラインとリアルな場の使い分けがより明確になっていくと思います。今まではオンラインが選択肢になかっただけで、そのツールとしての利便性は間違いなくあります。なので、必ずしも週のすべてを有楽町で過ごすことが正解だとは思いません。一方、場にしか宿らない力もあるはずです。ＳＡＡＩに足を運ぶことで偶発的な出会いがあることはもちろん、仲間が奮闘している姿を直接見ることで、自分も頑張ろうと思えます。その相互作用により、場としての全体的な能力も高まっていく。そこにリアルな場の価値があるのではないかと思います。

ブランスクム　先日、起業したばかりのＳＡＡＩの会員さ

micro には、まだ一般に知れ渡っていない、社会に火をつけるプロジェクトや、日本に 500 近くあるという有人離島で生まれたプロダクト、個人が自ら生み出す本のカルチャー、アート作品まで集う

んが「SAAーがコーポレート機能を果たしてくれている」とおっしゃっていました。起業初期は人員が少ないので、あらゆる面で、手が回らない場面が多く発生します。採用したメンバーのケアはその一つです。そしてSAAーに集い、コミュニティの中でみんなで働くことで、誰かしらが誰かしらを気遣いサポートできる。あるいは、自分が直の部下にアドバイスをすると角が立ってしまいそうなことも、他社の人が間接的に働きかけてくれることで素直に受け取ってもらいやすかったりします。このように、思わぬところでコミュニティ内での支え合いの関係性が生まれ、会社をサポートする機能として働いていることに気づかされました。

長谷川　microは飲食店として使っていただくユースケースが多いので、一番の利点として感じたのは、お客さんが新しい体験をした際の反応を目の前で観察できることです。たとえば、蚕を使った昆虫食の食品をつくっているメーカーの「SILKFOOD（シルクフード）」さんが、microでチョコの試食会を行ったことがありました。そもそも昆虫食を毛嫌いする人も少なくない中、リアル店舗の特徴を利用し、その場でお客さんにご案内しつつ、100件のアンケートを実施したんです。そのとき、改めてテストマーケティングの場としてのmicroの有効性を感じま

した。もう一つ印象的だったのは「PLANT BASED FOOD（プラントベースフード）」の事例です。通常のテストマーケティングではメニューの一部を変更して試したりするケースが多いのですが、この取り組みでは1ヶ月限定で全メニューを代替食品に切り替えて、「未来食堂」として営業しました。有楽町の一等地にあるカフェで全メニューが代替食品という攻めたチャレンジができたのも、この場所ならではだと思います。

私も運営サイドとして、プロダクトに触れるお客さんの反応を、事業者の方にしっかりとフィードバックしてあげることを意識しています。現場に身を置いているからこそ吸い上げられる生の反応や感想を、次のアイデアにつなげられるようにお渡ししているんです。ある食品に関して、「単価が高い」「食べづらい」といった正直な感想があれば、厳しい意見のままにフィードバックを返します。結果として、改善を繰り返すことができ、プロダクトが磨かれていくと考えています。また、平日と休日により店舗の客層がガラッと変わることも利点でしょう。平日は周辺で働く会社員やノマドワーカーが多く、休日は丸の内・銀座・日比谷あたりから足を延ばしていらっしゃる方が多くなります。なので、週全体で見るとかなり幅広い年代にアプローチできる場所だと思います。

ブランスクム　それからSAAI／microが相乗効果を出していると感じる側面の一つに、PRができる拠点としての魅力があります。リソースが限られるスタートアップが、いきなり大丸有でPRできる事例をつくるのはハードルが高い。一方、検証段階にある事業アイデアを現場であるmicroで試し、それがそのままPRできる実績になることは、スタートアップにとって信用力や勢いをつけるための着火剤になり得ます。microには会社のステージや売り上げ規模などの制約も一切ありません。机上のアイデアを磨き、形にするための環境として、両施設は相互に補完し合っていると思います。

牧　その事例として、印象深いケースを一つ紹介させてください。もともと総合商社に勤められていたある方は、起業準備段階でSAAIのコミュニティに入っていただき、事業案としてあった「ITによる口コミの可視化」をまずプロトタイプとしてつくられました。それをmicroへ持っていってユーザーリサーチを行い、データに基づいた仮説検証を繰り返し、SAAIで再びブラッシュアップしていきました。いよいよ事業の道筋が見えた段階でSAAIのVCイベントでVCにアプローチし、現在は総合商社を辞めて、スタートアップとしてSAAIで活動されています。この方はSAAIとmicroの両施設を有効活用

した好事例だと思います。他にmicroと相性がいいのはやはり「食」の領域です。先ほど長谷川さんから蚕を使った昆虫食の事例が挙がりましたが、次世代食のプロトタイピングなどは試しやすい環境になっているかと思います。

見落とされがちな「運営」の重要性

――最後に、このプロジェクトの3年間を振り返った上で見えてくる、コミュニティ運営や地域活性化、まちづくりのヒントを教えていただけますか？

牧　デベロッパーの仕事は、得てしてつくることにフォーカスが置かれがちです。ただ、これまでのプロジェクト経験を通して強く感じるのは、「運営」こそ難しいし、大切であるということです。デベロッパーもまちづくりの視点から運営にまで関与しながら、価値を創出していく。さもなければ、施設が単なるブランディングの一要素になってしまいます。そして、私は「すべては人からはじまる」と信じています。今回のプロジェクトを通してもそのことを再認識しました。デベロッパーの仕事はどうしても規模が大きく、一人ひとりの顔であったり特徴を置いてけぼりにしがちです。ただ、改めて考えてみれば、大きな街も一人ひとりの集合体に他なりません。改めて、まちづくりにおいて人にフォーカスを当てることの重要性を認識しました。

長谷川　先ほどもお話ししたように、私は将来的に地元へ戻り、自分自身で事業を手がけたいと考えています。牧さんがおっしゃったことと近しいですが、コミュニティの大小にかかわらず、最終的にその場をつくるのは人です。今回のプロジェクトの経験を生かし、地方の小さいコミュニティの中で、これまで関わりのなかった人同士をつなげる動きをしていきたいと考えています。

ブランスクム　SAAIの運営に関わるようになって改めて、短期的な成果を志向するのは、コミュニティのあり方としてふさわしくないと再認識しました。まちづくりと同じく、コミュニティも10年単位の長期的なスパンで見て育てていく。その取り組みの中からどんなものが生まれてくるのかにワクワクしますし、そうした価値観をもっと広げていきたいですね。

【SAAI会員インタビュー】

岩田竜馬

会社の「外」を知った僕は『マトリックス』の「赤い薬」を飲んでしまったのかもしれない

大企業で働きながら、ヘルステック事業を手がけるスタートアップを起業した岩田竜馬さん。SAAIでさまざまな人々との「友達」としての雑談を重ね、会社の「外」からの刺激を得たことが、起業にあたってプラスに働いたといいます。「SAAIを利用するようになって、映画『マトリックス』の『赤い薬』を飲んだような気持ちになった」と語る岩田さんの真意とは？

■聞き手―小池真幸
■構成―長谷川リョー

岩田 竜馬 RYUMA IWATA

1988年群馬県生まれ、2013年東北大学修士卒。日揮で9年間、資源国でのエネルギー開発プロジェクトマネジメントに従事。カタール・ロシア(北極圏)・アルジェリア等で、長期駐在を繰り返す。2021年経産省JETRO「始動」起業家育成プログラム採択。2022年、株式会社SaveExpats設立。日揮から出向起業、経産省「出向起業等創出支援事業」採択。米シリコンバレーのAlchemist X Accelerator採択。2023年東京都ASACプログラム採択。2児の父。

大企業で働きながら、スタートアップを起業

――まず初めに、現在取り組まれている事業についてお伺いできますか？

海外駐在員・家族のための自己採血キットによる郵送検査サービス「SaveExpats」を開発・提供しています。駐在先のオフィスで簡単採血30秒、指先から2滴の血を採るキットです。採った血は国際輸送サービスで回収し、常温で日本へ空輸、その後日本のラボで分析を行い、結果はアプリで3～7日以内にお知らせするというもの。精度は病院での採血と同等で、国内で200万回以上の実績がある検査キットを利用しています。現在、検査可能なのは一般的な健診13項目と、癌マーカー6項目、肝炎、HIV検査です。日本基準で検査数値の推移を母国の医師とオンラインで一緒に見ながら相談が受けられて、世界中どこにいても充実したフォローにより安心して仕事に集中できるようになります。

――事業の立ち上げにあたって、SAAIを活用されていたと聞いています。そもそも、どのような経緯で立ち上がったのでしょうか？

コロナが深刻化しつつあった2020年の途中までアルジェリアにいたのですが、日本に帰国してから、新規事業担当の部署へ異動になりました。そして2021年に経産省が主宰するグローバル起業家育成プログラム「始動」に応募し、メンバーに選ばれたんです。それ以降、大企業で働きつつ、スタートアップの代表としても活動するという二足のわらじが続きました。このプログラムの間に事業プランをブラッシュアップさせ、プログラム終了後の翌年1月には共同創業者を見つけました。4月頃に正式に法人を設立したのですが、この頃は会社員としても普通に働いていたので、ほとんど休みはありませんでしたね（笑）。

そして、ちょうどこの頃、採択されればSAAIが1年間無償で利用できるアクセラレーションプログラム「01 Start（ゼロワンスタート）」に応募しました。選考を通って入居したのは2ケ月後の6月からでしたが、この頃、同時に出向起業の話も進めていまして、日揮グループの役員たちに部長と共に相談したところ、「面白いから、やってみろ」と大きく受け止めてくださいました。もともと日揮はオイル&ガスのプラント建設が中心の会社ですが、今後は事業領域を資源開発からインフラ・再生エネルギー・ヘルスケア・宇宙へ広げていこうという方針を掲げています。そうした会社が掲げる将来的なビジョンとの合致点があったからこそ、経営陣が出向起業を認めてくれたのだと思います。正式に出向起業したのは10月からでしたが、その間も私は日揮とSaveExpats両方の仕事をSAAIで進めていました。

会社の「外」からの刺激を得る

――大企業で働きながら、スタートアップの立ち上げを進められていたのですね。その拠点をSAAIに置いたことで、どのような影響がありましたか？

SAAIには異業種の大企業とスタートアップ、その双方の幅広い職種の方々が出入りしていて、そのことが事業の成長を後押ししてくれたと思います。多くの大企業の方々をつないでいただいたことはもちろん、その出会いをきっかけとする、具体的な提携や出資の話も複数進んでいます。あとは出向起業している立場から、大企業の新規事業創出プログラムでの講演をご依頼いただくこともありましたね。さらにわかりやすい例を挙げると、人とのつながりが爆発的に増えて、SAAIへ来てからの1年間で、Facebookの友達数が5倍に増えました（笑）。

大企業で働く多くの人は外界とコミュニケーションを取る機会が限られていたり、無意識のうちにそもそも積極的に社外との接点を持ちにいかない思考になっていたりしま

す。私自身の経験を振り返ると、海外へ赴任しているときでさえ、ビジネス上の交流の幅は基本的に同業種に限られていました。一見グローバルに見えるコミュニケーションでさえ、内実はほとんど社内や取引先とだけだったりするんです。だとすれば、国内で働いている多くの大企業の社員の方々はなおのこと交流の範囲が限られるのは、推して知るべしです。たとえるならば、大企業の社員の多くは薄い〝膜〟のようなものに覆われている状態だと言えるでしょう。

しかし、いまこうして外に出て仕事をしてみて思うのは、自分で事業をやりはじめると、誰とどんな話をしてもそれが何かしらのビジネスや取り組みにつながる可能性があるということ。仕事の拠点をSAAIに移してから、私は映画『マトリックス』のある描写を想起しました。主人公・ネオは反体制のリーダーであるモーフィアスに「赤い薬と青い薬のどちらを飲むか」と選択を迫られます。赤い薬を飲むと、それがたとえ安定した生活を失ったり、人生が根底から覆ってしまったりすることにつながるとしても、世界の真実を知ることになる。青い薬を飲むと、何も知らない、しかし満ち足りた状態でい続けることができる。私はSAAIで幅広い方々と関わるようになり、それによって得られる刺激を知ったとき、この「赤い薬」を飲んだような気持ちになりました。

——ただ、SAAIに限らずとも、ここ十数年で「共創」をテーマにしたコワーキングスペースはかなり増えたと思うのですが。

多くのコワーキングスペースは、単なる〝作業場〟になっている印象があります。カフェと同じく、それぞれがそれぞれの場で作業を行うだけ。他方でSAAIにはバーが併設されていたり、イベントがある種強制的に開かれたり、コミュニティマネージャーが良いタイミングで人をつないでくれたりと、コミュニケーションが活性化される仕組みが整っています。むしろ、その点こそを一番の目的にしている。そうしたコワーキングスペースは他にあまりない気がしますね。

「友達」としての雑談がもたらすもの

——新たな価値の創造を一番の目的に置いて設計・運営されているのが、SAAIの特徴だと。ただ、人と人をつなげようとしても、「名刺交換しただけで何にも発展しない」という結果に終わってしまうケースも少なくないと思います。

まずは堅苦しい目的は脇に置いて、雑談からはじめるの

がいいのではないかと、SAAIを利用するようになってから思うようになりました。何をしているのかはわからなくとも、この人の話は面白いから、話してみる。人を「機能」としてみるのではなく、まずは「友達」になってみる。カジュアルな関係性からの方がむしろ、結果的にイノベーションにつながるケースがあることに気づきました。あるネットワークとあるネットワークの間にある構造的な隙間のことを「ストラクチュアル・ホール」と言いますが、粗い結合と密な結合によってイノベーションが起きるイメージです。

また運営元に、古くからコワーキングスペースを展開してきたゼロワンブースターさんがいらっしゃることも大きいと思います。たとえば、都の女性ベンチャー成長促進事業「APT Women」の運営事務局も担われているので、そのメンバーの方々をSAAIに招いたりと、活発に人材が交わる流れづくりがなされていると思います。コミュニティが立ち上がるときは、その場にポジティブなエネルギーが流れ込んでくるような人の循環が必要だと思いますが、その方策の一つとして、こうしたプログラムとコワーキングスペースの連携はかなり有効なのではないでしょうか。場（三菱地所）と仕掛け（ゼロワンブースター）の掛け算によって、SAAIがユニークなスペースになっていると感じます。

――そうした複合的な配慮や働きかけによって、ただの「作業場」では生まれない価値が生み出されているのですね。

ただ、もちろん〝作業場〟としても使うことはできて、私自身、完全にSAAIをオフィスとして使用しています。朝一番に来て、夜仕事を終えるときまでずっと拠点にしているスタイルです。日本橋にはメディカル系の企業が多かったり、丸の内や京橋にもアクセスが便利だったりするので、有楽町というロケーションも便利ですしね。また、基本的に24時間365日使えるので、副業メンバーも交えたコラボレーションが行いやすい環境でもあります。

先ほど『マトリックス』を例に説明しましたが、大企業で働く多くの人は、知らず知らずのうちに内輪の〝膜〟に覆われています。そのことを自覚していたとしても、外側へ出ていくきっかけがない人もいます。よく人が変わるためのきっかけとして「付き合う人を変えろ、場所を変えろ、時間の使い方を変えろ」と言われますが、個人的には、中でも場所を変える効用は大きいと思います。過ごす場所を変えることで、まず目の前にいる人間が変わる。すると、耳に入ってくる話も変わり、新しい視界が開けてくるはずです。SAAIは一例ですが、今後、日本中に一歩踏み出すきっかけとなる場所が増えてほしいですね。

【SAAI会員インタビュー】

綿石早希

知らない人同士がフラットにつながる。自然な化学反応が引き起こされる空間設計

社内の新規事業プログラムを活用し、アクティブウェアのアパレルブランド事業を立ち上げた綿石早希さん。事業づくりにあたっては、「大企業内での新規事業」ならではの課題をシェアできるSAAIの環境に助けられたといいます。オープンで、内と外の区別の曖昧な環境は、いかなる化学反応を引き起こしているのでしょうか？

■聞き手――小池真幸
■構成――長谷川リョー

綿石早希 SAKI WATAISHI

株式会社リコー ランゴリー プロジェクトリーダー。大学卒業後、株式会社リコーにスキャン・画像認識エンジニアとして就職。アメリカ駐在を経て商品企画業務を担当。業務の傍らカナダの大学院にてMBAを取得。海外の多様な価値観に触れることでありのままの自分を表現できるようになった。この経験を通じて、固定化された役割意識にとらわれて自身の可能性を発揮できない人を支援したいと考えるようになる。2019年リコーの新規事業アクセラレーションプログラムTRIBUS（トライバス）にランゴリーのプロジェクト案で応募・採択され、現在ブランド責任者として活動中。

社内の新規事業プログラムで事業立ち上げ

――まず初めに、現在取り組まれている事業についてお伺いできますか？

リコーの新規事業プログラムから生まれたアクティブウェアのアパレルブランド「ランゴリー（RANGORIE）」を運営しています。事業の目的は大きく二つ。まずは、現代を生きる女性たちが、ありのままの自分を受け入れるお手伝いをすること。そして、ブランドの成長を通じて、インドの農村部に住まう女性たちに働く機会を提供することです。

ブランドを立ち上げた背景には、私自身の生い立ちが関係しています。私は幼少期、祖父と祖母に愛情たっぷりに育ててもらったのですが、いま振り返ると、育ててもらう過程でかなり濃い〝昭和的な〟価値観が身についていった気がします。そうした保守的な価値観を持っていたため、その後留学や出張で海外へ行く機会があっても、「女性なのに生意気だと思われないだろうか」と自分の振る舞いに制限をかけていたんです。ただ、そこで「もっと自信を持って話しなさい」とか「もっと大胆に（Be bold）」と諭され、徐々に自分の殻を破っていくと、少しずつ仕事でも成果を出せるようになっていきました。そうした自分の経験もあ

り、日本に帰国後、「性別によって本来自分が持っているポテンシャルを発揮できていない人を救える事業を立ち上げたい」と考えるようになりました。そんなとき、現在のビジネスパートナーが「インドも性別によって価値観が固定化されている。その結果、下着の購買体験に課題がある」と教えてくれたんです。

その話をしてから2週間後には、社内の新規事業プログラムの締め切りがあったので、駆け込みで、購買体験の課題を解決する事業案を応募しました。このプログラムのピッチコンペで最終まで残ると、事業化に向けた2年間のインキュベーションフェーズに入ります。本来は2年間なのですが、途中コロナがあり事業が進められなかったので、私たちの事業は2年間を超えて延長戦にはみ出していますす。当初、ブランドターゲット市場はインドに定めていたのですが、現在はインドで製品を作り、日本で販売するモデルに変更しています。

――「ランゴリー」の事業を立ち上げていく中で、SAAIをどのように活用されていったのでしょうか？

先ほどご説明したリコーの新規事業プログラムは2019年からスタートしています。このプログラムの立ち上げにご協力いただいたのが、SAAIの運営にも関わっているゼロワンブースターさんで、プログラムの運営から採択された事業の伴走まで支援いただきました。そのつながりからSAAIを知って、利用するようになったんです。事業に関わるメンバーが住んでいる場所は都内はもちろん、小田原や横浜と点在していたので、みんなが一堂に会する場面で有楽町は便利でした。

また、我々のプロダクトを販売する場所が西銀座のショッピングセンターだったこともあり、店舗へのアクセスも良好で、業務の合間に店頭の様子を見に行けるのもありがたいですね。このあたりのエリアは比較的健康意識が高い女性が多いので、ヨガウェアやアクティブウェアを展開する私たちのブランドとも相性がいい。ショッピングセンターにいるそうした方々の購買行動を観察したうえで、SAAIに戻り、仮説を立てたり戦略を練ったりしていましたね。

大企業ならではの課題をシェアできる

――アクセスの良さに後押しされ、SAAIを拠点に事業立ち上げを進めるようになったのですね。

はい。ただ、SAAIの最大の利点は「出会い」にあると思っています。もちろんリコーの社内を拠点に事業を進

めることはできるのですが、あえてその枠を出て、ＳＡＡＩのような場所で活動することで、社内では出会えない多くの人とつながることができます。その一人ひとりとの出会いから異なる文化や視点に触れ、熱量を得ることができる。私の会社の事業と親和性の高いウェルビーイング関連の事業を手がけているスタートアップをご紹介いただいたこともありましたし、具体的な連携が生まれやすい土壌があると思います。

加えて、私と同じように大企業に勤めている会員さんが多くいらっしゃるので、悩みや解決策をシェアできるのも大きいです。ＳＡＡＩのコミュニティマネージャーの方々が、タイミングを見て意識的に人をつなげてくれるんです。ある化学メーカーで新規事業に取り組まれている方をつないでいただき、「社内の営業部隊を適切に動かすことの難しさ」といった社内事業ならではの悩みについてお話ししたことがありました。大企業では既存のラインナップごとに営業のプロセスがすでに型化されているので、新しい商材を発売し、営業部隊を円滑に動かすまでのハードルが高いんです。業界は違えど、こうした共通課題に対して、解決の切り口をディスカッションする機会は貴重でしたね。

――大企業の中で新規事業立ち上げに取り組んでいる人同士で、ヨコのつながりを得られる場になっていると。

はい。それからゼロワンブースターの社員の方もＳＡＡＩで働かれているので、ちょっとモヤモヤしたときにコーヒーブレイクに付き合ってもらい、気軽に事業の悩みを相談できることにもとても助かっています。チームマネジメントに悩んでいた時期に相談した際は、ストレングスファインダーの話を聞いて、実際にコーチングを受けてみました。結果として、チームにポジティブな効果をもたらすことができた手応えがあります。私はリコーという大きな組織に属しているので、社内ではスタートアップならではの悩みが理解されないことが少なくありません。大企業とスタートアップ双方の事情に精通した運営者がいつでも相談に乗ってくれ、事業に伴走してくれる環境には助けられました。

「曖昧さ」が自然と化学反応を引き起こす

――ここ十数年、「共創」を掲げたシェアオフィスやコワーキングスペースはかなり増えましたが、実際に化学反応を生み出せている場は多くないと思います。ＳＡＡＩでそれが実現できているのは、なぜだと思いますか？

うーん……小ネタからお話しすると、印象に残っていることとして、単純に私の主観といいますか、好みにはなる

のですが、SAAIに配置されている椅子が絶妙に座りにくいんです（笑）。椅子に廃材が利用されていたり、座り心地が固かったり……。ただ、それによって頻繁にストレッチをしたり、席を立ってトイレに行ったり、ドリンクを買いに行ったりする回数が増えます。スペース内で立ち上がり、移動する頻度が高まれば、必然的に他の人に出会う機会も増える。何気ないコミュニケーションを活発化させるため、わざとそうした椅子が選ばれているのかもしれません。私の勘違いでしたらすみません（笑）。あとは場所によってインテリアに趣向が凝らされているので、それらを見て回るだけでも楽しい設計がなされていますね。

――自然と人との交流が生まれるような空間づくりがなされていると。

加えて、外部の方に対しても空間の開放性が高いので、人の交流が活発化しやすいのだと思います。たとえば、都内で外部の方との打ち合わせを行うのにも適しています。大企業であれば、社外の人が中に入ってくるときは、執務スペースには入れず、外部の方用の会議スペースが分けられていることが少なくありません。もちろんSAAIにも入退館の管理はあるのですが、空間的な区別がなく、人が混じり合いやすい設計になっている。また「Bar変態」が併設されているので、外部からのお客さんとの打ち合わせ終わりに、「ここにはバーがあるんですね」「ちょっと一杯飲んでいきますか」といった会話が自然と生まれやすいという利点もあります。この「Bar変態」には、お客さんがいるときに限らず、時折立ち寄って、飲みながら名刺交換をすることもありました。私の場合たまたまかもしれないのですが、バーではアーティストの方と出会うことが多かったです。タトゥーアーティストの方とお会いしたときには、普段の生活ではまず交わることがない方なので、刺激的な話を伺うことができました。私はアパレルブランドを運営しているので、クリエイティブ系の方々をご紹介いただくことも多くありましたね。

その意味で、コミュニティマネージャーの方の存在は大きいと思います。直接的なビジネスに役立つかは度外視して、カタリストとして、人と人をさりげなく気軽につなげてくれる。出会いやコミュニケーションに実利的なメリットを求めないからこそ、空間全体にカジュアルさが流れ、利用者同士がつながる機会が自然と生まれているんです。クローズドよりもオープン。いい意味で、内と外の区別が明確になされていない。だからこそ、知らない人同士でも、安心感を持ってフラットにつながれるのかもしれません。

【SAAI会員インタビュー】

脇 奈津子

目的なき出会いこそが、成果につながるセレンディピティを生み出す

大手メーカーで働きながら、副業として日本茶事業を手がける会社を立ち上げた脇奈津子さん。SAAIでは「目的なき出会い」の連続が、具体的な連携につながっている光景をよく目にしているといいます。誰もが当事者意識を持つ、熱量あふれる場所で、いかなるセレンディピティが生み出されているのでしょうか？

■聞き手―小池真幸
■構成――長谷川リョー

脇 奈津子 NATSUKO WAKI

大手飲料メーカー　課長（新規事業創造）／（株）一坪茶園　CEO 兼 CPO。2001 年大手飲料メーカー入社。営業部門に配属後、日本茶飲料の原料茶葉調達責任者、ミネラルウォーターブランドのマネージャーを歴任。現在は、新規ビジネス立ち上げに注力する一方で、19 年自身で衰退の一途を辿る日本茶の新たな需要を海外に創出すべく立ち上げた（株）一坪茶園 CEO 兼 CPO として、23 年から米国での事業展開に奔走。自身の信条は、自分と仲間を信じ、目の前の今に全力投球する、そうすれば道は開ける。

日常的にセレンディピティが生み出される場

――まず初めに、現在取り組まれている事業についてお伺いできますか？

大手飲料メーカーの社員として働きながら、副業として、現在アメリカを中心に日本茶事業を展開する株式会社一坪茶園の代表を務めています。私たちのコア技術は、最終的に（水で淹れた）お茶の香味から逆算して、そのために自然のサイクルの中で育った希少なお茶の葉を探し出し、その中から厳選し、そのお茶を数種類に分けそれぞれに最適な焙煎を施し、これらの茶葉をブレンドするというもの。この技術の詰まったティーバッグだからこそ本来のお茶の味わいと香りが出せるのです。一見、普通のティーバッグのようですが、飲み手にお湯の温度や淹れる時間の調整や急須の必要性を一切取り払い、どんな環境でも飲み手は常にベストなお茶の味わいを享受することができる。しかも、私たちは、単なるお茶の仕入れ部隊ではなく、最終的に飲み手が本来のお茶を味わうという体験から逆算して、それを実現する知見・技術があるのが世界的に見ても強みだと思っています。ある意味、お茶のテック企業と言えるかもしれません。

――「一坪茶園」の事業を手がけながら、SAAIでは併設の「Bar変態」でチーママを務められているんですよね？

はい。知り合いからSAAIの存在を教えてもらい、「『Bar変態』でチーママをやらないか？」と声をかけてもらったんです。結果的に2年間ほど、週1回チーママとしてバーに立たせてもらいました。バーは平日の夜19時頃から22時頃まで開いているので、SAAIの会員ならびにその知人が仕事終わりにふらっとバーに立ち寄るタイミングで雑談をするんです。

SAAIには業界を問わず、大企業から個人事業主まで多様な人々が出入りしており、毎回知っている人ばかりではないので、日常的にセレンディピティを得られる機会となりました。物流のコンサルティング会社を起業した人、個人で映像制作をやっている人、お弁当のインスタグラムでインフルエンサーになろうとしている人……バーに来る人の仕事は多様で、それぞれ奮闘しています。どんな仕事をしているにせよ、まずは「うんうん」と話を聞いてみる。自分なりに抽象度を上げて話を咀嚼（そしゃく）すると、結局のところ会社の枠にとらわれず、ライフワークとして仕事に取り組む人たちが世の中の空気を変えていることに気づかされました。そうした活動に取り組む人たちが集う場にはエネルギーが宿りますし、私自身、たくさんの人々と会話させていただいた経験が、いまの事業に生かされていると思います。

目的なき出会いからこそ、具体的な成果も生まれやすい

――そうしたエネルギーは、やはりリアル空間を起点としたコミュニティだからこそ生まれるものなのでしょうか？

そう思います。自分なりのミッションを持って、起業なり副業なりに挑戦している人たちが集まるからこそ、生まれる熱量があるはずです。そして、その熱量はオンラインのコミュニティでは生まれにくい。もちろん集まらずとも、大企業の社員だろうが、起業している人だろうが、自分なりのアイデンティティを持って孤軍奮闘している人はいると思います。それでも、ある場所が帯びる熱量に触れ続けることも重要だろうと感じています。

単に作業をしたいなら、コーヒー代を払ってカフェに行けばいい。パーティーで人脈を築いたり、講演会で誰かの格言を聞いたりすることは、他の場所でできるかもしれない。一方、SAAIのような場を拠点にするからこそ触れられる熱量があると思うんです。実際、その熱量を吸収し、

自分の会社に還元しながら生き生きと楽しそうに仕事をしている方々の姿が印象的でした。

――そうした空間の中で「Bar変態」もまた、「熱量に触れる」場としての役割を担っていた？

はい。SAAIという空間のなかで、「(仕事をしているデスクから)一歩足を踏み出せば『Bar変態』で飲める」という配置になっていたことが、場の活性化に一役買っていた気がします。もちろん部屋で集中して作業もできるのですが、そうした目的で来ている人でも、ふらっと気軽に休憩ができる。仕事の合間にバーに寄って、みんなと話しながら一杯飲む。その交流によって熱量を得て、再び自分の仕事に戻る。起業したばかりで特定の少人数とだけ仕事をしていると、どうしても狭く閉じこもりがちになってしまいますが、こうした場を活用することでうまく発散できるのではないかと思いました。

もちろん、そうした関わり合いの中から相互に仕事の紹介も生まれてきます。とはいえ初めからネットワーキングを目的にするのではなく、結果として、具体的な連携が生まれている印象があります。初めから「この人に会う意味は何ですか？」と聞く人に限って、具体的な成果につながりづらいというパターンはよくあるように感じるんです。アジェンダは会議には必要かもしれませんが、人との出会いはセレンディピティです。相手に何かを求める前に、まずは〝自分〟を持って、互いの想いやその想いが宿る事業についてフラットに話すこと。お互いのインタラクションがあって、初めてワクワクする出会いに発展するのだと思います。

運営と利用者の垣根を超えた「当事者意識」が生み出すもの

――とはいえ、いくらリアル拠点があったからといって、場の〝熱量〟を保ち続けることは容易ではないと思います。

SAAIにこうした雰囲気が流れ続けている背景として、コミュニティマネージャーたちの存在は大きいと思います。そこで働く人を巻き込みながら、みんなで一緒にコミュニティにしていこうという本気さがありました。サラリーマンとしてコミュニティマネージャーをやるのではなく、自分たちも圧倒的な当事者意識を持ってコミットする。そうした人たちがコミュニティの真ん中に常にいて、自発的に場づくりを推進し続けた。だからこそ、SAAIには同じ空気感を持った人々が絶えず呼び寄せられ、集まっていた気がします。

私自身はバーのチーママという関わり方でしたが、SAAーでは明確に「運営と利用者」といった区別がなされていた感覚はあまりなく、関係性はボーダレスでした。たとえるならば、みんなが野武士として場をつくっていく、カオスな状態。「もっとこうしていこう」という声が運営側からだけではなくコミュニティのあらゆる人からあがり、実際に変革もみんなで実行されていきました。

――運営と利用者の間の関係性がフラットであることも、新しい価値を生み出す場の条件として重要なのかもしれませんね。

そうかもしれません。SAAーに集まる人々の間で流れる雰囲気をたとえるなら明治維新、もっと言えば生き方の「令和維新」とでもいえるでしょうか。ぬくぬくと過ごしていた武士たちに対して、「それでいいの？　列強に植民地化されるよ」と発破をかけた西郷隆盛のように、危機感を抱いている人が多いと感じます。いま自分が働いている会社にしがみつくのではなく、自分が本当にやりたいことを体現しようとしている人たちが、SAAーには集まっています。

旧来のキャリアのあり方が崩壊し、単に一つの会社に属するのではなく、ジョブ型あるいはプロジェクト型の働き方が少しずつ当たり前になりつつあります。今後は、主君関係に基づく封建制度のような働き方ではなく、自分自身のアイデンティティを保持しながら会社で働いたり、趣味から派生して起業したりしたっていい。SAAーには自由自在にそれぞれが働き方を選び取ったり、お互いに背中を押したりしてくれる、寺子屋のような雰囲気があります。

ただ一つあるとしたら、SAAーに限らず、現状の多くのコミュニティが日本に閉じてしまっているのはもったいないと感じています。今後は、グローバルなスタートアップが日本に来たときに「ここには必ず行った方がいい」と思える〝メッカ〟をつくる必要があると思います。その場所は起業家のみならず、SAAーのようにあらゆる働き方をしている人に開かれていてほしいです。国籍や人種を超えて人々が集まり、カジュアルに議論をする。単なる知識教養を学ぶに留まらない、生き方のヒントを得られる場所ができるといいなと思っています。

DISCUSSION

青井茂×中森葉月×深井厚志×吉川稔

なぜビジネス街にアーティストが集うのか？

有楽町における「アートアーバニズム」の現在地

東京の中心部にあるビジネス街、有楽町。およそ「アート」や「芸術」とは縁遠いイメージのこの街にアーティストが集いはじめ、アーティストやアート関係者に出くわす機会が増えているといいます。さらには、ビジネスパーソンがアート制作や販売に取り組むケースも生まれてきているそうです。

なぜ一見するとアートとはかけ離れた街である有楽町に、アーティストが集うのでしょうか？ その背景にある都市生活者とアーティストの共創による「アートアーバニズム」というコンセプトを、有楽町という街で実践しようと挑む4名が集い、「アートと共創するまちづくり」の現在地を議論します。

■聞き手―宇野常寛・小池真幸
■構成――長谷川リョー

青井茂 SHIGERU AOI

デロイト・トーマツ・コンサルティングにて特殊法人の民営化プロジェクトなどを担当。その後、産業再生機構にて企業の再生案件に従事。2019年5月にA-TOM代表取締役社長に就任。同年、「地方覚醒」を目標としたまちづくり会社、富山県・(株) TOYAMATO、長崎県・(株) IKASAGANを立ち上げる。欧米諸国で目の当たりにした、アートにおけるまちづくりを実践しようと東西奔走中。

中森葉月 HAZUKI NAKAMORI

三菱地所株式会社 プロジェクト開発部 有楽町街づくり推進室兼エリアマネジメント企画部 チーフ／大丸有エリアマネジメント協会 アートアーバニズムマネージャー。2016年、新卒で出版社に入社。カルチャー雑誌の編集などに携わる。2021年、三菱地所に入社。有楽町エリアにおける既存ビルでの企画業務を担当し、大丸有におけるアーティストとの取り組みを推進している。

深井厚志 ATSUSHI FUKAI

編集者・コンサルタント。美術雑誌『美術手帖』編集部、公益財団法人現代芸術振興財団を経て、現在は株式会社井上ビジネスコンサルタンツに所属し、アート関連のコンサルティングに従事。産官学×文化芸術のプラットフォーム、一般財団法人カルチャー・ヴィジョン・ジャパンでの活動のほか、アートと自治体や企業など社会経済をつなぐ仕事を手がける。有楽町のまちづくりにはアートの専門家として2020年から参加。

吉川稔 MINORU YOSHIKAWA

東邦レオ株式会社／株式会社NI-WA 代表取締役社長。1989年神戸大学農学部卒業、住友信託銀行に入社。2001年 株式会社リステアホールディングス取締役副社長、バレンシアガジャパン取締役、株式会社リステアインベストメント（ゴールドマンサックスとのJV）代表取締役。2010年 クールジャパン官民有識者会議委員。2014年 カフェ・カンパニー株式会社取締役副社長。2016年 東邦レオ株式会社代表取締役社長に就任、現職。

ビジネス街の〝間〟で、アーティストの制作プロセスを見せる

——まず初めに、みなさんが有楽町を中心とした大丸有エリアのアート関連の取り組みにどのように関わってきたのか、お伺いできますか。

青井　私は株式会社アトムで不動産をメインとする事業を手がける中で、有楽町では「ソノ アイダ#新有楽町」というプロジェクトをアーティストの藤元明さんと展開しています。「ソノ アイダ」は読んで字のごとく「その間」を意味し、貸し物件や空き物件、建て直しされた物件まで、占有権のない〝その間〟の土地を空間メディアとして有効活用するアートプロジェクトです。藤元さんの言葉にはなりますが、単にアーティストが作品を売るのではなく、アーティストがその場に滞在し、そこで制作する過程を街に行き交う方々に見てもらえるのがユニークな点だと考えています。

戦後、日本は人口が増え、高度経済成長を遂げていく中で、アメリカ的な社会に変化していき、文化や伝統が失われていったと言えるでしょう。ご多分に漏れず、不動産業界もそうした大きな流れの中で、ビルを建てては壊し、を繰り返していた。ただ、近年はコロナ禍も相まって、そうした繰り返しは減少する方向に、時代の空気感が変化してきました。

アートに関しても同じで、一部の有名なアーティストの作品が破格の価格で売買されるマーケットは今後も存続しつつも、また別のマーケットの存在感が大きくなりはじめていると感じていて、その一つが「ソノ アイダ」で取り組んでいることです。私たちは「アートが街に明るさを灯す」と考えていて、アーティストが街中で制作過程を見せることで、そこにいる人や街がどう変わっていくのかに興味があります。

また、その活動を日本の中でも有数の洗練された繁華街である有楽町・丸の内で行うことにも、意味があると思っています。駅から出てきた通行者の方々が「何をやっているんだろう」と足を止め、作品ができあがっていく過程を見る。中には「最初は何かわからなかったけど、買いたいです」と、最終的にそのアートを買っていただくこともある。こうした一連の流れを見ていると、このプロジェクトをやって良かったなと思いますね。希少性やブランドでモノの価値を判断するのではなく、人々の審美眼を育てることで、日本そのものが変わっていくのではないかと考えています。

——「ソノ アイダ#新有楽町」をはじめるにあたって、べ

ソノ アイダ＃新有楽町の入口（撮影：吉田夏瑛）

ソノ アイダ＃新有楽町で行われているアート制作の様子

ンチマークした他の事例は何かありましたか。

青井　たとえば80～90年代のSoHo（South of Houston Street）、ニューヨーク市にあるアート街）、またトニー・ゴールドマンによる2000年代以降のマイアミのアートを使ったまちづくりはいち不動産屋として素晴らしい取り組みだと思っています。ただ、これらの街に比べて丸の内はより商業の色が強い。

私自身はさまざまなプレイヤーが集ってこそ、まちづくりは成されると考えています。もちろんビジネスは悪ではありませんが、一方で文化や情緒的な価値がなければ、街は均一化してしまいます。たとえば、私は「スターバックス症候群」と呼んでいるのですが、高層ビルが次々に建築され、その地上部には必ずといっていいほど毎回スターバックスが入居している。街の風景が画一化していくのは、日本にとって良いことなのだろうかと、いつも考えてしまいます。そうした風潮に一石を投じる意味でも、いま挙げた過去の事例は面白いと思います。

都市生活者とアーティストの共創による「アートアーバニズム」

深井　私はアートを専門としたコンサルタントとして「社会経済とアートを結ぶ」活動をしています。アートにまつわるさまざまな課題や概念を整理して戦略や施策をご提案するところから、具体の事業のコーディネートや実証実験まで、活動の範囲は多岐にわたります。

この街で最初に取り組んだのが、一般財団法人カルチャー・ヴィジョン・ジャパンで起案し、誘致から運営まで一緒に取り組んでいる、一般社団法人日本現代美術商協会のギャラリー「CADAN有楽町」です。この施設を誘致した目的は、モノカルチャーのビジネス街に変革を促すこと。街にギャラリーを持ち込むことで、展覧会やレセプションが開催される。それによってアーティストをはじめとするアートを囲む人たちが集う場所が街角に生まれ、さまざまな価値観や視点が流れ込み、街の雰囲気がガラッと変わることを期待しました。

それと同時期にやらせていただいたのは、写真と映像のアーティスト・コレクティブ「TOKYO PHOTOGRAPHIC RESEARCH」を有楽町に招いてのアートプロジェクトです。アーティストを交えながら、実際に街を練り歩き、歴史を調べたうえで街の未来像を構想していきました。いわゆるコンサルティング会社の予定調和的なアプローチとは異なり、アートの視点から街に必要な機能を探ったり、街のエコシステムに接続していけるのかを画策したりする活動です。彼らは引き続き有楽町のまちづくりの一員になってく

れています。

そしてコロナの直前には、「ソノ アイダ」を含めて街の中にアートを取り込んでいく活動が急激に増えはじめ、2020年からの約2年間で、コロナ禍にもかかわらず十数個のアートプロジェクトがこの街に展開していきました。そうした潮流がありつつ、アート×エリアマネジメントの発想からアートと都市実践者（アーバニスト）を組み合わせた「アートアーバニズム」というプロジェクトアイデアが生まれ、三菱地所とNPO法人大丸有エリアマネジメント協会、大手町・丸の内・有楽町地区まちづくり協議会の三者がそのアイデアを実践する舞台として有楽町を選び、「有楽町アートアーバニズム（YAU）」が立ち上がりました。

――「アートアーバニズム」とは、どういったコンセプトなのでしょう?

深井　アーバニズム研究者の中島直人先生によると、アーバニズム研究の中で、かつて「都市美運動」という都市計画の革新運動があったそうです。都市の計画を旧来の体制側の人たちだけで行うのではなく、実際の都市生活者を交えて一緒に街をつくっていこうとする運動です。2025年が都市美運動から100年の節目になるそうなのですが、その文脈を汲み取りながら、従来のアーバニズムにアートを掛け合わせた造語として中島先生が提唱したのが「アートアーバニズム」で、その取り組みを実践しようとしているのが「YAU」です。

では、このプロジェクトにおけるアーティストは誰なのか。「ソノ アイダ」で主導的に動いている藤元明さんのようなアーティスト像がある一方、ビジネスサイドに身を置きながらもクリエイティブな発想によって新しいビジネスの形を展開する方々も同様にアーティストとして捉え直すことができるはずです。この対談でご一緒している青井さんや吉川さんは、まさに後者のタイプのアーティストではないかと思っています。アーティストたちと共に、そうした方々がご自身の活動も展開しつつ、主体的にまちづくりにも一緒に関わっていく、それがアートアーバニズムの本質だと考えています。

そして、先ほど青井さんからもお話がありましたが、大丸有は人・お金・情報が集約される日本のビジネスセンターです。それはすなわち、アートに限らず広くクリエーションの源泉になり得ます。この街には今までアーティストがほとんどいませんでしたが、アーティストが活動するにあたっても、この街が持っているリソースを有効活用できるはずです。アーティストをつなぐことのできる場や機会を用意すれば、この街だからこそそのレバレッジを効かせられ、

他の街では量的に比べものにならないインパクトを起こし、同時に他の街へも影響を波及させていくことができるのではないかと考えています。

有楽町を「アーティストが目立たない街」にしたい

吉川　僕は都市緑化、外断熱事業を展開する東邦レオ株式会社の代表取締役社長として、2022年に三菱地所さんが「都市の隙間を公園化する」をコンセプトに有楽町に開業した、森に彩られた多目的空間「SLIT PARK（スリットパーク）」の施設運営を行っています。深井さんからもお話があったアートアーバニズムというコンセプトに至る以前から、三菱地所さんを中心に有楽町の未来のエリアマネジメントを考えるグループのメンバーとして関わってきました。

　このグループが面白いのは、有楽町の未来図を作るため、広義のエリアマネジメントを起点にプロジェクトを走らせたことです。従来のまちづくりの協議会だと、べき論を言う人ばかりが集まり、新しいアイデアは生まれにくい。僕たちのグループがユニークだったのは、「街にアートを取り込む」というアイデアを軸に柔軟な意見が次々と発せられたことです。僕自身はもともと、この有楽町という街に対して特段の思い入れがあったわけではありません。先ほど深井さんからも話があったように、有楽町はビジネス色が強く、クリエイティブな刺激を受ける場所といったイメージもなかったので、アートとの結びつきは弱そうだと感じていました。

　ただ、このプロジェクトに参加してからそうした思い込みにも変化がありました。SLIT PARKの建設が決定する以前、プロジェクトの一環として有楽町界隈をメンバーでフィールドワークする機会がありました。すると、これまでは気がつかなかった街に点在するビルの精巧なディテールに意外な面白さを見つけたんです。中でもSLIT PARKの原型になった場所には、すぐにピンと来ました。当初、「ここは路地で、ここは薄暗い感じの駐車場で」とややもするとネガティブな場所として説明を受けたのですが、私は「有楽町の中でこの場所が変われば、大きな波及効果を生めるのではないか」とポテンシャルを感じたんです。そういった経緯もあり、現在はSLIT PARKの施設運営にも関わっています。

――吉川さんとしては、初めから街にアートを取り込むことが念頭にあったわけではなく、あくまでもこのエリアを面白くしたいというモチベーションがあり、結果としてアートアーバニズムというコンセプトに至ったということ

ですか？

吉川　そうですね。ただ、僕も昔からニューヨークやヨーロッパの街でアーティストの活動によって街が変容する様はみてきました。今回のプロジェクトで個人的に面白いと思うのは、世界中の事例を見渡しても、有楽町のようなタイプの街でアートが活用されたことがないことです。一般に、アーティストと呼ばれる人たちは経済的なリターンが求められやすい地価の高い場所や、すでに場所として整然と完成されている場所に寄りつきづらい。むしろ、街としての完成度がまだ低かったり、シンプルに家賃が安かったりする場所にこそ、価値の再定義に長けたアーティストは集うことが多い。その意味で、本来はアートと融合しにくそうな街の要件に当てはまる有楽町でプロジェクトを走らせることに、面白さを感じました。もっとよくできる場所を改善する例はこれまでもたくさん見てきましたが、すでに完成された場所に外側からの視点で何らかのハックを試みるのは逆転の発想で新しいのではないかと。

　このプロジェクトを推進する上で僕が念頭に置いていたのは、今後アーティストの定義が変わっていくだろうということです。今まではアートとビジネスが分断されてきた向きがありますが、今後はビジネスとアートが一体化した事業を生み出す事業家が出てくるはずです。そもそも、経

有楽町のオフィスビルの一画にある「YAU STUDIO」では、パフォーミングアーツの稽古場があるなど作家が制作活動を行う（撮影：黑田菜月）

営者の多くは社会に新しい価値を生み出す手段として事業を営んでいるわけで、その意味では事業／経営とアートは相反するものではないはずです。むしろアート的思考から事業創造に挑むことで、今までにはなかった社会性やメッセージ性を持った企業やブランドが生まれてくるはずです。結果として、お客さまからも高い支持を得られるでしょうし、収益性も高いモデルが生まれるのではないでしょうか。

なので、僕はアーティストが事業に寄るのではなく、経営、事業、ビジネスパーソンがアーティスト的な思考やマインドを手にするアプローチこそが有効だと考えています。だからこそ、有楽町を「アーティストが目立たない街」にしたい。現状はどうしてもアーティストの方が目立っているのですが、将来的にはアーティストからみても「ここで働いているビジネスパーソンたちはどこかアーティスティックだ」と思える場所にしたい。動物園でたとえると、「動物からみた人間の方が変じゃん」と逆転現象が起こるような。ようは、アート的思考を持った経営者やビジネスパーソンとアーティストが自然と融合する街をつくりたいのです。そこで展開されるアートは、いわゆる美術館やギャラリーの中で発生するアートとは様相が異なるはずです。街で起こるムーブメントが事業なのか、アートなのか、社会活動なのか分別できない状態が理想ですね。SLIT PARKは当然まだ入口ですが、そうした世界観を有楽町に実現したいと思っています。

——最後に、このエリアのまちづくりをリードし続けてきた三菱地所の視点からの「アート×まちづくり」についても、中森さんからお伺いできますか？

中森　私は「有楽町 Micro STARs Dev.」（以下、MSD）の中で、アートに関わる部分の実務を中心に有楽町のまちづくりに関わっています。ここまでのお話にも出てきたYAU、CADAN、SLIT PARK の方々ともコミュニケーションを取りつつ、アートアーバニズムの観点から、活動や場所をつなげ合わせながら価値を大きくするための動きを担当しています。

吉川さんのお話にもあったエリアマネジメントの検討会がはじまったのは2020年です。その背景として、当時社内では今後、大丸有エリアをいかに性格付けしていくのかを議論していました。また、現在の社会情勢に鑑みたとき、東京が求心力を失いつつあることを危惧しており、日本経済をけん引してきた企業が集う大丸有が社会的にも競争力を保ち、成長し続けるためには何が必要なのかを議論する必要があった。そこで浮上したのが、街にクリエイティブな要素としてのアートやアーティストを街に呼び込むと

いうアイデアだったんです。

ビジネスパーソンが
アート制作・販売を経験する意味

――一見アートとは結びつきの弱そうな有楽町で、みなさんはここまでお話しいただいたようなプロジェクトに取り組まれてきたわけですが、実際に2～3年取り組んできて、見えてきた手応えや課題をお伺いできますか？

青井　私たちが有楽町で運営している「OUT SCHOOL」に関しては、たしかな手応えを感じていますね。このスクールはアウトプット型の美術講座で、一般の方に受講料を払ってもらった上でアートを学んでいただき、実際につくって、売るところまで体験してもらいます。世の中でアートを学ぶ機会や手段は書籍から専門学校まで、すでに多く存在します。ただ、実際にアート作品をつくり、売るところまで一気通貫して体験できるスクールはそう多くないでしょう。私も実際に参加したのですが、自分でつくった作品に値付けをしたり、売る方法を考えるのは容易ではない。とてもチャレンジングな経験であり、私にとって人生を変えた出来事の一つです。

期間は1ヶ月で、受講料は35万円と決して安くはありません。最初は5人でスタートしたのですが、2期目の現在は19人と徐々に規模が大きくなってきています。この取り組みが成功した一因は、スクールの開催場所が都心である有楽町だったからかもしれません。ビジネスパーソンを中心に一般の方々にアートを学ぶ機会と場所を提供できたことは一つの成果になったと思います。キュレーターの長谷川祐子さんからは「このプログラムを受ければ丸の内が変わるし、丸の内が変われば日本が変わりますね」と声をかけていただきました。

吉川　先ほども触れましたが、僕も含めアーティストではない人がアート制作をする経験は、実は仕事においても新しい発想のきっかけになりますよね。事業においても、クリエイティブな発想をするためには、実際に自分でモノや作品をつくった経験があった方がいい。今のビジネス業界で、実際に自分でモノをつくっている人はほとんどいません。有楽町で働いている製造メーカーのビジネスパーソンにしても、自分の手でつくっているわけではない。自分の手でつくってみるからこそ、日常のビジネスの中では得難いアート的な思考の癖が身につくのだと思います。スクールの受講料としての1ヶ月35万円は高いと感じても、新しい事業を生み出すための視点を得るための投資と考えたら、むしろ安いのではないでしょうか。

僕自身もアート作品を制作したことがあるのでわかるのですが、作品を世に出して他者から評価を受けるのは緊張しますし、恥とも向き合わなければなりません。子供の頃であれば何も気にすることなく作品づくりに没頭できるでしょう。ただ、大人になればなるほど、自分をさらけ出したり、恥をかいたりするのが怖くなります。ビジネスの世界ではリスクをヘッジすることが当たり前で、恥をかく機会はそうそうありません。ただ、実体験からも言えるのは、作品を他者に公開して恥をかくからこそクリエイティブになれる。たとえ批判されようが、他者からのフィードバックは新しい視点を与えてくれます。

青井　特に日本のプロトコルは失敗を忌避しますからね。日本中のエリートが集う有楽町はとりわけその傾向が強いかもしれません。私自身、アート制作を体験してみて、自分が身を置いていた社会を相対的に見つめ返す契機になりました。それと同時にアーティストの方々へのリスペクトも強まりましたね。

吉川　鑑賞や評論もアートと付き合う一つの手法ではありますが、やはり自分で制作してみることでアーティストの凄さを真に理解することができますよね。もちろん、私たちはビジネスの世界で「オリジナル」を目指すわけですが、アーティストの方々ほど「オリジナル」を極められていなかったことを実感させられます。

ビジネス街に「アーティストの居場所」が生まれつつある

深井　「OUT SCHOOL」のスクール名に付いている「OUT」は「外へ」を意味するので、ニュアンスとして「逸脱」を感じさせます。本来はイノベーティブな人材こそ必要にもかかわらず、大企業のセオリーからすると個性の強い人材は扱いづらいと思われてしまう。そうした論理に抗おうとするかのような人々が、「OUT SCHOOL」には集っています。

同じ意味で、「SLIT PARK」も本来的なまちづくりのセオリーとは反する場所だと思います。路地を使い倒しながら、いい意味でなんだか怪しげな人たちが集い、盛んにイベントを行っている。しかも、人々は夜にも集う。今までの価値観では、路地は保安上必ずしも歓迎されず、都心の路地で夜に人々が集う都市活用は考えにくかった。常識にとらわれることなく、真正面から新しい仕掛けに取り組んでいる青井さんや吉川さんが、この街にいることそのものが街の変化であり、街の未来像を大きく変える契機になるのだと実感しています。

有楽町「SLIT PARK」での様子

中森　アートの観点からこの街を眺めるのではなく、アート活動を行うことができる居場所としてそれぞれの人が有楽町に内在化し、実際に活動がここから生まれているのは大きな収穫ですよね。

深井　ええ。私が複数のプロジェクト全体を通して感じる手応えは、有楽町でアーティストやアート関係者に出くわす機会がものすごく増えたということです。たまたま一人に出くわすわけではなく、偶然に出会ったアーティストと話し込んでいたら、そこにふらっとキュレーターが通りかかり、お互いに知り合いだった、みたいなことが普通に起こる。こうした状況は、実は東京のどこでも起きづらいことです。東京はアートスポットが散逸してしまっていて、特に都心にはアート、アーティストの居場所がない。それこそニューヨークのSoHoのような場所がこれまでは存在していなかったのですが、有楽町に「アーティストがいる街」が生まれつつある手応えを感じています。その背景には、私や皆さんがそれぞれ活動されている「SLIT PARK」、「ソノ アイダ」、「YAU」、「CADAN」などのプロジェクトが有機的につながっている成果がありますね。

有楽町は「新しい価値基準を発信し続ける街」であり続けてきた

――そうした手応えも踏まえ、今後はアートアーバニズムの観点からどういったことを仕掛けていきたいのか、最後にお伺いできますか。

青井　そもそも論として、今後人口が減っていく中、本当に新築ビルを建て続け、床面積を増やすことが必要なのかどうかは真剣に議論するべきだと思います。もちろん東京と地方のバランスを含めて考えるべき話ですが、往々にして東京や大阪で行われるまちづくりは一辺倒になりがちです。躯体の耐火や耐震の問題があるのだとは思いますが、クリエイティブな視点で古いビルを活かす方法はまだまだあるはずです。

その意味で、今回の座談会の主題であった「アートと共創するまちづくり」は今後も探求すべきテーマだと思います。何か新しいものをつくり出すことだけでなく、今あるものをクリエイティブな力によって進化させ、次の世代につなげることもアーバニズムの一つの形のはずです。そうしたアーバニズムの観点から、私はアートと共創しながら2030年に向けてムーブメントを起こしていきたいです。

吉川　アートにも通じる話として、僕は〝土地には地霊が宿る〟と考えています。ローマ神話における土地の守護精霊のことを「ゲニウス・ロキ」といいますが、ここで言いたいのはスピリチュアルの話ではありません。土地にはその場所で人が何を想い、何をやってきたのかという文化と歴史が根付いていきます。当然、有楽町にも積み上げてきた歴史がある。その歴史を活かしながら、今後の都市づくりにおいて、私が最もイノベーティブな変化を起こせると思っているのが「オフィス」です。

未来のオフィスのあり方を考える上で、現在の都市部のオフィス家賃単価はどう考えても安すぎます。東京であれば、最低でも現在の家賃の2倍にするのが適切でしょう。ただし、オフィス機能という観点で考えると、ほとんどのスペースは必要なくなりつつあります。特に不要なのは会議室。会議室で会議をしたところで、面白いアイデアなんて出ません。むしろ、外のカフェでお茶をした方がよっぽど質のいいコミュニケーションが取れます。作業系の仕事に関してはオンラインで済むでしょうが、何かを発想したり、創造する場合はどうしたって人と人が出会い、交流した方がいい。

これらを踏まえ、オフィスを執務スペースだけに限定すれば、スペースを10分の1程度に縮小することができる。そうなれば、坪単価が3倍になっても、面積が10分の1に

なるならコストダウンになるので、採算は合うはずです。加えて、交流的なオフィスの場は自社だけで持つのではなく、シェアする方が絶対にいい。

ただ、それはよくあるコワーキングスペースではなく、今までにない形で考えるべきです。僕は何もないところから新しいものは出ないと思っているので、やはり歴史に立ち返るべきです。大丸有でオフィスができたばかりの頃のオフィスのあり方や働き方は当然、今とはまったく異なる様相だったはずです。当時、人がオフィスに集って一緒に仕事をする光景を理解できた人はほとんどいなかったのではないかと思います。時代が変わり、産業構造も変化するなら、その時々で「合理的」とされる考え方、ひいてはオフィスのあり方も変わるはずです。歴史があるこの場所だからこそ、次世代の働き方を踏まえた新しいオフィスのあり方も提示できるはずです。

深井　最終的にアートアーバニズムのまちづくりで目指すべきものは、この街の中に新しい価値基準をつくり出すことだと思います。あるいは、新しい価値が生まれ続けたり、カルチャーが刷新され続けたりしていくモードをこの街に実装していくこと。有楽町の歴史を紐解いてみても、吉川さんの言う通り、かつてはそういった街だったと思うんです。都心の大丸有に位置していることもあり、文化や商業がモードを変えながら常に新しい価値観を発信してきた。ここにアートを投入することで、新しいものを開拓し続け、変わり続ける面白さを体現する街になってほしいです。そのために手短なゴールを設定するのではなく、アートやアーティストの可能性を信じることが必要だと思います。

中森　皆さまからそれぞれ面白い視点をいただきましたが、やはり有楽町という土地ならではの独自性を大事にしていきたいと感じました。これからも私たち三菱地所は、時代をリードしながらこのエリアでまちづくりの未来を切り拓いていかなければと、改めて思わされる機会となりました。ありがとうございました。

DISCUSSION

井上成×鈴木規文×山本桂司

なぜ渋谷・六本木でも地方でもなく「大丸有」なのか？

日本の中心から、街と働き方を変えるためのプロジェクト「Micro STARs Dev.」の挑戦

撮影：蜷川新

2019年4月に働き方改革関連法案が施行されてから4年以上が経ち、コロナ禍によってリモートワークが一気に普及するなど、日本における「働き方」が大きく変わりつつある昨今。スタートアップカルチャーの中心地である渋谷や六本木でもなく、「東京」から距離を置いた地方でもなく、あえて20世紀から続くオフィス街の中心地「大丸有」（大手町・丸の内・有楽町エリア）から街と働き方を変えることに挑んできたプロジェクトが「Micro STARs Dev.」です。

この記事ではプロジェクトの推進に携わってきた中心メンバー3名に登壇いただき、大丸有という場所にアプローチするからこそ見えてくる、日本の街と働き方を抜本的に変革するための方法を考えます。

■聞き手―宇野常寛
■構成――長谷川リョー

井上 成 SHIGERU INOUE

三菱地所株式会社 エリアマネジメント企画部 兼 プロジェクト開発部有楽町街づくり推進室担当部長。1987年三菱地所入社、2003年より一貫して大手町・丸の内・有楽町地区のまちづくり・コトづくりを担当。個別の施設開発を数多く手掛けたほか、新機能、新事業の企画開発、エリアプロデュース等多岐にわたる。有楽町MSDには2019年の発足当初より参画している。

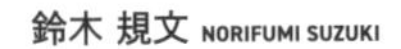

鈴木 規文 NORIFUMI SUZUKI

株式会社ゼロワンブースターホールディングス 代表取締役／株式会社ゼロワンブースター 代表取締役会長／株式会社ゼロワンブースターキャピタル代表取締役。1998年カルチュア・コンビニエンス・クラブ（株）に入社、コーポレート管理室長を経て、2006年アフタースクール事業「キッズベースキャンプ」を創業、取締役に就任するとともに、兼務にて（株）エムアウト新規事業開発シニアディレクター。2008年同事業を東京急行電鉄（株）に売却し、その後3年間、東急グループでPMIに従事。2012年3月（株）ゼロワンブースターを創業し、起業家支援、企業向け新規事業開発支援事業、投資事業を行っている。

山本 桂司 KEIJI YAMAMOTO

株式会社インターローカルパートナーズ代表取締役。愛媛県タオル美術館のキュレーターを経て、山口県長門市に移り、地域商社「ながと物産合同会社」の販売戦略プロデューサーとして、1次産業の支援や地域課題に取り組み、道の駅「センザキッチン」のプロデュース・運営に携わる。地域プロデュースプラットフォームカンパニーを立ち上げ、地域ビジネスの継続と発展をサポートするための仕組みづくりや事業スキームの確立、地域のクリエイティブな才能発掘と支援に取り組む。

機能性と効率性を至上命題とする〝伝統〟からの脱却

――この座談会では、有楽町という東京の中心部のエリアから、街と働き方を根本的に変えていくことに挑戦した「Micro STARs Dev.」（以下、MSD。詳細はp176〜187参照）というプロジェクトを総括しながら、これからのまちづくりが向かうべき方向性について議論していきたいです。そもそもMSDとは、どのような狙いや位置づけで立ち上がったプロジェクトだったのでしょうか？

井上　もともと三菱地所の中で、「大丸有エリアをどう変えていくのか」「どう変わっていかないといけないのか」を議論し続けていました。大丸有は戦後の高度経済成長の延長線上で、機能性と効率性を追求しながら開発されてきた街です。街としてフォーマットが確立してしまっていて、経済効率の追求を至上命題としてビルを四角に設計し、貸せる面積を最大化していくことが当たり前になっている。しかし、バブル後の「失われた30年」を経て、街の建造物も寿命に差し掛かり、いよいよ刷新が求められるようになってきた。そして、この街の新しい未来像を描くうえで、これまでと同じく経済合理性の追求をベースに据え、旧来の大丸有の伝統を持ち込むのは正しくないのではないか―

―そんな共通認識のもとで立ち上がったプロジェクトがMSDです。

30年先の未来は誰も予見できないので、マスタープランをもとにバックキャスティングしていく従来通りの都市開発の手法は通用しません。ですから、自分たちがやりたいことを一定の抽象度を持って設定したうえで、多様な価値観を持った人たちを混ぜ合わせ、共にまちづくりをしていく新しいアプローチを取ることにしました。MSDの重要なキーワードとして「マイクロマーケティング」があります。従来のように十把一絡げに同じ商品やサービスを提供するのではなく、多様化する人々の好みに合わせた価値提供を行っていく、新しいマーケティング手法です。すでに価値が確立しているメジャーをターゲットに据える大手町や丸の内と違って、有楽町は「マイクロなもの」をブレイクさせてスターにしたい。そんな想いから、プロジェクト名を「Micro STARs Dev.」としました。

――MSDを構想するにあたって、参考にした先行事例などはあるのでしょうか？

井上　これまでにないものをつくりたかったので、基本的には先行事例は見ていません。ただ、「こうした姿を目指したい」という意味でロールモデルにしていたのは、アン

ディ・ウォーホルがニューヨークで手がけていたスタジオ「ファクトリー」です。1960年代当時、この場所にはあらゆるジャンルで時代の最先端を走っていた人たちが集っていました。ポップアートをはじめ、ドラッグカルチャーや音楽・詩、異ジャンルの文化が雑多に混ざり合うことで独特のエネルギーが生み出されていたのですが、そういった世界観をつくりたいと思ったんです。

——そうした構想のもと、具体的にはどのような開発が進められていったのでしょうか?

井上　MSDの中で、有楽町で自分のやりたいことを持っている人たちがどんどん混じり合い、自由に往来できる場所が必要だという議論になり、立ち上げられたのが「SAAI Wonder Working Community」(SAAI)と「micro FOOD & IDEA MARKET」(micro)です。

まずはアイデアを生み出し、サポートを受けながらブラッシュアップしてカタチにする場所としてSAAIがあります。そうして生まれたアイデアを、テストマーケティングしてみる場所としてmicroがある。microで得られたインサイトを再びSAAIへ持ち帰って、アップデートをかけていく。そして、こうしたプロセスを経て磨き上げられたプロダクトを、今度は実際に大丸有エリアの

井上 成さん

オフィスや店舗に売り込んでいく……このように「出世魚モデル」とでもいうべき、「ホップ→ステップ→ジャンプ」のプロセスを踏んでいけるようにするための拠点として、SAAIとmicroを立ち上げたんです。

「雑味」を帯び、文化と経済が越境しあう空間

――SAAIは立ち上げから鈴木さんが中心的に携わっていますが、どのような着想からはじめたのですか？

鈴木　私は起業家・スタートアップ支援を生業にしているので、この場所に新しい事業をつくろうとしている人たちを集め、活躍してもらうための場をつくるべく、SAAIの立ち上げ期から参画していました。当時、井上さんが「とにかく〝変態〟を集めたい」とおっしゃっていたのを覚えているのですが、「VUCA」とも呼ばれる先が見えないこの時代に、自分の「やりたい」を持っている人材として起業家にスポットライトが当たったのだと思います。良い意味で変態性を持った起業家・スタートアップを集積させ、街を活気づけたいという思いに私としても共鳴し、一緒にSAAIを立ち上げ、運営してきたんです。

前提として、いま世界中の都市エリアを中心に、イノベーション人材やスタートアップ、起業家の奪い合いが起きています。なぜなら、こうした人材を集めることでその場所、土地が活性化していくからです。では、どうすればそうした場所がつくれるのか。その方法論として議論される内容が、往々にしてハード面に終始しがちなことに、以前から疑問を感じていたんです。ソフト面に関しても、「有名人を呼んだイベントをどれくらいの頻度で行うのか」といった話ばかりで、違和感がありました。

対して私が最終的に行き着いたのは、リスクテイカーが日常的に、そして自然に集まる雰囲気の醸成です。そのためにはそのようなタイプの人を惹きつけ、応援するマインドセットを持った人が常にいる場所をつくることです。リスクテイカーにフレンドリーな、スタートにアップフレンドリーなメンバーでコミュニティを運営すれば、イベントをはじめとしたソフト面の施策は自ずと打ち出されていくはずですから。

井上　SAAIにはもちろんスタートアップ関係者も数多くいますが、一方で、ビジネスとは一見縁遠く思える分野で活躍されている人々も行き交います。俳優さんがコミュニティバーのチーパパを務めていたり、プロデューサーとしてお坊さんが参加されていたり。だからこそ、一般的なコワーキングスペースとは一線を画す世界観が実現できているのではないかと思います。

鈴木 規文さん

関連する話として、最近は大丸有でアートを活用したまちづくりを行っているんです（p200〜212参照）。コンセプトに「アートアーバニズム」を掲げているのですが、目指すのはアートがある街ではなく、アーティストがいる街。アーティストの活動がある街です。ここで意図しているのも、多様な人々が境界を越えながら交錯する場づくりです。

――SAAIには妙な居心地の良さを感じるのですが、その要因として、空間が帯びているいい意味での「雑味」があると思うんです。オフィス家具に廃材が使われていたり、床の間や和室、あるいはバーカウンターが空間に同居していたり。いわゆるコワーキングスペースに漂う整然さに対して、緩さがある。だからこそ、スタートアップマインドがない僕（宇野）のような人にとっても居心地の良さがあると思うんです。

鈴木　たしかに「雑味」は要素としてあるかもしれません。ただ最近、意図的に雑なつくりを空間に持ち込んだ施設は他にもいくつか出てきているように思います。ですから、やはり最終的に居心地を決めるのは「人」だろうと思いますね。いわゆる運営者だけではなく、施設を訪れるすべての人を含めて、触媒としての人が環境の良し悪しを決める

のではないかと。なので、SAAIでは入居審査を通じて施設の雰囲気に合う人を選ぶかたちになっています。

――「人を選ぶ」ですか……。他方、microに関しては、山本さんが中心に運営されて来たと思うのですが?

山本 はい。私はSAAIやmicroの企画段階から一緒に議論を重ね、現在はmicroの運営にも携わっています。もともとは地域プロデュースや企業ブランディングを手掛ける古田秘馬さんと一緒に、三菱地所さんとのディスカッションに参加していました。

microを立ち上げるにあたって、僕らは飲食をベンチマークには考えていませんでした。イメージしていたのは、将棋を指すおじいさんがいたり、食べ物や飲み物を持参して、人が集ったりする、牧歌的な公園のような場所。なので、microの1階にある路面店は、窓の大きさを含めて「外でも内でもない」公共空間にすることを意識しました。また、一般的なコンセプトカフェとして打ち出すと、当然売上をあげることが至上命題になってしまいます。そうではなく、あくまでも社会実験場として、誰もやらなさそうなことを促すことを優先しました。

井上 効率性を追うのであれば、きっちり機能は分けるべきです。たとえば、ここはオフィス、ここは商業施設、ここはリラクゼーションスペース、といった具合に。ただ、そもそもの我々の狙いは、そういった境界線をすべて曖昧にすることです。だからこそ、わざわざ壁をぶち抜き、外側と内側の空間をシームレスにする縁側を設けた。憩いの場には飲食があれば物販もある。物理的な環境の境界を曖昧にすることで、文化と経済が越境しあえる設計を意識したんです。

山本 人と人の関係性がシームレスになるコミュニティづくりを目指しているんです。たとえば、イベントを催すとき、あえてドレスコードを設定したことがあります。「鯖江メガネナイト」というイベントでは、来場者の方にドレスコードとしてメガネをかけてきてもらいました。あえてフィルターを設けることで、来場者の方々を一時的にも同じ属性に集約することができ、見知らぬ人ともコミュニケーションが取りやすくなるのではないかと。

「すぐには儲からない」設計こそが、中長期的な経済合理性につながる

鈴木 ただ、MSDの主体が三菱地所である限り、どこまで行っても一定の経済合理性のプレッシャーを受けるわけ

ですよね。もちろんプロジェクトの最初は「掘る」（編注：投資により、一旦は赤字になる）わけですが、まいた種が実ることで中長期的な経済合理性が成り立つことを期待しているわけです。ミクロのプレイヤーが合理的な行動をとることで、結果的にマクロとして正しいあり方にたどり着くような全体最適を、はたして行政や大手企業が意図して仕掛けることは可能なのでしょうか。

井上　ひとまず私は「すぐには儲かりません」と言います。常に「今日の利益、明日の利益、明後日の利益」とプレッシャーを加えれば、逆に経済や街を疲弊させてしまうと思いますから。

山本　ｍｉｃｒｏにしても、この立地、この坪数で通常の家賃を払ったら、普通は飲食に比重を大きく置かないと成り立たない。それでも中長期的な視点に立ったコンセプトがあるからこそ、実験をする余地が残されている。場に余白を残すためにも、一時的な経済性のシュリンクは仕方ないのではないかと思いますね。

――たとえば、Ｗｅｂのプラットフォームでは「あえて設計をしない設計」という発想が当たり前に使われていたりします。意図的に規制を緩くすることで、ユーザビリティを保つ目的です。ただ、ユーザーの刈り取りだけを目的にするとどうしても短期的な思考になってしまう。ポートフォリオを組むように、「この部分はあえて設計をせずに手をつけないでおこう」という手法を採ることは大事な気がします。

鈴木　先ほども挙がった「短期的な経済合理性をあえて劣後させる」という意思決定自体が、そうした手法の一つの表れなのだと思います。そもそも人口が急速に減るのもわかっているいま、ＧＤＰを指標に追いかけること自体がもう難しくなっているわけですよね。「合理性」から「共感性」へと、デファクトになっている指標自体を見直す必要があるのかもしれません。

井上　街の高級化を意味する「ジェントリフィケーション」の文脈では、地域に文化が入り込むことによって、街の価値、具体的には家賃や土地代がビフォーアフターで大幅に上がる事例が数多く出てきます。荒れ果てた街にアーティスト、パフォーマー、音楽家、詩人、作家といったクリエイティブな人たちが流れ込んでくることで、街が活気づき、見違えるように変容していくのですが、文化が起点となって新しい何かが生まれる可能性は荒廃地でも都心でも一緒なはず。先に触れたウォーホルのファクトリーも60年代か

山本 桂司さん

ら80年代にかけてアッパーエリアを含め転々としながら街の変化を先導しましたが、従来と違う革新を生みだす必要性のあるビジネス街こそ、これがモデルになるのではないでしょうか。そして、地価や家賃が上がると芸術家たちが居場所を追われるジェントリフィケーションの課題をクリアしつつ、街の価値アップを実現したいのです。

山本　とはいえ、土地の価値を上げることにも難しさがありますよね。僕はビジネスで尾道にも関わっているのですが、尾道では逆にどうしたら街の家賃が高騰しすぎないかに気を配っています。家賃が上がりすぎると、スタートアップが入り込む余地がなくなってしまうからです。地方に面白いプレイヤーを呼び込むためには、こうした観点が不可欠になるんです。

重なったコロナ禍。それでも生まれた「なめらかな連帯」

――偶然ではありますが、MSDを走らせてきたこの3年間は、そのままコロナ禍の3年間でもありましたよね。

鈴木　そうですね。SAAIに関してはオープンしてすぐ

にコロナがやってきたので、入居も止めざるを得ない状況になってしまいました。なので集客面での苦労が見込まれたのですが、蓋を開けてみると、3年目を迎える現在は大盛況です。

加えて、ＳＡＡＩを起点に生まれた成果を測る一つの指標として、この場所が起点で実現した資金調達額のログを取っているのですが、想定を超える成果をあげることができています。大手企業のイントレプレナーや起業家、ＶＣなどの投資家、銀行、行政など多様な方々がこの場所にこぞって集まり、コミュニティの力により事業の推進力が増し、数字も結果として表れたという手応えを感じています。

山本　ｍｉｃｒｏに関して一つたしかに言えるのは、社会実験の場を標榜する場所として、どんな社会状況に対しても対応できることが示せたということ。普通の飲食店であれば開店をするのが難しい状況でも、ｍｉｃｒｏではあえてこのタイミングでないと発信できない企画に取り組みました。たとえば、緊急事態宣言が解除されたとはいえ、これまでの日常にはない新しい生活様式が問われていたとき、「Social GOOD Distance 展」を企画し、広い店内を使って2m離れることをどれだけポジティブに考えられるのかを検証しました。具体的にはインスタレーション展示、デザインコンペティション、体験型のイベントを通じて、新しい生活様式をネガティブに自粛の延長と捉えることなく、関わる人の心地よい距離感を楽しむものにデザインする取り組みです。世の中的には外出自体が難しいタイミングではありましたが、それでも家から出てこのイベントに来場してくれる、ある意味で尖った人々にはすごくハマった手応えがあります。

また結果的にコロナが収束してからも生かせそうな知見として、社内で行っていた「micro labo」という取り組みがあります。コロナの閑散期を使い、報奨金も出しながらスタッフが発案したアイデアをｍｉｃｒｏで実践してみるチャレンジです。この取り組みから実際に定着するメニューが生まれ、成果もあがりました。何よりも、自分たちがやるべきことを見直す機会となり、スタッフレベルの挑戦心が刺激される試みになったと思います。

井上　私としてはコロナ禍と丸かぶりしたにもかかわらず、緩やか、かつなめらかな連帯がこの有楽町で生まれたことが一番嬉しいです。鈴木さんをはじめとしたスタートアップど真ん中でビジネスをやられている方々に加え、ソーシャル寄りの人であったり、文化やアートに通じた人も混じり合っている。このファジーな世界観を実現できたことこそが、成果なのではないかと思いますね。

日本の経済にはイノベーションが必要とはよく言われる

ことですが、そのためにまず必要なのは発想のジャンプであり、そしてそのジャンプは異なる人材が越境し合うからこそ誘発されると思うんです。なので、私たちとしてもイノベーションにつながる場づくりの思想をまちづくりに埋め込み続けていかないといけないのだと思います。

有楽町ならではの「混ざり合う」カルチャー

——昨今はコロナ禍が収束に向かいつつあり、今後オフィスやコワーキングスペースに対する需要も変化していくと思われます。MSDのプロジェクトを通じて貯めた知見を生かしつつ、次なる一手としてどのようなことを構想されているのか、最後に伺えますか？

井上　コロナのビフォーアフターで、生き方と働き方に間違いなく変化があったと思います。コロナ以前は、基本的に月～金の週5日出社が当たり前で、今ほどリモートワークも定着していませんでした。しかしコロナ禍を経て、企業の人材マネジメントの評価指標が時間からアウトプットに、またマネジメントの手法も一律管理から、よりマイクロな個別評価にシフトしつつあります。つまり、今後の企業はよりいっそう、社員個人個人のケイパビリティやウェルビーイングに向き合っていかなくてはならない。だとすると、まちづくりにおいても単なる器をつくるだけではなく、そこで活動をするステークホルダー個々人のやりたいことを叶えるための視点が必要になるでしょう。日本の50年先に希望が持てる社会システムを、エリア活動の中から生み出していきたいと考えています。

山本　私がMSDに居心地の良さを感じていたのは、社会実験の名のもとに自由と采配が用意される、KPIに縛られない世界だからなのだと思います。これからのまちづくりを考えると、ビルを潰して建て直すにも、どうしても5年はかかる。ただ、5年という年月が経てば、時代の最先端も風化していくことがあるので、開発そのものを目的にするのが難しくなりつつあるのではないでしょうか。

それならむしろ、時代の流れにアジャイル的に対応できたほうがいい。居心地の良さの延長で考えるなら、トライアンドエラーへの許容範囲がある程度担保されていたほうがいいでしょう。誰もが簡単にコネクトできて、嫌だったら簡単に出ていける場所や機能は今後も求められるでしょうし、そのパターンをどのようにしてつくり出していけるかを考えていきたいですね。

鈴木　スタートアップにせよ起業家にせよ、他人から資源をもらうことは前提条件なんです。なので、私としてはい

かにスタートアップや起業家が多様な属性の人たちから好かれ、交流を促せるのかが鍵になると考えています。だとすれば、一部で見られるスタートアップの〝内輪感〟あふれる雰囲気は、他の業界の方々からは近寄りがたくなってしまう場合もあるので、変えなくてはいけません。その点、大手企業、行政、大学、ときにビジネスから遠い芸術家など多様な方々が集まるSAAIが、渋谷でも六本木でもなく有楽町を拠点にしている意義は小さくないはずです。これからは、有楽町でスタートアップカルチャーをゼロからつくる気概で取り組んでいきたい。

井上　鈴木さんのお話にもう一つ付け加えるなら、大丸有には独特のブランドがあるわけですよね。高級ブティックが立ち並ぶ銀座がある一方、日比谷には高架下の猥雑な空気があったりもして、そういった特異な立地に集まる人たちが総体として醸し出す雰囲気もある。スタートアップ文化を形成していくうえで、必然的に六本木や渋谷とは異なる土壌があるわけです。ですから変にゾーニングをせず、隙間や余白を大事にしながら、混沌そのものが一つのブランドに成長していくといいなと思っています。

今後はスタートアップにいようが大企業にいようが、所属よりも個人そのものにフォーカスが当たっていくと思います。個人のケイパビリティが上がり、その人のやりたいことが達成されるのであれば、それこそが個人のウェルビーイングにつながるのではないでしょうか。それをどこよりも叶える街にしていく、それが我々の想いであり、意志なのです。

2020年代のまちづくり
——震災復興から地方創生へ、
オリンピックからアフターコロナへ

2023年12月31日　第1刷発行

編者　宇野常寛

協力　三菱地所Micro STARs Dev.

企画協力　山元 夕梨恵／三菱地所プロジェクト開発部 統括

発行者　宇野常寛

発行所　株式会社PLANETS／第二次惑星開発委員会
http://wakusei2nd.com/
info@wakusei2nd.com

ブックデザイン　池田明季哉

中表紙撮影　村田啓

DTP　坂巻治子

編集　小池真幸

編集協力　中川大地、徳田要太

校正　東京出版サービスセンター

印刷・製本所　モリモト印刷株式会社

ISBN：978-4-911149-00-3

【巻頭座談会】

震災復興から地方創生へ、オリンピックからコロナへ。「まちづくり」のこれまでとこれから

宇野常寛
齋藤精一
重松眞理子
馬場正尊
古田秘馬

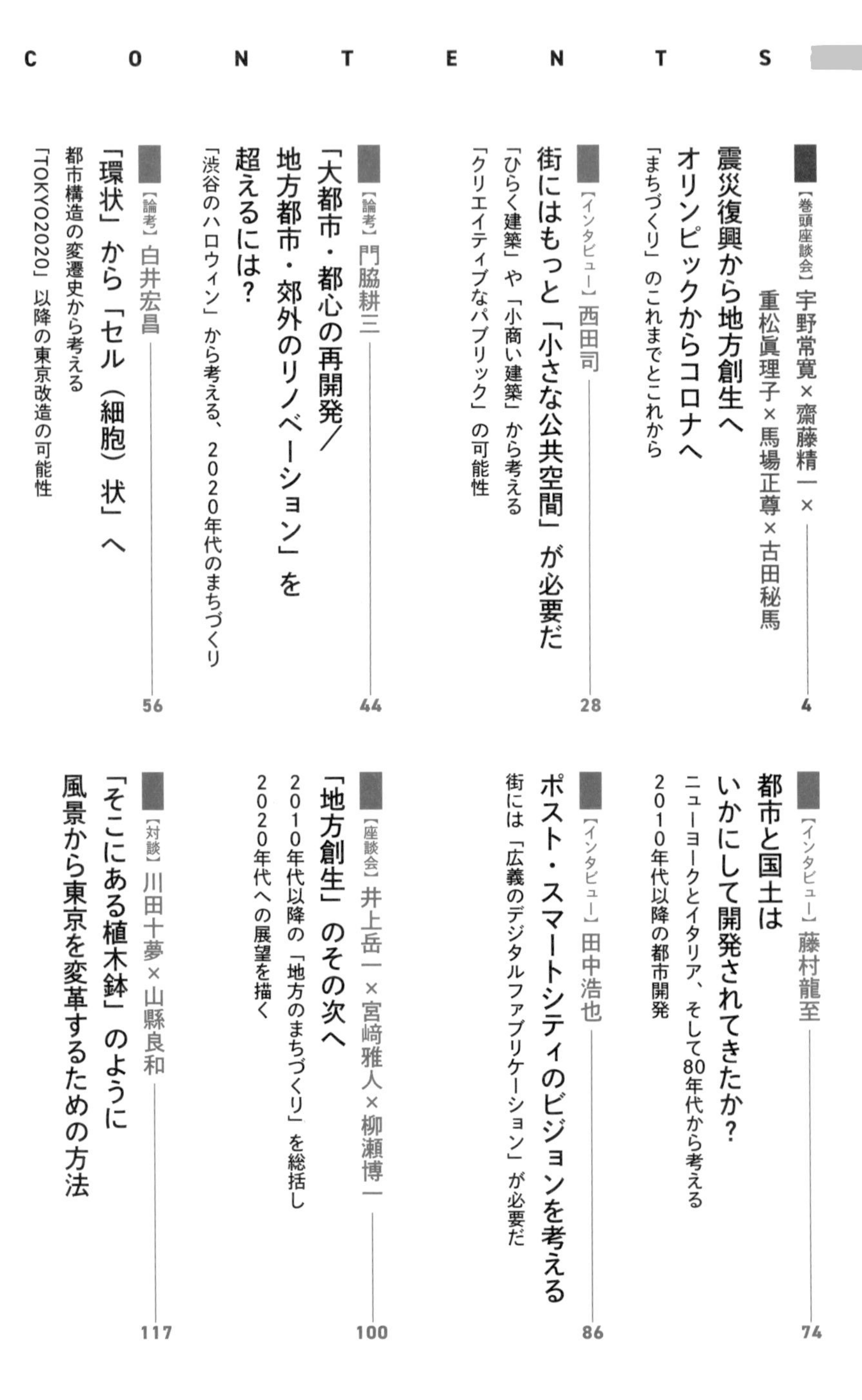

CONTENTS

DESIGN